LES RUSES
DE LA TECHNIQUE

Christian Miquel — Guy Ménard

LES RUSES
DE LA TECHNIQUE

Le symbolisme des techniques
à travers l'histoire

BORÉAL

*Cet ouvrage a été publié grâce à une
subvention de la Fédération canadienne des études
humaines, dont les fonds proviennent du Conseil de
recherches en sciences humaines du Canada.*

*La publication de cet ouvrage a également été
encouragée par une subvention accordée au titre de
la coopération franco-québécoise.*

Maquette de la couverture: Gianni Caccia
Illustration: Stéphan Daigle

© Les Éditions du Boréal, Montréal
Dépôt légal: 1ᵉʳ trimestre 1988
Bibliothèque nationale du Québec

ISBN (Boréal) 2-89052-212-1
ISBN (Méridiens) 2-86563-201-6

Un phénomène essentiel des Temps Modernes est la science. Un phénomène non moins important quant à son ordre essentiel est la technique mécanisée. Il ne faut pourtant pas mésinterpréter celle-ci, en ne la comprenant que comme pure et simple application, dans la pratique, des sciences mathématiques de la nature. La technique est au contraire elle-même une transformation autonome de la pratique, de telle sorte que c'est plutôt cette dernière qui requiert précisément la mise en pratique des sciences mathématisées. La technique mécanisée reste jusqu'ici le prolongement le plus visible de l'essence de la technique moderne, laquelle est identique à l'essence de la métaphysique moderne.

M. Heidegger,
Chemins qui ne mènent nulle part

La raison est aussi puissante que rusée. Sa ruse consiste en général dans cette activité entremetteuse qui, en laissant agir les objets les uns sur les autres conformément à leur propre nature, sans se mêler directement à leur action réciproque, en arrive néanmoins à atteindre uniquement le but qu'elle se propose.

G.W.F. Hegel,
La science de la logique

Dans un monde peuplé de dieux, l'homme est un dieu tombé qui se souvient des cieux. Mais dans un monde peuplé de machines, il n'a comme origine que le point de départ de la technique (...). À partir de là, il reconstitue son histoire en fonction de la technique (...). Mais il ne faut pas s'y tromper, ce n'est pas là une histoire séculière, c'est une autre histoire sacrée.

J. Ellul,
Les nouveaux possédés

Avertissement

Pour alléger la lecture, les notes de bas de pages ont été évitées, et les références aux ouvrages cités sont minimalement données dans le corps même du texte. Dans le cas des ouvrages plus fréquemment évoqués, des abréviations entre crochets sont parfois utilisées. Elles correspondent de manière générale aux initiales des titres des ouvrages en question. Ces abréviations sont reprises dans la bibliographie, sous le nom des auteurs, pour faciliter le repérage de ces sources.

Remerciements

Pour la recherche, nous avons bénéficié de l'appui du Conseil de recherches en sciences humaines du Canada, du Fonds FCAR, du Programme d'aide financière aux chercheurs et aux créateurs de l'Université du Québec à Montréal et de la Fondation Gérard-Dion (Québec). Nous tenons à remercier également madame Marie Douville de sa précieuse collaboration à la préparation du manuscrit définitif.

C. M. et G. M.

Introduction

TECHNIQUE, SYMBOLE ET SACRÉ

Quand nous considérons la technique comme quelque chose de neutre, c'est alors que nous lui sommes livrés de la pire façon: car cette conception, qui jouit aujourd'hui d'une faveur toute particulière, nous rend complètement aveugles en face de l'essence de la technique.

M. Heidegger,
La question de la technique

I

Comment aborder le domaine de la technique?

C'est encore en méditant l'objet que le sujet a le plus de chance
de s'approfondir.

G. Bachelard,
Le nouvel esprit scientifique

Nous vivons — c'est trivial de le dire — environnés par la technique. Du radio-réveil qui nous tire du lit le matin à la cafetière programmée que l'on a branchée la veille, de l'ordinateur qui nous tient compagnie au bureau au laser qui illumine nos nuits de discothèque, de la voiture qui nous promène entre ces lieux au téléphone qui abolit un moment la distance, des «transformers» convoités par nos enfants à Noël aux *gadgets* de toutes sortes que nous nous y échangeons nous-mêmes, à vrai dire, de l'incubateur qui accueille nos premiers vagissements à l'électro-encéphalogramme témoin de notre dernier souffle; et plus encore, des techniques qui permettent depuis un moment de planifier les naissances à celles qui offrent déjà de cryogéniser les corps, notre vie, de part en part, est ponctuée, traversée, innervée par la technique.

De cette technique pourtant, et malgré les apparences, il n'est pas si simple de parler. Non certes qu'il manque de discours à son sujet. Ils prolifèrent au contraire, au point de nous inonder de leur incessant bavardage: du mode d'emploi requis pour utiliser le moindre appareil ménager aux solennelles envolées gouvernementales sur les «virages technologiques», en passant par les colloques savants, les émissions éducatives et les magazines populaires, la technique ne fume et ne drague peut-être pas, mais elle cause — et fait drôlement causer. La plupart des discours et des ouvrages qui en traitent l'abordent cependant, le plus souvent, d'une manière elle-même technique, sans l'interroger d'un point de vue autre que le sien. La technique, selon l'expression de Gilbert Hottois (*Le signe et la technique*) est devenue largement «auto-référentielle»; elle se présente de plus en plus comme un univers clos sur lui-même, autosuffisant. Et c'est précisément cette prétention de la technique à se définir uniquement à partir d'elle-même, sans référence à d'autres domaines de l'expérience, que cet essai se propose d'interroger. Mais, dira-t-on peut-être, n'est-ce pas ce que font déjà bien des analyses — historiques, économiques ou sociologiques — qui tentent de rendre compte du phénomène technique? Certes. Mais c'est le plus souvent d'un point de vue «externaliste» qu'elles le font, se plaçant pour ainsi dire en dehors de la logique d'évolution propre de la technique, pour en montrer la dépendance à l'égard d'autres facteurs — historiques, économiques ou sociologiques justement. C'est cependant d'une autre manière que cet essai entend interroger les prétentions auto-référentielles de la technique.

Son projet s'inscrit dans la mouvance des interrogations de M. Weber (*L'éthique protestante et l'esprit du capitalisme*) et de R. Merton (*Science, Technology and Society*). Réfléchissant à une prétention analogue de la *science* à se définir en dehors de toute «valeur», ces auteurs ont bien montré que cette prétention renvoyait ultimement à l'instauration de la science elle-même comme *valeur*, et même comme valeur suprême. En prolongeant leur réflexion au phénomène de la technique, on en vient ainsi à se demander si l'hégémonie actuelle des discours «techno-cratiques» (c'est-à-dire qui n'abordent en somme la technique que de manière purement technique) ne renvoie pas simplement désormais à une auto-affirmation de la technique comme *valeur*, et comme valeur qui se subordonnerait toutes les autres. Si tel est bien le cas, ce passage de la technique *comme technique* à la technique *comme valeur* laisse deviner que la technique n'est jamais extérieure au domaine du sens, lors même qu'elle prétendrait se définir comme pure fonctionnalité. C'est le lien fondamental et originaire entre technique et sens qui guidera l'interrogation de ce livre.

Loin d'être «d'abord là» et de «recevoir ensuite» du sens, la technique apparaît d'emblée comme manière de produire du sens, de faire advenir un certain sens de la relation au monde, et de privilégier celui-ci par rapport à d'autres formes possibles, concevables, de cette relation. En d'autres termes, une technique se détermine certes à partir de critères purement techniques, mais tout autant à partir du sens (c'est-à-dire de valeurs, de finalités et de symboles) qu'une culture lui accorde. Bien que son «discours» ait été le plus souvent émis en flux non linguistiques, la technique, depuis l'aube de l'histoire, *parle* et *fait parler* le monde tout autant qu'elle l'*agit* et y *fonctionne*. «Ça marche parce que ça parle!» pourrait-on dire, en évoquant librement Lacan et le babil *non stop* de la radio...)

L'importance de cette dimension de la technique n'a pas toujours paru évidente. Ainsi, par exemple, les penseurs qui, dès l'aube de la Révolution industrielle, ont réfléchi sur le nouveau machinisme en apparence purement mécanique qu'elle inaugurait, ont pu nourrir longtemps l'illusion de la technique comme «objet neutre» ne requérant qu'une analyse purement instrumentale et fonctionnelle. C'était oublier que ce nouveau machinisme dépendait de toute une nouvelle organisation et de toute une nouvelle rationalisation du travail — qui n'en étaient pas une conséquence mais bien plutôt une des conditions d'apparition. La forme de division du travail qui apparaissait alors était en effet inséparable d'un nouveau sens donné à la technique, dont on attendait qu'elle permette d'établir sur terre un nouvel «Âge d'or» — cette fois industriel — grâce à une réorganisation rationnelle du monde. Le développement de la technique machinique se trouva par là même à dépendre de tout un schéma organisationnel, de tout un univers de valeurs et de symboles qui présidèrent à son expansion. N'est-ce pas d'ailleurs ce qu'avaient bien pressenti les divers mouvements ouvriers et sociaux qui, des Luddites anglais farouchement opposés à l'arrivée des machines aux Canuts de Lyon brisant plus d'une fois les leurs ou aux révoltes ouvrières américaines des années 1920 et 1930 mues par le rejet du taylorisme, rejetèrent toujours la technique au nom des valeurs qu'elle semblait opposer à celles de leur culture et de leurs croyances? C'est bien en effet pour une large part parce qu'elles mettaient en cause leur vision du monde du travail, fondée sur le compagnonnage artisanal, que Luddites et Canuts refusèrent les techniques industrielles nouvelles. De même, si les ouvriers américains s'opposèrent si violemment à l'introduction d'une compétitivité individualiste, c'est fondamentalement aussi parce que l'aménagement taylorisé du travail bafouait la vieille loi sacrée de la «collaboration ouvrière».

Mais empruntons au 19ᵉ siècle un autre exemple, et songeons à ce formidable espoir qui y fut investi dans la science et la technique, et qu'on a généralement désigné sous le terme de *scientisme*. Cette attitude se référait assurément à des innovations techniques concrètes qui bouleversaient aussi bien les modes de production (de la manufacture à l'usine, par exemple) que les moyens de communication (notamment avec la vapeur et l'électricité). Et cependant, loin de pouvoir se ramener à une simple *histoire des progrès techniques*, l'histoire de ce 19ᵉ siècle scientiste est tout autant celle de l'émergence d'une croyance au *rôle sacré* de la technique et du dynamisme de son essor. La «victoire» de la technique, au 19ᵉ siècle, est indissociable de l'assomption de la technique *comme symbole de victoire*.

Le lien entre le monde technique et l'univers du sens se manifeste sans doute avec plus d'évidence encore à notre époque. Ainsi, par exemple, l'essor actuel de l'informatique et des «nouvelles technologies» qui en sont issues ne permet plus guère de maintenir l'illusion d'une indépendance de la technique à l'égard du domaine du sens. Que serait en effet l'ordinateur sans son logiciel qui construit du sens, sans son clavier de symboles qui permettent de le gérer? C'est bien d'ailleurs ce qui amènera G. Hottois à proposer que l'informatique, loin d'être une pure technique neutre et opération-nelle qui pourrait demeurer à l'écart du sens, inscrit bien au contraire le symbolique dans le système technique lui-même.

Ainsi paraît bien justifiée l'analyse du rapport qui existe entre technique et sens, dès lors que l'une ne saurait se concevoir indépendamment de l'autre. Si le premier objectif de cet ouvrage est bien de montrer que la compréhension d'une technique requiert l'interrogation de son rapport au sens, on doit par ailleurs se demander comment il est possible de préciser et de dégager la diversité des sens qui peuvent ainsi être attribués à une technique.

INTRODUCTION

Technique, sens et univers symbolique

Le symbole — tel sera du moins le sens que privilégieront ces pages — peut être défini comme ce qui permet d'ajouter à un objet concret une «autre dimension» qui le surdétermine en lui donnant un sens. Ainsi, par exemple, la *balance*, outil technique, renvoie également à l'équité et à la justice qu'elle signifie symboliquement. L'objet technique, en ce sens, n'est jamais objet purement instrumental; il renvoie toujours à des significations symboliques qui donnent sens au monde.

Second aspect du symbole: cette représentation, ce sens qu'il permet d'attribuer à l'objet n'est pas le fait d'un pur arbitraire. Comme le suggère notamment l'exemple de la balance, cette assignation résulte d'un processus analogique de l'imaginaire et conserve toujours un rapport avec l'objet concret. C'est pourquoi le symbole débouche toujours sur une vision globale de l'objet, vision dans laquelle le signifiant et le signifié sont appréhendés en un seul mouvement synthétique, pour ainsi dire magiquement réconciliés. Comme le suggère T. Todorov (*Théories du symbole*) dont cette définition s'inspire, le symbole est le fruit d'une pensée qui réconcilie les deux aspects du signe en une vision globale.

Ce second aspect du symbole aide à comprendre que l'objet technique devienne aussi un signe dans lequel la fusion du signifiant et du signifié projette d'emblée dans un univers symbolique de représentation global et totalisant. Il s'agira dès lors de chercher quel sens est d'emblée attribué à l'objet technique de manière à la fois endogène, par processus analogique (la charrue renvoyant toujours, par exemple, à une blessure infligée à la terre) et de manière exogène, par codage social (ce symbolisme de la blessure, en l'occurence, pouvant être interprété de diverses manières, aussi bien comme malédiction, par exemple, que comme participation à un travail divin).

La piste que suivra cette interrogation du lien intrinsèque entre sens et technique consistera à interroger la manière dont la technique, dans diverses civilisations, a été intégrée à la sphère du sens grâce à la construction d'*univers symboliques* qui ont codé cette technique de manière spécifique, lui assignant notamment une valeur plus ou moins profane ou sacrée. On verra que c'est bien d'une telle intégration de la technique à un univers symbolique que dépendent, dans une large mesure, l'évolution de la technique et son apparition sous telle ou telle forme historique concrète.

Il va de soi qu'une interrogation de ce type commande une enquête historique comparative qui permettra de comprendre comment, à différents moments de l'histoire des civilisations, la technique a justement pu «faire sens» de différentes manières. Outre qu'elle permette de dégager le sens ponctuel attribué à un objet technique, une enquête historique est susceptible de mettre en lumière le fait que, selon les époques, les techniques s'intègrent dans des univers symboliques particuliers. D'où le second objectif de ces pages, celui de repérer les grands univers symboliques dans lesquels les systèmes techniques ont été intégrés.

Non pas tant «histoire des techniques» donc — il en existe déjà, et d'excellentes —, mais plutôt histoire du *symbolisme* des techniques; histoire, pourrait-on dire, d'un imaginaire symbolique qui, de tout temps, a été intimement associé aux techniques et qui, en dépit d'une relative cohérence (largement axée, on le verra, sur un schème de la *puissance*), n'en a pas moins donné lieu à des articulations, à des formes et à des figures extrêmement diversifiées. Il serait cependant naïf de parler, au singulier, d'*une* histoire du symbolisme des techniques. Plus exactement, l'histoire de l'évolution globale du symbolisme des techniques ne doit pas faire perdre de vue que chacune de ses «strates» constitue déjà elle-même toute une histoire; qu'il y a dès lors lieu de parler au pluriel de l'«histoire» du symbolisme des techniques, chaque civilisation s'étant en quelque sorte raconté à sa manière l'histoire du sens qu'elle attribuait à la technique.

Cette première délimitation du champ d'interrogation ne saurait toutefois suffire. Il importe en outre de préciser les rapports qui peuvent être décelés entre le monde de la technique d'une part et, d'autre part, celui du *symbole* et du *sacré* qui structurent les univers imaginaires de la technique.

II

Technique et symbole

Analyser intellectuellement un symbole, c'est peler un oignon pour trouver l'oignon.

Pierre Emmanuel,
Considération de l'extase

Rapprocher technique et symbole ne va pas de soi: l'une désigne en effet un ordre instrumental, fragmenté en de multiples objets partiels; l'autre renvoie au contraire à la recherche d'un sens global, totalisant. On pourrait même penser que le monde de la technique n'a précisément rien à voir avec celui du symbole. C'est notamment ce qu'on pourrait retenir d'une lecture hâtive de penseurs comme Jacques Ellul (*Le système technicien, Les nouveaux possédés, La technique ou l'enjeu du siècle*) et Gilbert Hottois (*Le signe et la technique*), à qui l'on doit d'inspirantes réflexions sur la question.

Symbole et technique moderne

La thèse soutenue par Ellul et Hottois semble en effet avancer qu'il existe, de nos jours, une «différence», une «coupure radicale» entre ces deux mondes: dans l'univers de la technique régnerait le seul impératif fonctionnel et pragmatique, le symbole renvoyant quant à lui au monde théorétique des valeurs par lesquelles l'être humain donne sens aux choses, en se façonnant une culture. Non seulement cette «différence» renverrait-elle ainsi à deux ordres d'inscription ontologique, à deux modes d'être différents de la réalité, mais, en outre, le monde de la «technique moderne» se déploierait sans aucun lien avec l'univers du symbole, qu'il contribuerait même à éroder, à rendre de plus en plus caduc, inutile et désuet.

    Chez Ellul, ce constat paraît essentiellement s'appuyer sur l'idée que, tant et aussi longtemps qu'il appartenait au monde *naturel*, l'être humain se voyait obligé d'affronter quelque chose de vertigineusement *autre*. La *symbolisation* était alors l'opération grâce à laquelle il tentait d'apprivoiser cette radicale altérité. L'univers technicien dans lequel nous sommes désormais immergés et qui, faisant constamment refluer le milieu naturel, est devenu notre milieu ambiant, ne renverrait plus l'être humain qu'à lui-même et à ses constructions, sans aucune distance possible par rapport au monde qu'il a lui-même façonné et, donc, sans aucune possibilité de médiation symbolique par rapport à ce monde. L'être humain serait condamné par la technique à ne jamais voir que lui-même et ses propres constructions...

Proche de celle d'Ellul, la perspective de G. Hottois s'en distingue néanmoins en ceci notamment qu'elle attribue l'opposition essentielle du monde symbolique et du monde technique au fait que l'attitude pratique et opérationnelle de la technique se serait libérée de toute contrainte d'origine axiologique et théorétique, devenant en quelque sorte une «techno-science aveugle». Cette dernière éloignerait toujours plus l'être humain du respect symbolique d'une nature qu'il s'était contenté jusque-là de «laisser être». Elle développerait une attitude inverse et incompatible de manipulation, de domination et de réagencement perpétuel de toutes choses, qu'il s'agisse de la nature aussi bien que de l'être humain lui-même.

Hottois, comme Ellul, met fort bien en lumière la manière dont, à notre époque, la technique remet en cause les schémas mêmes de la pensée symbolique, et se déploie apparemment sans nul besoin de cette dernière. On doit cependant se demander si ce constat de la «libération» de la technique par rapport à la sphère symbolique n'a pas été radicalisé par ces deux auteurs. L'enjeu est de taille: s'il fallait en effet constater l'irréductibilité du divorce entre le monde de la technique et l'univers du symbole, une entreprise visant à interroger le sens et le symbolisme de la technique contemporaine se trouverait d'emblée bien compromise... Il y a toutefois lieu de penser que J. Ellul et G. Hottois ont vraisemblablement radicalisé les conclusions d'une analyse par ailleurs tout à fait acceptable, et qu'eux-mêmes énoncent en outre les arguments permettant de les atténuer.

Notons d'abord que ni Ellul ni Hottois n'affirment que l'hétérogénéité de la technique et du symbole a toujours existé. Tous deux semblent au contraire s'entendre sur le caractère assez récent de l'opposition. Pour Ellul, elle sera essentiellement due à l'informatisation de la société au cours des quelque vingt dernières années, ce processus ayant engendré un «système technicien» de plus en plus autonome. Hottois, pour sa part, d'un point de vue plus philosophique, fait remonter le divorce à l'abandon du primat de la *raison théorique* sur la *raison pratique*, au moment donc où se mit en place la science expérimentale et hypothético-déductive de l'Occident. Depuis Bacon et Galilée, celle-ci aurait provoqué une «révolution» épistémologique, qui aurait de plus en plus subordonné la raison théorique à un appareillage expérimental. Dès ce moment se serait pour l'essentiel trouvé posé le primat d'une raison pratique technicienne qui, se développant toujours davantage, en arriverait de nos jours, à travers le système de *Recherche-Développement*, à ce que la science n'ait plus en somme qu'une vocation ancillaire, qu'elle devienne un simple «moyen» réquisitionné par la technique, au service de cette dernière.

Mais le fait que ce phénomène soit relativement récent n'indique-t-il pas qu'*auparavant* la technique n'était pas sans rapport avec l'ordre symbolique? J. Ellul parle fort peu de la technique «avant» que celle-ci ne se «coupe» — comme il dit — du symbole, dans le «système technicien». Mais la «radicale nouveauté» qu'il reconnaît à ce dernier paraît bien suggérer qu'il n'y avait pas, «avant», une telle «coupure». G. Hottois insiste également sur le changement radical qui, à un moment donné, a bouleversé le rapport entre symbole et technique.

Hottois reconnaît par ailleurs que, devenue de nos jours système autonome, la technique n'en reçoit pas moins nombre d'influences «extérieures» qui peuvent la favoriser ou, au contraire, la restreindre. De plus, *Le signe et la technique* se termine par une sorte d'appel humaniste à contrebalancer le rôle purement profane de la technique à partir d'un point de vue axiologique (et symbolique) qui la limiterait et lui donnerait un sens. Mais lorsqu'il demeure plus étroitement dans la mouvance d'Ellul, Hottois redevient largement prisonnier du pessimisme de celui-ci; il ne voit plus qu'une coupure

19

radicale entre ces deux ordres. La technique n'a plus rien à voir avec le symbole; elle déploie un monde d'où tout symbolisme est exclu, ruinant progressivement l'antique richesse du symbole. Trop préoccupés de marquer la différence entre ces deux registres, Ellul et Hottois en sont réduits à ne plus voir que les effets «négatifs» du monde technique sur la sphère symbolique, ratant ainsi la profusion de nouveaux symboles qui se cristallisent autour de la technique en réactualisant constamment les mythes fondateurs de notre société industrielle. Pour peu qu'on échappe aux relents d'un positivisme progressiste et qu'on renonce à se croire à un nouveau «tournant radical» de l'histoire, on s'aperçoit que notre monde technique n'est pas plus exilé de l'univers symbolique que les civilisations qui l'ont précédé, et que les mythes qui s'y déploient autour de la technique ne cessent de resacraliser celle-ci.

Les *ruses* de la technique

Il semble que ce soit ainsi par une généralisation hâtive que J. Ellul et G. Hottois, tout en dégageant fort lucidement la problématique qui se noue entre technique et symbole, en viennent à poser une distinction *radicale* entre l'un et l'autre, à constater une érosion irréversible du monde du symbole sous l'effet de la technique moderne. Il reste pourtant à rendre compte du fait que la technique, bien qu'elle n'ait apparemment rien à voir avec l'ordre symbolique, exprime néanmoins elle-même un ordre symbolique. En fait — et c'est vraisemblablement ce qui fait défaut à l'analyse d'Ellul et de Hottois — il faut penser ces deux aspects *en même temps*.

C'est précisément ce que pourrait permettre le concept de *ruse de la technique* proposé ici pour désigner la manière dont la technique, s'alliant à un univers symbolique puissant, paraît bien être devenue une nouvelle croyance sacrée, promesse d'un nouveau «royaume de Dieu» industriel et terrestre. Ruse *de la technique*, puisque c'est justement cette alliance qui permit historiquement à la technique de se déployer sans entraves, d'instaurer un nouvel ordre apparemment hostile à la pensée symbolique qui avait pourtant permis son émergence. Mais aussi ruse *du symbole*: la technique, en effet, s'affranchissant ainsi (du moins en apparence) de l'ordre symbolique, se transforme elle-même en milieu symbolique que nous sommes amenés à consommer sans cesse, à défaut de symboliser sur lui. (Ce qu'Ellul semble d'ailleurs lui-même reconnaître lorsqu'il souligne que si le milieu technique est bel et bien réfractaire à toute symbolisation, au sens traditionnel du terme, il tend néanmoins à s'accaparer les symboles, à se les intégrer, en les réduisant toutefois à sa propre logique.)

Cette (ré)intégration du symbole à l'ordre technicien — elle fait bien sûr pendant à l'antique intégration des techniques à l'ordre symbolique — nous amènera à réfléchir, dans ce contexte, au *destin du symbolique*. On pourrait rapprocher ce «destin» de l'idée hégélienne de *Ruse de la Raison*. Par ces termes, on le sait, l'auteur de la *Phénoménologie* entendait la démarche de la Raison qui, étant déjà l'Esprit, cherche toutefois ce dernier à l'extérieur de lui-même, pour découvrir finalement, après le long chemin de la médiation dialectique, qu'elle n'était autre que l'Absolu. Son aliénation dans le monde (extérieur) qui lui apparaissait d'abord comme le «tout autre» est ainsi, en fait, la condition même de sa réconciliation avec elle-même et avec ce monde. Son oubli de soi face au monde concret — qu'elle semble regarder sans s'y mêler — constitue précisément cette «ruse» grâce à laquelle elle s'immerge dans ce monde, découvrant médiatement son identité foncière avec lui.

Le destin du symbole, apparemment chassé du monde de la technique, ne pourrait-il de fait se comparer à cette *ruse* — et, donc, s'entrevoir comme retour *à venir*? Ou, alors, faudrait-il plutôt y voir une ruse hégélienne qui, si l'on ose dire, aurait mal tourné? Ruse par rapport à la pensée hégélienne totalisante elle-même, cette technique n'ayant finalement plus la possibilité (ou l'envie!) de se réintégrer à l'ordre symbolique dont elle est pourtant issue? Et, si cela était, n'inaugurerait-elle pas ainsi — vertigineux paradoxe — une nouvelle ère de la pensée, désormais débarrassée de tout codage «symbolique»? À moins, enfin, qu'une troisième figure possible du destin de cette ruse soit une espèce de pensée hybride, doublant sans cesse la technique de valeurs symboliques et imposant au symbole l'ordre morcelé de celle-ci? Telles sont en tout cas les interrogations qu'il sera opportun de reprendre à la fin de cet essai.

III

Technique et sacré:
l'ordre, la puissance et la transgression

Le sacré est ce qui donne la vie et ce qui la ravit, c'est la source
d'où elle coule, l'estuaire où elle se perd...

R. Callois, *L'homme et le sacré*

Tout comme dans le cas du symbole, il pourrait être tentant d'affirmer hâtivement qu'il n'y a, à proprement parler, aucun rapport entre technique et sacré.

Le *sacré*, à notre époque, est le plus souvent circonscrit de manière avant tout «négative», comme ce qui s'oppose au monde «profane», comme ce qui permet d'y échapper pour atteindre une «dimension autre» de l'existence, un «plus» existentiel, une expérience radicalement autre que celle — banale et profane — du quotidien. Or rien, à première vue, ne paraît appartenir davantage que l'objet technique à ce monde profane. Qu'est-ce que cet objet, en effet, sinon un simple «moyen» artificiel permettant une activité de travail sur la matière en vue d'une fin essentiellement utilitaire — manger, s'abriter, tuer, guérir? L'objet technique, servant avant tout à produire un effet «mondain», semble de ce fait appartenir d'emblée et essentiellement au registre du *profane*. Pour repérer les lieux de manifestation du sacré dans nos sociétés modernes, il conviendrait — et il suffirait presque, dès lors — d'inventorier et d'explorer ces lieux de l'expérience qui échappent à l'hégémonie profane, rationnelle et quotidienne de l'ordre technicien. (Ce qui en amène aujourd'hui plusieurs à tenter de repérer des indices du sacré du côté de phénomènes comme la fête, le jeu ou la sexualité par exemple, qui paraissent justement échapper à l'ordre utilitaire de la technique.)

Certaines théories anthropologiques du sacré semblent aller dans ce sens. Pour R. Otto, l'un des principaux fondateurs de la

22

phénoménologie religieuse, le sacré se réfère d'abord et avant tout à une expérience de l'irrationnel qui se dévoile à l'être humain comme ce qui le dépasse, le déborde de toutes parts, le fait accéder à une expérience à la fois fascinante et terrifiante du *tout autre*. Centrée sur l'expérience intérieure, cette perspective laisse bien peu de place à la technique qui semble ne concerner qu'une dimension «objective» et «extérieure» de la vie humaine.

Pourtant, à y regarder de plus près, rien n'est moins sûr: si la *puissance* sous son aspect redoutable est bien l'un des signes par excellence de l'expérience du sacré comme *tout autre*, que dire alors de la puissance technicienne elle-même? N'est-elle pas précisément, dans sa démesure même, à la source d'un nouveau *sentiment* individuel et collectif du sacré, tout à la fois empreint de terreur et de fascination? Hiérophanie de la bombe et de la centrale nucléaire, ou même seulement de l'écran cathodique... Et cette «autonomie» du système technicien qui échappe à l'être humain et à son contrôle, comme le soutiennent J. Ellul et G. Hottois, ne serait-elle pas l'indice que la technique ouvre finalement sur une dimension inattendue du *tout autre*, sur ce que Hottois, par exemple, appelle un «innommable imprévisible» et qui n'est pas sans rappeler ce caractère *numineux* du sacré chez Otto?

On pourrait également retrouver chez Mircea Eliade cette «tentation» de rejeter plus ou moins radicalement la technique du côté du profane, et de faire ainsi l'économie de son analyse dans les termes du sacré. Eliade, à la différence de R. Otto, ne définit pas d'abord le sacré par rapport à l'expérience intérieure, existentielle, mais à la manière d'une phénoménologie beaucoup plus «objective», si l'on peut dire, par rapport aux «signes» émis par la nature: celle-ci apparaît ainsi comme la matrice d'une véritable religion cosmique originaire, où le sacré s'articule à partir des grands symboles liés aux principaux éléments du cosmos (le ciel, par exemple, étant à l'origine des expériences de crainte et d'attente à l'égard d'une transcendance; l'eau, à la source de tous les mythes et rituels de mort et de renaissance; la terre, à la racine des valeurs symboliques de richesse, de fertilité, de procréation. etc.). Le monde technique semble à première vue exclu d'un tel univers naturel et cosmique. Et, de fait, que

23

ce soit dans son *Traité d'histoire des religions* ou dans *Le sacré et le profane*, Eliade accorde assez peu de place à la technique. Pourtant, s'il est tenté d'exclure la technique de la sphère du sacré, Eliade est sans cesse ramené à la croiser sur son chemin et à lui reconnaître, dans les faits, une importance, un rôle et un sens symboliques qu'il ne lui accorde pas dans sa théorie plus générale. Ainsi relativise-t-il la définition profane de la technique en précisant que ce n'est qu'à notre époque moderne que le travail, par exemple, se trouve désacralisé. Chez les «primitifs», et pendant de longs siècles dans l'histoire humaine, le travail — et, partant, l'outil qui le médiatise — constitue encore une certaine manière de se rapporter à l'ordre cosmique qu'il contribue à maintenir et à renforcer. Il se trouve donc aussi lui-même investi de tout un sens sacré. Plus encore, précise Eliade à plusieurs reprises: n'importe quel objet peut, à un moment donné, devenir un signe du sacré (de sa présence, de son irruption), une *hiérophanie*. L'objet technique ne serait donc pas plus que n'importe quel autre à écarter de la sphère du sacré, à reléguer au seul domaine profane.

Il faut enfin, pour lui rendre justice, souligner qu'Eliade prend lui-même en considération l'importance de la technique dans la constitution des univers symboliques sacrés à travers l'histoire des civlisations. Si, dans sa perspective, le sacré échappe à la temporalité historique, les inventions techniques sont en revanche ce qui introduit une dynamique, et même une «histoire» dans les figures revêtues par le sacré. (Eliade, notamment dans son *Histoire des croyances et des idées religieuses*, montre ainsi par exemple comment l'agriculture modifie profondément tout le rapport symbolique à la terre, avant que cette symbolique soit à nouveau bouleversée par l'invention des techniques métallurgiques qui ont permis l'émergence de nouveaux univers symboliques, de nouvelles représentations du sacré.)

D'autres auteurs ont mis encore davantage en lumière l'importance décisive de la technique dans la constitution même de la dialectique du sacré et du profane. Georges Bataille, par exemple, qui a remarquablement étudié le double «statut» de la technique à cet égard. Bataille, dans sa *Théorie de la religion* notamment, voit bien dans l'objet technique l'origine même du monde *profane*. C'est parce que les humains se mettent à utiliser des instruments, des outils en vue d'une certaine fin, qu'ils en viennent à prendre l'habitude de voir non seulement ces outils eux-mêmes mais tous les objets qui entrent dans leur expérience comme de simples «choses», soumises à leur activité et à leur volonté. Tout en vient alors à se montrer sous l'aspect de la «chose utile», sur le mode de l'instrumentalité. Le cosmos lui-même se dévoile comme un monde calme et clair, rationnel, répondant comme en écho à l'ordre profane (humain) des choses, d'où toute violence, notamment, a été exclue.

Mais, d'autre part, Bataille montre bien que l'outil (l'objet technique) devient également le symbole par excellence de la rupture d'avec le monde de l'«immédiateté» (ou de la «continuité») dans lequel l'être humain continuerait d'être englué, sans une telle rupture, comme le monde animal ou l'ensemble du cosmos. L'objet technique, l'outil, est donc en même temps ce qui signifie l'irruption de la transcendance, l'arrachement au monde sensible (au cosmos) face auquel l'humanité en vient à se poser comme séparée, distincte, en relation avec «autre chose». («L'outil élaboré, écrit Bataille [TR, 37], est la forme naissante du non-moi.»)

Plus encore: l'outil confère une *puissance* nouvelle. Et cette puissance est d'emblée interprétée comme permettant de dépasser les limites «naturelles» de la condition humaine. L'objet technique, de ce fait, se trouve empreint de toute une puissance «magique», surhumaine, qui introduit l'être humain de plain-pied dans le monde des puissances surnaturelles, sacrées. Fondement même du monde profane, l'objet technique est donc également, pour Bataille, à la source de tout un univers symbolique qui l'investit d'emblée d'une dimension sacrée et le fait échapper au règne de l'ordre purement profane.

Les travaux de Roger Caillois, lui-même longtemps associé aux recherches de Bataille au sein du Collège de sociologie, permettent de mieux circonscrire la «nature» de ce sacré qui se cristallise ainsi «sur» la technique. Caillois (*L'homme et le sacré*) structure tout d'abord le sacré selon un axe fortement polarisé. Le sacré est d'une part situé du côté de l'*ordre* qui, par un système d'interdits, maintient en quelque sorte une distance entre le monde (dangereux) du sacré et celui de l'existence humaine quotidienne, c'est-à-dire du profane. C'est le sacré qui, dans cette perspective, se trouve pour ainsi dire *interdit*, comme assigné à résidence dans un réseau contraignant d'«interdits» (de «tabous») qui laisse place à l'existence *profane*. Ce premier rôle délimite ce que Caillois appelle un *sacré de respect*, qui vise finalement à préserver l'ordre profane du monde, à le protéger contre les atteintes intempestives et dangereuses du sacré.

L'ordre profane n'est cependant pas, de lui-même, porteur de vie. À la longue, il s'use et se sclérose. Il nécessite, de ce fait, une revivification périodique qui lui permette de se ressourcer au réservoir inépuisable de vie que représente le cosmos sacré. C'est là qu'intervient, si l'on peut dire, le second pôle du sacré, celui de la *transgression*, qui, à l'inverse, vise une libération des forces violentes et refoulées par le système des interdits, à travers un certain nombre de rites transgressifs ponctuels comme la fête ou l'orgie. Ces deux systèmes sont en relation dialectique: l'interdit est nécessaire pour préserver le monde profane (c'est-à-dire celui de la quotidienneté humaine) mais sa transgression ponctuelle l'est tout autant pour revivifier cette existence profane en la rebranchant sur la source sacrée de la vie.

Dans une telle perspective, force est encore de constater le statut ambivalent de la technique. Dans la mesure où celle-ci instaure un ordre purement instrumental, on ne s'étonnera pas d'y voir non seulement la source du monde profane, mais même un symbole renvoyant au pôle du sacré de respect qui maintient soigneusement la distance entre les deux sphères, permettant précisément à la technique de déployer son univers fonctionnel. Mais, dans la mesure où elle se montre sous les traits d'une puissance dangereuse, surhumaine, la technique ressortit tout autant au pôle du sacré de transgression: puissance menaçante et redoutable («déstabilisatrice», note G. Hottois), elle met en œuvre des forces habituellement refoulées mais toujours susceptibles de resurgir d'une manière ou d'une autre.

Ainsi, l'objet technique ne semble pas pouvoir être relégué au seul domaine profane du fait qu'il est d'emblée duel, double: son aspect instrumental l'associe à l'origine même du monde profane.

Mais l'irruption de la transcendance dont il témoigne de même que la puissance plus qu'humaine qu'il confère en font aussi, essentiellement, une des sources du sacré.

Ce caractère fondamentalement duel de la technique, à la jonction de l'articulation des deux pôles du sacré, à la source de la dichotomie — et de la dialectique — qui s'instaure entre le sacré et le profane, a été remarquablement mis en lumière par G. Simondon (*Du mode d'existence des objets techniques*) pour qui la technique et le sacré (et la religion) sont issus d'un même savoir, d'une même unité «magique» ordinaire, l'un accentuant pour ainsi dire le «fond» de cette unité première (le sacré religieux), l'autre privilégiant l'aspect des «formes» déterminées (l'ordre technique). Tout en instaurant effectivement un ordre parcellaire, en parsemant le monde d'objets partiels qui fragmentent la sphère du sacré en une multitude d'objets éclatés et profanes, la technique ne pourrait néanmoins se déployer (et se comprendre), selon Simondon, que par rapport à ce «fond» sacré dans lequel elle s'enracine.

IV

Précisions méthodologiques

Toute méthode est une fiction, et bonne pour la démonstration...
S. Mallarmé, *Proses diverses*

Ces précisions théoriques étant faites, il paraîtra enfin utile de présenter rapidement la méthodologie générale de cet essai et la structure de son déroulement.

C'est tout d'abord un itinéraire historique qu'emprunteront ces pages, de manière à dégager les grands univers symboliques de la technique. Apparaîtront ainsi cinq grands ensembles ou strates historiques, correspondant respectivement à l'âge des premières civilisations, à la Grèce de l'âge classique, à la chrétienté de l'Occident médiéval, à la naissance du monde industriel et, enfin, à l'époque actuelle. Il s'agira plus concrètement, dans chaque cas, de mettre en lumière la spécificité d'un *modèle technique* dominant, de dégager un *paradigme symbolique* caractéristique, d'y repérer enfin un «personnage» jouant en quelque sorte le rôle de *modèle exemplaire* de l'usage des techniques et de leur développement.

B. Gille [HT] a bien montré que les différentes techniques d'une civilisation s'articulent en un *ensemble* cohérent et fonctionnellement interdépendant. Inspiré par T.S. Kuhn (*La structure des révolutions scientifiques*), on peut faire l'hypothèse que ces «ensembles techniques» peuvent se référer, malgré leurs différences, à un certain *modèle technique* privilégiant tel ou tel type de fonction et d'objet technique, tout comme les différentes théories scientifiques d'une époque peuvent se ramener, d'après Kuhn, à un certain «modèle épistémologique» de base, à une certaine manière de voir le monde qui oriente la recherche scientifique dans telle ou telle direction. On verra ainsi par exemple que, dans les sociétés «primitives», c'est la *technique sacrificielle* qui s'impose — et impose sa forme aux autres techniques; à l'aube de la révolution industrielle, c'est la *machine de production* qui modélisera le développement de toutes les autres techniques.

Il s'agira par ailleurs de mettre en lumière la *représentation symbolique* globale à laquelle ce modèle donne lieu, c'est-à-dire le rôle et la valeur qu'une société accorde globalement à la technique dans sa vision du monde et dans le choix implicite qui l'amène à privilégier tel modèle technique plutôt que tel autre. Cette représentation répond en quelque sorte au *modèle technique* et joue le rôle d'un véritable *paradigme symbolique* (ce paradigme se définissant comme la représentation du monde technique qui amène à le développer dans un sens particulier et selon une valeur spécifique). Nous verrons ainsi la Grèce de l'âge classique dominée par un paradigme symbolique de la *ruse* et du *jeu* avec la nature (qui conduira cette civilisation à développer bien plus de machines «merveilleuses» que de machines «productives»); le Moyen Âge chrétien sera pour sa part marqué par le paradigme d'une ruse *ontologique*, liée à la croissance ou au déclin, au salut ou à la perte de l'être lui-même. C'est ce paradigme qui commencera à investir la technique d'une dimension eschatologique et messianique à maints égards déterminante; le monde moderne apparaîtra tributaire d'un paradigme de la technique comme moyen de rationalisation productive du monde, paradigme qui, concrètement, empêche largement l'Occident contemporain d'envisager la pertinence d'autres techniques ou d'autres finalités de la technique.

Tout se passe enfin comme si un univers symbolique ne prenait véritablement corps qu'en se concrétisant dans un «personnage exemplaire» qui, pour l'ensemble de la société, incarne cet univers symbolique, ses valeurs et ses interdits. Il s'agira dès lors de repérer, dans chaque univers considéré, le personnage ayant «joué» et «représenté» au mieux cet univers symbolique de la technique avec tous ses dangers et toutes ses promesses. On le retrouvera sous les traits successifs de l'antique chaman et du prêtre, spécialistes des techniques du sacré; du sophiste grec, maître de l'artifice et de l'ingéniosité technique; de l'inquisiteur médiéval; du surhomme prométhéen, au seuil de l'âge industriel; du savant et du technicien, enfin, à notre époque, nouveaux responsables du Progrès sacré de l'histoire.

Ultime précision, sans doute superfétatoire: on devra bien sûr se garder de prendre ces «modèles» pour des «descriptions» — elles ne sauraient être que réductrices — de la technique et du monde symbolique à telle ou telle époque. Il suffira de les retenir pour ce qu'ils sont: des outils pour la compréhension du réel, non sans affinité à cet égard avec les «idealtypes» de la sociologie wébérienne. Outils modestes, mais dont on se prend à espérer — pour reprendre le mot de Ricœur à propos du symbole — qu'ils puissent «donner à penser».

Chapitre 1

SACRÉ TECHNIQUE
ET TECHNIQUES DE SACRALISATION

On a fait l'arc, le treuil et la voile sans savoir assez ce qu'on faisait; de même le moteur à essence et l'avion; de même la grosse Bertha. On a souvent remarqué que nos lointains ancêtres avaient une technique fort avancée avec des idées d'enfants. Nos descendants diront à peu près la même chose de nous; car il est vrai que nous savons plus que les sauvages; mais, en nous comme en eux, il y a toujours une pointe de puissance qui est en avance sur le savoir.

Alain,
Le riveur

(...) l'univers, qui est une machine à faire des dieux...

H. Bergson,
Les deux sources de la morale
et de la religion

La préhistoire est traditionnellement considérée comme ce moment où la vie, cessant d'être purement animale, mais n'étant pas encore «tout à fait complètement» humaine, s'apprête à le devenir vraiment, à entrer véritablement «dans l'histoire». Il était sans doute naturel que la recherche de cette «transition» s'intéresse particulièrement à l'activité technique, dont témoignent éminemment les vestiges de ces «humains préhistoriques».

De la découverte de ces restes d'outils primitifs à la définition du premier être humain comme *homo faber* — c'est-à-dire, en somme, au caractère déterminant de l'activité technique comme signe de l'hominisation — il n'y avait apparemment qu'un pas à franchir, et il semble que ce pas ait été allégrement franchi par la majorité des spécialistes de la préhistoire. Georges Bataille lui-même (*Lascaux ou la naissance de l'art*), par exemple, se livre à une reconstitution historique magistrale de précision! «Au commencement», c'est-à-dire au paléolithique inférieur, du pithécanthrope (-500 000) à l'homme de Néandertal (-50 000), l'homme aurait d'abord été *faber*, essentiellement défini, en d'autres termes, par l'activité «utilitaire» qui l'éloignait progressivement de la condition animale (de la «continuité» cosmique, dans les termes de Bataille). Puis, au paléolithique moyen (Aurignacien, Lascaux), il serait devenu *ludens*, découvrant (ou inventant) l'art et la religion (activités tranchant sur son premier mode d'activité laborieuse et profane), pour se muter enfin en cet *homo sapiens* qu'il est supposé être depuis le paléolithique supérieur.

Un mythe techniciste: l'*homo faber*

Il ne s'agit certes pas de remettre ici en question ces grandes périodes découpées par les préhistoriens, commodes et largement reçues. Il y a lieu d'interroger, en revanche, la théorie sous-jacente à cette *définition* de l'être humain préhistorique comme *homo faber*, c'est-à-dire comme être d'abord défini par son activité instrumentale, préalablablement à — voire à l'exclusion de — toute autre dimension de son existence. Outre le fait qu'elle soulève un certain nombre de problèmes insolubles, une telle définition, une telle théorie de l'*homo faber* témoigne de l'abus d'utilisation d'un critère de classification d'abord purement technique mais peu à peu transformé en vérité théorique relative à l'*essence* de l'être humain. À l'origine en effet, c'est essentiellement à des fins de classification des ossements et des outils découverts dans les champs de fouilles archéologiques que furent par exemple mis en rapport la capacité de la boîte crânienne et les divers types d'outils retrouvés. S'il n'y a rien à redire quant à l'utilisation purement opérationnelle d'un critère permettant d'établir de telles corrélations entre ossements et restes d'outils, force est d'admettre qu'il est très différent d'ériger cette méthode en théorie anthropologique et de poser l'être humain comme étant, à l'origine, celui «dont l'essence consiste à manipuler et à fabriquer des outils» («a toolmaking animal», confirmera Marx (*Le Capital,* I, III, vii) en suivant significativement B. Franklin).

Une telle théorie soulève, faut-il le dire, de sérieuses questions. Rien en effet ne permet *a priori* de penser que l'être humain préhistorique (et, *a fortiori*, le «primitif» postérieur) se serait *essentiellement* défini comme «être technique». Tout au plus peut-on l'imaginer de toutes parts entouré de «puissances», auxquelles l'objet technique lui-même aurait participé. Derrière la définition de l'humanité préhistorique comme *faber* semble bien plutôt se profiler une tentative — ou une tentation? — de définir cette humanité archaïque à partir de la définition actuelle de l'être humain comme *homo technicus*. La définition de l'homme préhistorique comme *homo faber* pourrait bien n'être, en ce sens, qu'une projection anachronique: considérant la dimension technique comme quelque chose d'essentiel, notre époque chercherait ainsi simplement à retrouver cette essence technicienne de l'humanité dans ses origines les plus reculées. L'*homo faber* nous renverrait dès lors au mythe de l'humanité moderne qui, définissant l'humain comme être technique, et sacralisant même cette dimension de son existence, chercherait à en repérer (narcissiquement?) l'indice chez ses ancêtres préhistoriques.

*

Le mythe techniciste de l'*homo faber*, on le soupçonne aisément, entrave la possibilité de penser que l'être humain puisse se définir — «essentiellement» — par une autre dimension que celle de son activité et de ses réalisations techniques dont les vestiges sont parvenus jusqu'à nous. Il nous amène à mesurer nos lointains ancêtres à l'aune de ce que nous sommes nous-mêmes devenus. Par là même, il participe d'une véritable quête mythique (et sacrée) des origines: il révèle la manière dont l'humanité actuelle cherche à reconstruire mythiquement ses origines, en se donnant des figures ancestrales originaires à son image et à sa ressemblance. On comprend aisément, de ce fait, que les vestiges de créatures qui ne peuvent ainsi témoigner d'une telle activité, c'est-à-dire, en somme, d'une telle «ascendance», soient en général — et en toute bonne conscience! — refoulés du côté animal, pré-humain, de la frontière... On comprend en outre sans trop de difficulté qu'à l'histoire traditionnelle des religions ait en quelque sorte succédé, depuis déjà plusieurs décennies, le projet d'une histoire des techniques cherchant à retrouver les origines techniques de l'homme, à en déployer la lente et progressive évolution, parallèle à celle de l'évolution même de la civilisation humaine, voire confondue avec elle...

Il faut à cet égard reconnaître à Jacques Ellul (*Les nouveaux possédés*) d'avoir fait œuvre de pionnier en dégageant cette dimension mythique cachée «derrière» la théorie anthropologique de l'*homo faber* et la quête également mythique des origines, le long du fil d'Ariane de la technique. «Cette réversion de la technique vers le passé, écrit-il ainsi, cette proclamation que l'homme n'a été homme qu'à partir du moment où il a été *faber*, c'est-à-dire technicien, est probablement une des marques les plus sûres de ce sacré: car c'est toujours de son sacré qu'il établit son origine. Dans un monde peuplé de dieux, l'homme est un dieu tombé qui se souvient des cieux. Mais dans un monde peuplé de machines, il n'a comme origine que le point de départ de la technique. Sa façon de représenter son point de départ (...) dénote immédiatement où est son sacré. Et à partir de là il reconstitue son histoire en fonction de la technique (...), histoire édifiée peu à peu dans le progrès des techniques (...) Mais il ne faut pas s'y tromper, ce n'est pas là une histoire séculière, c'est une autre histoire sacrée» (*Les nouveaux possédés*, p. 99).

Chercher les premières représentations symboliques de la technique à l'époque de la préhistoire nous conduit évidemment à croiser l'être humain sous les traits de l'*homo faber*. Loin de nous renseigner sur la spécificité du premier univers technique, toutefois, cette recherche nous parle à vrai dire surtout de notre propre manière de voir la technique, comme de notre habileté à reconstruire l'histoire à partir de nos conceptions. L'*homo faber* et *technicus* n'a vraisemblablement jamais existé que dans l'imagination de notre civilisation technicienne.

La tentation d'interpréter la technique d'un point de vue purement instrumental renvoie à la manière dont une humanité désacralisée cherche à retrouver la source sacrée de son activité techniciste. À l'inverse, il importe de reconstituer l'univers de la technique et de ses représentations symboliques tel qu'il a pu se déployer aux origines de l'humanité. En d'autres termes, il faut repérer la spécificité du monde préhistorique de la technique par rapport à ceux qui se sont élaborés ultérieurement.

La technique humaine
et son ouverture au monde symbolique

Il est difficile de vouloir remonter aux origines de l'objet technique — dans le but de comprendre la symbolique qui a pu lui être liée à la préhistoire — sans être confronté à la traditionnelle — et bien épineuse — question de ce qui constitue la spécificité humaine. Son caractère problématique vient d'ailleurs d'être évoqué à propos du mythe de l'*homo faber*. C'est pourquoi il est nécessaire de reprendre l'approche de la technique préhistorique pour s'interroger sur son sens réel.

De manière générale, les préhistoriens s'accordent sur le critère qui permet de déterminer si, par exemple, des ossements peuvent être ou non attribués à une espèce véritablement humaine. Selon M. Daumas (*Les origines de la civilisation technique*, p. 3-10), ce critère est celui de la présence ou de l'absence d'outils, d'artefacts, dans le site archéologique: des vestiges d'outils à proximité de crânes ou d'ossements amèneront ainsi à conclure que ces restes sont bien attribuables à une «créature» qui avait bel et bien atteint le «stade humain». À l'inverse, l'absence de toute trace d'activité technique, surtout si elle est en plus corrélée à la présence de crânes aux dimensions restreintes (c'est-à-dire inférieures au volume à partir duquel on parle en général de crâne humain), conduira généralement, toujours selon Daumas, à classer les spécimens en question dans la catégorie des espèces «intermédiaires», entre les grands primates et l'être humain.

Ce type de critère, qui donne lieu à une assez manifeste circularité du raisonnement, est en outre moins opérationnel qu'il n'y paraît. Daumas lui-même reconnaît que le lien ainsi établi entre la capacité crânienne et le degré d'outillage ne permet pas réellement de dater les débuts de l'«humanité». Ainsi, par exemple, les analyses des pithécanthropes retrouvés en Chine, en Asie et en Afrique prouveraient qu'il existait, entre les grands singes et l'homme, des espèces intermédiaires plus complexes: ces «presqu'humains» avaient en effet encore une capacité crânienne très restreinte mais, en revanche, un outillage technique déjà incontestablement «humain» ou, à tout le moins, nettement supérieur à celui retrouvé près d'ossements témoignant d'une capacité crânienne beaucoup plus considérable. Daumas rappelle qu'on est en fait amené à reculer toujours plus loin dans le passé l'«origine humaine» de l'homme. C'est ainsi, souligne-t-il, que l'homme de Néanderthal, puis le sinanthrope et l'atlanthrope ont été successivement réintégrés — si l'on ose dire — dans la famille humaine. Mais si, pour reprendre sa belle formule, «l'outil a ainsi précédé le cerveau» dans de nombreux cas, n'est-ce pas reconnaître, par là-même, que l'outil, lui-même, ne suffit pas à attester de la spécificité du stade proprement humain? À cette première constatation pourrait s'ajouter également le fait, maintenant bien connu et admis, que l'espèce humaine n'est pas, tout compte fait, la seule espèce à se servir d'outils. Les castors et les singes, par exemple, se servent eux aussi d'outils. En ce sens, comme le rappelle O. Spengler (*L'homme et la technique*), la technique n'est pas le propre de l'être humain; elle appartient aussi à d'autres espèces animales. Ce qui conduit Spengler à y voir essentiellement l'expression de la «tactique vitale» des différentes espèces par rapport à leur environnement. La spécificité de l'espèce humaine résiderait dès lors moins dans le phénomène technique lui-même que dans le mode d'utilisation de cette technique.

Cette distinction permet à Spengler de différencier des types de technique: la technique animale serait ainsi tout d'abord *univoque*, servant une seule fin (la construction des barrages de castors, par exemple); elle serait par ailleurs *invariable*, ne connaissant pratiquement pas d'évolution; elle serait enfin de nature *générique*, c'est-à-dire identique et innée pour tous les membres de l'espèce. À l'inverse, la technique humaine est définie par Spengler comme *polyfonctionnelle*, c'est-à-dire pouvant servir à plusieurs fins différentes (une pierre pouvant par exemple servir à couper du bois ou à attaquer une proie), *variable* (selon les aires géographiques et culturelles), *perfectible* et *évolutive* — comme en témoigne avec éloquence l'histoire humaine des techniques: du simple éclat de caillou si finement analysé par A. Leroi-Gourhan (*Milieu et techniques*) à la pointe de lance perfectionnée, il y a toute l'histoire d'une évolution technique endogène, présente dès les premiers stades humains de la technique et qui, toujours selon le grand préhistorien, suit une courbe de progrès déterminée de manière autonome, irréductible à la seule histoire différentielle des groupes humains.

Ce dernier caractère en fascinera d'ailleurs plusieurs: pour Leroi-Gourhan comme pour M. Daumas ou B. Gille, en effet, si par exemple le *silex* évolue dans toutes les régions du globe jusqu'à la pointe de lance, c'est bien la preuve que l'évolution de la technique ne peut s'expliquer par la seule thèse de la diffusion des innovations techniques; dès la préhistoire la plus reculée, l'histoire des techniques suivrait en fait une logique propre et autonome, virtuellement présente dès ses débuts. Cette évolution échapperait donc à l'être humain et s'imposerait à lui, en quelque sorte, au moins autant qu'elle dépendrait de lui (c'est-à-dire de ses capacités d'invention et d'innovation). La logique d'évolution autonome par laquelle J. Ellul caractérise le «système technique» moderne — que nul ne maîtriserait — serait donc déjà présente dès la préhistoire...

Le risque de «platonisme» inhérent à une telle thèse a été bien vu et, si l'on ose dire, corrigé par M. Eliade [HCIR] lorsque celui-ci définit la technique comme étant par ailleurs *auto-générative*: si elle s'auto-produit et évolue selon une logique propre, c'est que l'être humain est la seule créature qui fabrique des «outils à faire des outils» (du silex pour tailler une pointe de lance jusqu'à l'usine robotisée des temps modernes...).

Ainsi la technique humaine n'est pas figée dans un ensemble strict de règles univoques. Elle évolue et s'adapte de manière polymorphe, sous l'influence de deux facteurs principaux: la logique propre de l'évolution de l'objet technique lui-même et l'histoire de l'inscription de cette technique dans une société donnée, facteur de différenciation.

*

Si la technique apparaît dès ses plus lointaines origines à la fois comme quelque chose d'humain et comme quelque chose d'*autre* (dans la mesure où elle semble également obéir à une logique qui lui est propre), on comprend sans trop de difficulté qu'au contraire des techniques animales (pré-données, immuables et, de ce fait, non «problématiques»), la technique humaine soit apparue d'emblée comme une *énigme*: objet qui interpelle le sens, qui en appelle au sens. Il semble même possible de soutenir que c'est cette spécificité de la technique humaine, non codée de manière univoque, qui rend en partie compte du processus humain de symbolisation. C'est au moyen de ce processus, en effet, que l'être humain chercherait à donner sens aux objets techniques qu'il fait apparaître, à les coder, de manière à leur donner entre autres choses cette «stabilité» qu'ils ont dans le règne animal. (Il peut être intéressant de noter qu'un auteur comme P. Berger (*La rumeur de Dieu; La religion dans la conscience moderne*) inscrit une telle intentionnalité à la base même de sa sociologie de la religion.)

L'altérité de cet objet technique ayant une existence quasi autonome nous renvoie en fait, plus profondément, à l'altérité de son statut et de son mode d'existence. S'il interpelle le sens, c'est qu'il est expérience de l'étrange par excellence, ne pouvant se réduire à aucune autre catégorie d'existence. Il n'est pas le *tout autre* non humain de la nature (comme l'ont bien compris Ellul et Hottois), mais pas totalement non plus le *même* de l'homme (auquel ces deux auteurs ont tendance à le réduire). Il est plutôt, comme Bataille l'a bien vu, médiation entre ces deux termes. Et, en tant que médiation, il renvoie à l'homme, mais aussi à «autre chose» que l'humain: devant un objet technique, l'être humain est à la fois renvoyé à lui-même (comme celui qui en détermine l'usage en lui donnant sens) et à autre chose qui lui impose son ordre instrumental. (N'est-ce pas d'ailleurs ce que plusieurs de nos contemporains expérimentent par exemple de nos jours devant leur ordinateur? «Miroir», certes, mais qui impose aussi sa propre logique d'apprentissage et d'utilisation...) Intermédiaire entre l'homme et la nature, relevant à la fois de l'*autre* et du *même*, l'objet technique a une modalité d'existence spécifique à ce rôle; ce qui explique qu'il ne soit jamais un simple instrument «neutre» mais qu'il soit toujours investi d'un rôle de «pont», de jonction symbolique entre ces deux réalités. Il est, d'emblée, ce qui permet ce lien au «tout autre» de la nature, étant par là même investi d'une fonction symbolique visant à «maîtriser» cette altérité, à se la «réapproprier» de manière rassurante.

Autre de par cette modalité d'existence spécifique qui en fait une jonction entre les sphères de l'humain et du cosmos, la technique, définie uniquement cette fois-ci par rapport à l'homme (et non dans son statut objectif ou relationnel), est autre en un troisième sens.

Elle s'adresse en effet à l'homme qui se relie grâce à elle au monde, à son désir et à l'altérité qui en est la marque essentielle. La technique est en effet moyen pour le désir de s'exprimer en visant «autre chose». C'est ce qui explique que, d'après G.-H. de Radkowski (qui s'inspire largement des thèses de Bataille), elle ne puisse s'appréhender qu'à partir de toute la surcharge affective et imaginaire d'un désir qui la transforme d'emblée en moyen de construire, de façonner un *autre monde*. Elle est tout entière orientée par la dynamique du désir et de l'imaginaire vers la communication avec un autre ordre de réalité symbolique. «Une fois l'objet convoité atteint, écrit ainsi Radkowski (*Les jeux du désir*, p. 167, 191), ils [les animaux] abandonnent leur outil, qui retourne alors à son statut naturel d'objet (de "chose") quelconque réintégré dans le milieu, perdant ainsi son mode d'être d'outil. Doué d'imagination technique, l'animal est dépourvu d'imagination ontologique. Étranger à l'altérité, il reste étranger, non à l'usage technique — au faire technique, mais à son être: à la technique en tant qu'*instrument* d'altérité, moyen que le désir se donne (...) Même là où la technique semble avoir en apparence pour unique fonction de répondre aux intérêts purement pratiques de l'homme — au défi qu'il doit affronter pour sur-vivre (donc pour faire face à ses "besoins") —, une approche débarrassée de l'habituel *a priori* utilitariste nous montre que, voie d'accès à une autre-vie, elle est aimantée entièrement par le désir et non inspirée par ce qui de près ou de loin ressemblerait à un besoin (...)»

Autre de par son statut d'objet quasi autonome, de par le lien symbolique qu'il établit entre le monde et l'homme, de par la dimension de désir à laquelle il s'adresse en ce dernier, l'objet technique n'a jamais été un objet *neutre*; il a toujours été d'emblée investi de tout un sens symbolique par lequel l'humain a, dès ses origines, cherché à rendre compte de cette altérité. C'est ce dont témoignent admirablement, par exemple, les célèbres fresques de Lascaux, qui sont «l'œuvre exclusive du désir, exécutées et signées par lui. Elles ne disent rien de l'obtuse rumination du besoin...» (Radkowski [JD, 191]).

Vestiges d'un premier codage
symbolique des techniques

Les premières traces d'un symbolisme lié aux techniques apparaissent dans les sépultures préhistoriques ainsi que dans un certain nombre de peintures rupestres retrouvées dans des grottes. On connaît notamment la célèbre horde animale des fresques de Lascaux. Pour G. Bataille (*Lascaux ou la naissance de l'art*), par exemple, de telles représentations picturales traduisent la fascination humaine pour le monde animal, monde *sacré* avec lequel le chasseur entrait en communion intime lors de ses expéditions de chasse. La technique de la chasse permettait en ce sens de pénétrer dans ce monde sacré, de retrouver le contact avec le monde animal duquel l'homme «désarmé» est exclu. Quant au sens et à la finalité que pouvaient avoir ces représentations de scènes de chasse sur les parois des grottes, on sait qu'on les a fréquemment investies d'un sens magique et d'une fonction incantatoire liés au désir d'assurer le succès de l'entreprise. Bataille souligne toutefois que, malgré sa pertinence, une telle interprétation ne va pas vraiment à l'essentiel. Ce dont témoigneraient d'abord et avant tout ces peintures serait plutôt une expérience originaire de transgression de l'ordre — profane et instrumental — du monde, d'un «jeu» magique empreint de terreur et de fascination, poussant l'être humain à représenter les animaux contre — ou plus exactement peut-être *avec* — lesquels il risque quotidiennement la mort. En termes phénoménologiques, et antérieurement à toute compréhension de l'intention originaire dont pourraient témoigner de telles peintures, tel serait bien leur principal témoignage: celui du besoin humain de donner libre cours à des représentations imaginaires, dans une profusion de formes rajoutant symboliquement de la valeur aux objets quotidiens. L'essentiel serait là: transgression et ouverture d'un monde de représentation qui, de par sa profusion même, appellerait d'emblée le sens (la «générosité» du sens) et la force du symbole. Peu importe que ce symbole soit ensuite interprété comme rituel cynégétique magique ou incantatoire, comme évocation «nostalgique» de la continuité perdue visant une communion avec le monde animal ou comme représentation d'un archaïque panthéon de l'humanité.

Ainsi, non seulement la technique de chasse préhistorique apparaîtrait-elle comme un phénomène de participation à un monde animal sacré, mais son aspect angoissant serait à l'origine du besoin culturel de «représenter» le monde grâce à l'art, de façon à protester contre l'ordre du monde, en le transgressant et en le projetant dans un autre ordre, imaginaire.

*

Pour tenter de décrire plus précisément l'expérience imaginaire originaire qui surinvestit la technique d'une telle dimension symbolique, il faut s'intéresser à la représentation d'*outils* repérable dans ces fresques. Leur présence, même relativement rare, contribue en effet toujours à préciser et à accentuer encore plus fortement l'ensemble symbolique dans lequel ils s'inscrivent.

On peut notamment songer ici à la fameuse scène de *L'homme du puits*, conservée dans une galerie difficilement accessible des grottes de Lascaux et qui constitue déjà toute une énigme. On y voit un homme sur le dos («mort», interpréteront la majorité des commentateurs) devant un bison blessé au flanc par une flèche et dont les entrailles s'écoulent du poitrail béant. À la gauche de l'homme — comme tombé de sa main? — gît un bâton au bout duquel se dresse un oiseau stylisé qui ne semble faire qu'un avec son support (comme s'il s'agissait par exemple du pommeau d'une canne).

Ce sont ces deux «outils» de fabrication humaine, la flèche et la perche au pommeau à forme d'oiseau, qui introduisent, autour de la mort, la première dramaturgie magique et sacrée de l'objet technique. Ce dernier, en effet, est incontestablement investi de puissance: puissance «réelle», c'est-à-dire mondaine, quoique défaillante, dans le cas de la flèche qui n'a pas suffi à tuer l'animal; puissance symbolique et magique dans celui du bâton-oiseau (on a proposé d'y voir un sceptre ou un primitif caducée), le seul élément *intact* de la scène.

À partir de cette double constatation, des interprétations nombreuses et souvent divergentes ont cherché à reconstituer le sens de la scène. Selon l'interprétation bien connue de l'abbé Breuil (*Quatre cents siècles d'art pariétal*) par exemple, il s'agirait de la représentation d'une scène de chasse, commémoration d'un accident mortel. Bien qu'il refuse de s'avancer davantage dans l'interprétation, Breuil ne manque pas de souligner que le bâton évoque les poteaux funéraires des Inuit d'Alaska et des Indiens de Vancouver (ces «totems» bien connus), ce qui lui attribuerait un sens magique, symbolisant l'âme du mort. H. Kirchner (*Ein archäologischer Beitrag zur Urgeschichte des Schamanismus*), faisant un pas de plus, interprète la scène comme la représentation symbolique d'un chaman au moment de la transe extatique: l'animal ayant été sacrifié de manière que le chaman, mort ainsi de manière symbolique, puisse quitter son corps. Le bâton-poteau, comme dans le sacrifice yakoute, servirait à indiquer le chemin du ciel, l'oiseau à son sommet représentant l'esprit auxiliaire auquel le chaman a recours pour sortir de son corps.

Quoi qu'il en soit de ces interprétations, le plus important, pour le propos de ces pages, demeure sans doute l'opposition structurelle et dynamique qui peut être décelée entre les deux objets techniques en présence: l'un, instrumental et profane, qui n'a pas su éviter la mort au chasseur; l'autre, selon toute vraisemblance, empreint de puissance magique et symbolique. Tout semble à vrai dire se passer comme si, déjà, c'est-à-dire dès ses plus lointaines origines, l'objet technique ne pouvait être efficace qu'en étant relié à une autre dimension que celle de son instrumentalité: dimension symbolique et sacrée, représentée ici, en doublé, par cet autre instrument mystérieux dont était doté, en plus de son arc défaillant, le personnage de la scène.

Cet aspect symbolique ainsi associé à la première représentation de l'objet technique qui nous soit parvenue grâce à la peinture, d'autres vestiges préhistoriques en témoignent également. G. Bataille, comme autre «preuve» de cette présence préhistorique du symbole (technique), évoque ainsi les mégalithes (ceux de Carnac et de Stonehenge sont bien connus), pierres que la technique permettait de dresser face au ciel sans but «utilitaire» apparent (et, en tout cas, connu avec certitude). Ici encore, peu importe le sens ou la fonction précise que ces pierres pouvaient avoir et qui, malgré toutes les interprétations qu'on a pu en donner, nous demeureront probablement à jamais inaccessibles. (On y a vu tour à tour des monuments érigés dans le contexte de cultes magiques et panthéistes, de célébrations du solstice, de cultes du phallus ou de la fertilité; on les a interprétés — Eliade, par exemple [HCIR] — comme symboles d'un «corps éternel» échappant aux atteintes du temps, comme monuments astronomiques (ceux de Stonehenge, notamment), voire comme «appareils techniques sacrés» épousant les courants d'énergie tellurique et les lignes de force magnétiques dans le but de capter ces forces mystérieuses. Sans évidemment oublier une hypothétique exportation de technologies extra-terrestres...) De telles interprétations ont à vrai dire pour principal intérêt de chercher à donner une forme imaginaire précise à une expérience symbolique originaire. Quelles qu'elles soient, elles renvoient toutes, selon Bataille, à cette réquisition des moyens et des objets techniques de l'époque dans une protestation contre l'ordre des choses et de la mort, dans un cri de révolte contre l'inéluctable dépérissement de l'ordre profane et de la vie humaine appelée à disparaître, à retourner à la poussière. Là encore, toutes reflètent cette expérience de transgression de l'ordre «normal», «utilitaire» et «profane» des choses.

Notons enfin que, dans les sépultures souvent enfouies à la base des mégalithes, on a également retrouvé de nombreuses traces d'outils (marteaux, scies, perçoirs, grattoirs, couteaux, ciseaux, biseaux, etc.) vraisemblablement enterrés avec la dépouille des défunts. Ici encore, force est de reconnaître le lien qui se dévoile entre le monde des outils et la symbolique très profonde qui semble leur être attribuée. Sans non plus entrer dans la question controversée de la signification précise de cette présence d'outils dans les tombes (croyance en l'au-delà, en une survie provisoire ou en l'immortalité de l'âme), il y a néanmoins lieu d'y voir une nouvelle confirmation de l'hypothèse selon laquelle l'objet technique, loin d'avoir été confiné à sa dimension instrumentale et profane, fut d'emblée investi de valeurs et de croyances sacrées, empreint de toute la puissance du symbole comme transgression de l'ordre du monde.

Technique et transgression

Un certain nombre d'auteurs, M. Eliade [HCIR], G. Bataille [TR] et G. Gusdorf [MM] notamment, ont tenté d'aller plus loin que ces résultats et de reconstituer les grands traits du premier univers symbolique de l'humanité à partir, d'une part, des vestiges techniques qui nous sont parvenus du fond de la préhistoire, d'autre part des données repérées par l'anthropologie et l'histoire des religions dans des cultures qui, quoique plus récentes, utilisent des outils assez semblables et conservent des pratiques rituelles assez proches de celles que les vestiges de la préhistoire permettent de reconstituer. De ces forts inspirants essais d'interprétation on peut retenir ici un certain nombre d'éléments susceptibles de mieux définir la symbolique de l'objet technique préhistorique et son rapport au sacré.

Transgression et sens du sacré

L'outil apparaît tout d'abord comme quelque chose de «non naturel», réalisé grâce au «détournement», pour ainsi dire, d'un élément naturel, par une transgression, donc, de l'ordre donné du monde. L'outil impliquant, selon Bataille [TR], une distance par rapport au monde naturel et une tentative de manipulation de ce monde, on comprend que le philosophe en fasse le signe même de la *coupure* qui s'instaure entre l'homme et la nature. L'outil amène l'être humain à se poser comme distinct du monde, séparé de lui. Bataille n'aura dès lors pas de mal à y voir la source même de tout sentiment religieux: dans cette rupture, dans cette séparation de l'immédiateté animale, de la continuité cosmique, l'outil introduit à la fois et comme d'un même mouvement l'ordre profane et instrumental de la technique et la nostalgie de l'immédiateté animale pré-technique, de la continuité perdue du cosmos. L'objet technique est donc véritablement, en ce sens, à l'origine du sentiment du sacré. Son utilisation engendre une angoisse liée à la transgression de l'ordre de la nature. Cette angoisse peut certes «s'oublier», s'atténuer tout au moins dans l'ordre profane et instrumental du monde. (N'est-ce pas en un sens proche que Pascal, un jour, parlera de *distraction*?) Cette «profanation» du monde ne parvient toutefois jamais à étouffer la nostalgie de l'*immédiateté* du rapport à la nature (c'est-à-dire, précisément, du rapport non médiatisé par la technique), rapport qu'on cherchera dès lors à retrouver à travers une quête à la fois symbolique et religieuse (non sans analogie, à cet égard, avec l'expérience fusionnelle et orgiastique de la sexualité, comme l'a aussi fort bien montré Bataille dans *L'érotisme*).

L'objet technique étant ainsi le signe et l'instrument d'une rupture et d'une trangression fondamentales, à la source donc de l'instauration de la profanité du monde, on comprend que les mythes primitifs le présentent largement comme marqué par l'*aura* d'un sacré de transgression. Les mythes d'origine de la technique ont en effet en commun de présenter la connaissance du «savoir-faire technique» comme provenant en général d'un secret dérobé, arraché au monde divin. Dans ces mythes, la transgression opérée sur la nature semble se déplacer ou, plus exactement, s'«expliquer» en se ramenant à une transgression plus originaire, celle qui a permis à l'être humain de disposer d'une connaissance technique d'origine divine à laquelle il n'avait pas le droit d'accéder. Cette transgression peut se décliner de diverses manières. Eliade [HCIR], par exemple, distingue trois principales formes de scénario: celle du vol, du secret arraché par les humains au monde des divinités (le vol des céréales, par exemple, que l'on rencontre dans les mythologies de nombreuses civilisations agraires); celle de la trahison d'une figure divine ou semi-divine qui vient livrer aux humains le précieux secret technique (Prométhée, bien sûr); celle, enfin, de la désobéissance de l'être humain qui écoute une puisssance autre que celle de la divinité bienfaisante et bienveillante (on songe bien entendu ici à l'*arbre de la connaissance du bien et du mal*, et au *péché originel* de la Genèse). C'est, toujours selon Eliade, cet aspect de transgression d'un secret qui expliquerait entre autres choses que, dès les temps les plus reculés, la technique ait été l'objet de «secrets de métiers». «La "solidarité mystique" entre le groupe de chasseurs et le gibier, précise-t-il ainsi, laisse présumer un certain nombre de "secrets de métier" exclusifs aux hommes; or, des "secrets" semblables sont communiqués aux adolescents par le truchement des initiations (...)» [HCIR, I, 36].

47

La symbolique de la puissance

Si l'objet technique est, à l'origine, associé à une transgression de l'ordre naturel auquel on s'arrache et dont on détourne le cours normal en fabriquant et en utilisant l'outil, il est également investi d'une seconde dimension symbolique extrêmement prégnante: celle-là même du sacré, qui en fait dès lors le symbole même de la *puissance*. Arrachant l'être humain au monde naturel, source d'un sentiment d'angoisse et de crainte lié à la transgression, la technique est en effet, en même temps, à l'origine d'un sentiment de fascination pour la puissance qu'elle confère. Se servir d'un outil, c'est d'emblée se poser, face à l'ordre du monde, comme détenteur d'une puissance supplémentaire grâce à un artifice qui permet d'acquérir une supériorité là où, apparemment, l'être humain se trouve en situation d'infériorité: face aux grands animaux, par exemple.

Bataille, pourtant, semble n'avoir reconnu la technique que sous son aspect de transgression, ignorant cette fascination positive de la puissance qu'elle procure. Il semble demeurer tributaire et peut-être même prisonnier d'une vision hégélienne qui l'amène à poser une succession de stades historiques dans l'«évolution» de l'hominisation: de l'*homo faber* qui s'arrache, par la technique, au monde animal à l'*homo ludens* puis à l'*homo sapiens* découvrant un autre monde, symbolique celui-là, opposé à l'ordre purement instrumental de la technique.

C'est sûrement l'un des grands mérites d'Eliade d'avoir montré que les vestiges préhistoriques qui nous sont parvenus permettent au contraire de reconnaître d'emblée l'être humain *à la fois* comme *faber*, *ludens*, *sapiens* et *religiosus* [HCIR, I,19]. Eliade fait également ressortir qu'il est dès lors impossible d'isoler l'objet technique primitif, de ne pas le relier à une symbolique (magique) de la puissance qu'il permet d'obtenir. «Il est inconcevable, précise-t-il ainsi, que les outils n'aient pas été chargés d'une certaine sacralité et n'aient pas inspiré nombre d'épisodes mythologiques. Les premières découvertes technologiques — la transformation de la pierre en instrument d'attaque et de défense, la maîtrise du feu — n'ont pas seulement assuré la survivance et le développement de l'espèce humaine; elles ont également produit tout un univers de valeurs mythico-religieuses et ont incité et nourri l'imagination créatrice. Il suffit d'examiner le rôle des outils dans la vie religieuse et la mythologie des primitifs restés au stade de la chasse et de la pêche. La valeur magico-religieuse d'une arme — en bois, en pierre, en métal — survit encore chez les populations rurales européennes, et non seulement dans leur folklore» [HCIR, I, 16-17].

La symbolique de puissance associée aux premiers outils se manifeste tout d'abord comme puissance humaine accrue, surmultipliée, pourrait-on dire. Ce qui fascine, dans la technique primitive, c'est la transgression, le dépassement des limites «naturelles» de la puissance humaine qu'elle permet d'atteindre. A. Leroi-Gourhan (*L'homme et la matière*) a bien montré que les premières armes, comme la lance ou la pierre, sont avant tout des moyens pour prolonger l'énergie musculaire et les gestes humains du lancer et du frapper, en repoussant ainsi les limites naturelles et en conférant un surplus de puissance. Cette fascination pour l'accentuation de la puissance n'a pas de limite et devient très vite une conquête magique de sur-puissance grâce à la technique. C'est ainsi que l'on retrouve par exemple dans la *Grotte des Trois Frères*, à Lascaux, des ours atteints par une volée de flèches dessinées en surnombre, et assurant, de ce fait, la victoire. Cette symbolique de surmultiplication magique de la puissance humaine grâce à l'objet technique se retrouve également dans d'autres cultures plus récentes. Ainsi, par exemple, selon W. Koppers [KZB], les *fêtes de l'ours* chez les Giliaks et les Ainous des îles Sakhaline et Yeso (Hokkaïdo) comportent un rituel dans lequel les enfants criblent de flèches un ours ligoté dans le but de s'assurer un surplus de puissance. Cet exemple est intéressant. Il suggère notamment qu'en multipliant — magiquement — l'objet technique et ses pouvoirs, en dépassant donc les limites «normales» de la condition humaine, l'enfant qui crible l'ours de flèches capte ce faisant des puissances sur-humaines: celles, précisément de l'animal visé. (Ne pourrait-on retrouver des correspondances de ces rituels magiques dans l'attitude contemporaine qui, hors de toute justification rationnelle, se plaît à s'entourer, dans une maison ou en voiture par exemple, d'une profusion d'objets techniques dont la fonction semble bien être de produire un accroissement — magique — de puissance? Gardons au moins la question à l'esprit... On y reviendra.)

Les *fêtes de l'ours* mettent sur la piste d'un second aspect de la symbolique de puissance magique associée à la technique primitive: celui de la communion mystique avec des forces mystérieuses plus qu'humaines, que l'outil permet de capter, de s'approprier. Bataille [TR; LNA] à cet égard, tout comme Eliade [HCIR] d'ailleurs, avance que l'acte de chasse primitif implique une communion mystique entre le chasseur et sa proie, une captation magique des forces de cette dernière. Or il semble bien que ce soit précisément les techniques et les objets techniques de la chasse qui constituent le «pont» reliant l'être humain au monde animal, pont bien sûr investi de toute une symbolique captatrice de forces extra-humaines.

Il est, enfin, un troisième aspect sous lequel se révèle la puissance ainsi attribuée symboliquement aux premiers objets techniques: celui d'une symbolique de divinisation. La technique, qui permet de surmultiplier ses propres capacités et de dépasser ses limites, de capter des forces surhumaines, en vient en effet à être perçue comme le moyen grâce auquel on s'introduit dans le monde des puissances surnaturelles elles-mêmes. Cette symbolique est notamment très présente dans tous les mythes reliés aux lances et aux flèches qui, projetées vers le ciel par exemple, permettent d'en faire l'ascension, d'entrer en contact avec le monde divin grâce à une maîtrise à la fois technique et magique de la distance dont on ne saurait sous-estimer l'importance. «C'est surtout la maîtrise de la distance conquise grâce à l'arme-projectile, précise Eliade [HCIR, I, 17], qui a suscité d'innombrables croyances, mythes et légendes. Rappelons les mythologies articulées autour des lances qui s'enfoncent dans la voûte céleste et permettent l'ascension au ciel, ou les flèches qui volent à travers les nuages, transpercent les démons ou forment une chaîne jusqu'au ciel, etc. Il fallait rappeler au moins quelques-unes des croyances et des mythologies des outils, en premier lieu des armes, pour mieux juger tout ce que les pierres travaillées des Paléanthropiens *ne peuvent plus nous communiquer*.»

*

L'objet technique est ainsi, dès ses origines, investi d'une seconde dimension sacrée fondamentale, liée à l'acquisition d'une puissance autre qu'humaine, grâce à laquelle il devient possible de dépasser les limites de la condition *profane*. On comprend qu'en ce sens la technique soit à la source d'un sentiment de fascination pour cette toute-puissance qu'elle semble promettre (et permettre) d'acquérir — au prix, il est vrai, de la transgression. Cette technique est même le moyen de se relier à un univers qui transcende le monde humain, d'entrer en communication avec les pouvoirs extraordinaires qui l'habitent: de s'intégrer, en somme, à un *sur-ordre* cosmique.

Crainte et châtiment

Ancré dans un sacré de transgression, déployant un univers symbolique de participation à un monde de puissance magique, l'objet technique se révèle enfin, sous un troisième aspect fondamental, comme étant à l'origine d'un sentiment de crainte devant cette transgression et cette puissance. Le dépassement des limites de la condition humaine conféré par le recours à la technique s'accompagne en effet d'un sentiment d'effroi lié aux conséquences de la transgression ainsi perpétrée, de peur devant les effets possibles déclenchés par cette technique. L'un et l'autre se rejoignent d'ailleurs de quelque manière: cette peur — vivace jusque dans les mythes contemporains de l'apprenti sorcier nucléaire — semble bien se présenter essentiellement comme crainte de la punition liée à la transgression. L'objet technique se trouve ainsi investi d'une nouvelle dimension symbolique de peur sacrée. Les mythes qui racontent l'«histoire sacrée» des techniques et de leur origine sont à cet égard riches d'enseignements. La connaissance technique y étant le plus souvent présentée comme un secret de quelque manière

51

dérobé au monde divin, plusieurs de ces mythes comportent aussi un épisode qui raconte comment le responsable de cette transgression — ancêtre, dieu ou héros — est puni pour avoir divulgué ce secret aux humains. Le destin tragique réservé à Prométhée par le mythe grec en demeure sans doute la plus célèbre illustration.

Si la crainte de la punition concerne les personnages mythiques auxquels on attribue l'invention ou l'importation des techniques, elle atteint par ailleurs également les humains devenus dépositaires de ces secrets et utilisateurs de ces techniques. C'est la raison pour laquelle, selon M. Meslin (*Pour une science des religions*), les mythes des sociétés primitives ont souvent l'apparence de «catalogues descriptifs» précisant très minutieusement le mode d'emploi des objets techniques. Mais la simple mise en catalogue ne suffit pas à les astreindre à une fonction précise. C'est pourquoi, en dressant la liste des «bons usages» d'une technique, on multiplie en fait les rituels auxquels il faut se soumettre afin de pouvoir s'en servir correctement; on s'assure en somme contre un usage dangereux de cette technique. Toute «mise en catalogue» du bon usage des techniques (ne la retrouve-t-on pas de nos jours encore dans la multiplication des modes d'emploi du moindre objet de consommation?) se double d'une «mise en rite» qui, seule, justifie ultimement leurs règles d'usage et leurs interdits fonctionnels. Le rituel, en ce sens, rassurerait donc par rapport à la crainte présente dans toute utilisation de la technique.

C'est également ce qu'a bien vu G. Gusdorf (*Mythe et métaphysique*) lorsque, opposant mythe et technique, il montre comment, face à une technique toujours angoissante (dans la mesure où elle rappelle à l'être humain sa différence, sa coupure par rapport à la nature), le mythe cherche à expliquer cette technique en lui trouvant des origines sacrées et en la codant dans des systèmes de règles précises: les mythes d'explication de l'origine de la technique de même que les rituels concernant son usage seraient dès lors, ultimement, une manière de conjurer la crainte confusément ressentie à l'égard de la technique et de ses effets potentiellement dangereux.

On devine mieux maintenant le sens précis de cette crainte: celle-ci n'est pas nécessairement, comme dans la Genèse, par exemple, appréhension directe de la punition qui vient frapper l'être humain comme elle s'est abattue sur ses ancêtres primordiaux. Dans le mythe biblique, la peur de la punition est en effet fournie par le rappel de la chute, conséquence d'une faute originelle qui rejaillit sur toute la descendance du couple primordial. Il semble toutefois que la crainte d'une punition liée à l'utilisation de la technique se présente moins comme réactualisation d'un châtiment qui aurait déjà eu lieu et qu'on ne cesserait depuis lors à la fois de transmettre et d'expier, que comme crainte de ce qui pourrait arriver si la technique était «mal» utilisée. Il s'agirait donc en ce sens d'une crainte moins fondée sur la culpabilité que sur l'appréhension du retour négatif des forces mises en branle par l'intermédiaire de la technique. Cette appréhension serait bien sûr liée au fait que les forces ainsi sollicitées et captées par la technique dépassent l'être humain et risquent de le submerger s'il ne plie pas à un ensemble précis de règles. C'est vraisemblablement une peur de ce genre qu'on retrouve par exemple au cœur de toute expérience sacrificielle, tout sacrifice impliquant en effet, comme l'a bien montré C. Malamoud (*Le sacrifice dans l'Inde ancienne*), la mise en branle de forces mystérieuses qui dépassent les capacités humaines et peuvent se retourner contre le sacrifiant si ce dernier n'utilise pas correctement les formules idoines.

La première articulation du symbolisme technique

Les trois dimensions qui viennent d'être dégagées, et qui codent d'emblée toute technique dans un système de symboles, peuvent être repérées tout au long de l'histoire des techniques. Ainsi en est-il par exemple du caractère sacré de la transgression qui demeure extrêmement prégnant de nos jours encore: on songe notamment aux techniques minières ou, plus près de nous encore, à celles du nucléaire qui, toutes, font appel à des mythologies caractérisées par une insistance sur cet aspect de transgression des «entrailles de la terre» ou du «cœur même de la matière», de l'atome. De même il serait facile de montrer que la symbolique de puissance dont il a été question — et notamment son aspect de maîtrise magique de la distance — est toujours présente à notre époque, associée entre autres choses à toutes les technologies de la communication à distance.

(C'est bien d'ailleurs cette seconde dimension qui, privilégiée au détriment des deux autres (on y reviendra), semble caractériser la civilisation — industrielle et faustienne — dans laquelle nous baignons encore largement.) Enfin, il suffit sans doute de rappeler l'actualité des protestations écologistes contre la démesure industrielle pour suggérer celle de l'antique peur d'un retour néfaste des forces mises en branle par une technique non ou mal maîtrisée.

Faudrait-il en conclure que l'histoire du symbolisme des techniques se réduit somme toute à des variations sur quelques thèmes symboliques fondamentaux, repérés dès les origines de la technique humaine? Non certes. L'univers symbolique décrit jusqu'à présent de manière générale est évidemment susceptible d'articulations très différentes selon les périodes ou les strates historiques considérées.

Il semble cependant exister un «noyau symbolique» autour duquel gravite d'une part une condensation de puissance (l'objet technique concret y est transformé en outil de condensation de la puissance) et, d'autre part, une peur liée à la transgression et à l'appréhension d'un retour néfaste de cette puissance. (Ce second aspect définit subjectivement le rapport à l'objet technique comme un rapport de transgression de l'ordre naturel, avec sa double modalité de désir de dépassement et de peur d'un «retour du refoulé».) Il serait tentant de dire, en ne considérant que ce noyau symbolique, que la technique n'instaure un ordre de puissance quasi autonome que parce qu'elle s'alimente sans cesse à la transgression et à la crainte de ce retour du refoulé qu'elle conjure dans la quête et la fuite éperdues de son désir de la puissance.

Ce noyau va donner lieu, selon les époques, à des constellations symboliques extrêmement différentes, engendrant chaque fois des univers symboliques spécifiques qui articuleront, chacun à sa manière, les éléments de base isolés plus haut. Ainsi, l'expression même de *condensation de puissance* proposée ici prendra un sens différent à chacune des périodes considérées, en grande partie à cause des différents rapports qui y seront entretenus avec la nature. La recherche de «la puissance pour la puissance», par exemple, qui caractérise notre temps, ou d'une puissance comme domination de la nature, si typique des 18e et 19e siècles, est complètement absente des conceptions de la technique présente à d'autres périodes de l'histoire, où c'est un tout autre type de puissance qui se trouve visé. En ce sens, il serait vain de vouloir chercher quelque chose comme un archétype de la puissance technicienne. Il s'agirait là en vérité d'un mot vide: cette puissance renvoie à des expériences et à des modalités différentes du rapport au monde. Il importe dès lors de chercher à décrire la première articulation concrète de l'univers symbolique de la technique dans les premières sociétés préhistoriques et primitives, afin d'éclairer la spécificité du sens qu'y prend la technique comme condensation de puissance.

Le paradigme symbolique de la technique primitive

Quel est donc le rapport primitif que la technique établit avec la nature à l'âge préhistorique? Il faut tout d'abord remarquer que la technique y est toujours perçue non pas comme un moyen de s'opposer au monde naturel, mais comme un moyen de s'y réintégrer, de prendre place dans le cosmos. C'est ce qui explique, d'après Radkowski, que la technique préhistorique et primitive ne développe pas une exploration «tous azimuts» du possible, mais uniquement un champ de techniques ponctuelles qui permettent de mieux s'insérer dans son milieu. «Dans une civilisation inspirée par la recherche de l'accord de l'homme avec le cosmos, et non de son opposition — comme ça a été le cas de l'Europe moderne —, la visée du dépassement technique manquait d'une véritable terre nourricière... La visée de dépassement est sans valeur car sans signification» (G.-H. de Radkowski, *Les jeux du désir*, p. 91).

Le *paradigme symbolique* dominant le rapport originaire que l'homme entretient avec la nature par le biais de la technique n'est autre que celui d'un mode d'insertion et d'intégration dans le monde sacré de cette nature, permettant de se brancher sur les *flux du monde*: on ne s'oppose pas à ces derniers, on cherche plutôt à s'y inscrire, à y trouver sa place. La modalité de puissance propre à ce premier symbolisme n'a rien à voir avec une puissance de *domination* de la nature. Elle concerne bien plutôt la possibilité de s'introduire dans un monde autre — monde de puissance sacrée — et d'y *participer*. C'est ce qu'illustrent bien les représentations imaginaires de la puissance dont on a déjà parlé: jamais elles ne renvoient à un symbolisme de «conquête de la nature» mais bien plutôt à une conception de la technique comme véhicule et mode d'accès à un autre ordre de puissance. (Le symbolisme des flèches ou du vol chamanique à travers l'espace est moins celui d'une «conquête de l'air», comme dans le cas de l'aviation moderne, que celui d'un accès à un «autre monde».)

Le schème dominant qui sous-tend ce paradigme symbolique est, selon Radkowski, celui de la *com-position* avec la nature: dans ce premier lien à la nature, l'homme cherche en effet à se *com-poser*, c'est-à-dire à se poser avec cette nature. Son activité technique est elle-même une activité de *con-formation* à son ordre. Ce premier paradigme symbolique de la technique comme opération de branchement sur les flux sacrés du monde peut, selon les auteurs, être décliné et exprimé de diverses manières. En s'inspirant de L. Lévy-Bruhl (*La mentalité primitive*) par exemple, il semblerait possible de l'exprimer en disant que la technique est un mode d'accès et de participation aux énergies qui environnent l'homme de toutes parts. En pensant à la problématique de G. Deleuze et F. Guattari (*Anti-Œdipe; Mille Plateaux*), il serait tentant de poser que la technique n'est pas autre chose, paradigmatiquement, que cette «machinerie primitive» qui consiste à se brancher sur les flux du monde, par connexions et déconnexions successives. Dans une telle perspective, l'homme en tant qu'individu isolé n'existerait pas: il ne se saisirait qu'à l'intérieur d'un processus circulaire et perpétuellement changeant de connexions et de déconnexions par rapport aux flux du monde environnant (flux naturels, humains, sexuels, animaux, etc.), ces connexions lui donnant une identité fonctionnelle transitoire, changeante, toujours en situation. En suivant cette piste d'interprétation, on pourrait définir la logique dominante de ce premier paradigme comme une *logique de la métamorphose* fondée sur le raisonnement analogique: la technique, en permettant de se brancher sur les flux du monde, permettrait de s'intégrer à son ordre, en subissant des métamorphoses successives qui opéreraient la transformation et la réintégration perpétuelles dans la nature. Plutôt que de répondre à une logique de domination héroïque impliquant une opposition au monde, la technique, dans ce premier paradigme, répondrait ainsi à une logiqué de l'intégration correspondant à un mode *mystique* de l'imaginaire, pourrait-on dire, en suivant la typologie de Gilbert Durand (*Structures anthropologiques de l'imaginaire*). C'est le monde entier qui apparaîtrait alors comme une gigantesque machinerie symbolique deleuzienne, chaque technique permettant de circuler dans cet agencement. «Le Cosmos comme machine abstraite, et chaque monde [technique, devrait-on ajouter ici] comme agencement concret qui l'effectue» (G. Deleuze et F. Guattari, *Mille Plateaux*, p. 343).

On comprend qu'un tel paradigme articule la symbolique de puissance technique au pôle transgressif et dangereux du sacré. Car se réintégrer dans les flux du monde en opérant des métamorphoses successives ne peut se faire que par une transgression éminemment dangereuse. On comprend également qu'en contrepoint de ce paradigme symbolique, la crainte concerne le fait d'être dépassé, submergé par ces puissances qui transcendent l'être humain. Un tel paradigme, en raison même du caractère prépondérant du pôle de la transgression, implique qu'on ne puisse se servir des techniques que de manière rigoureusement codée: tel sera, encore une fois, le rôle des mythes et des rites qui, dans les sociétés «primitives», «disent le bon usage» des techniques depuis que ce mode d'emploi a été fixé — «au commencement» et «une fois pour toutes» — par quelque divinité mythique ou quelque ancêtre primordial.

Le chaman comme «modèle exemplaire» de la technique primitive

Comment ce paradigme prend-il corps concrètement dans ces sociétés? Un personnage, de fait, doit être, dans la culture, sinon «responsable» du moins «représentatif» de ce «bon usage» des techniques et de leur fonction de condensation intégratrice de puissances sacrées. Dans le cas de la technique primitive, il y a lieu de considérer comme «modèle exemplaire» de ce bon usage l'antique figure du *chaman* — que nous avons d'ailleurs vu se profiler déjà sous les traits du *Grand Magicien* de l'abbé Breuil, sur une des parois de la Grotte des Trois Frères, à Lascaux.

Le *chamanisme* s'impose comme l'une des formes les plus anciennes de l'expérience religieuse de l'humanité, l'une des plus universellement répandues. Selon Eliade (*Le chamanisme et les techniques archaïques de l'extase*; *Yoga, immortalité et liberté*), quatre éléments symboliques fondamentaux et caractéristiques en attesteraient la présence: une initiation, comportant la mort, le dépecement puis la renaissance du candidat, après une «descente aux enfers» et une «ascension» au ciel; la capacité d'entreprendre des voyages extatiques qui permettent par exemple au chaman d'aller à la recherche d'une âme malade ou égarée, de manière à pouvoir la guérir ou lui faire réintégrer son corps d'origine; la maîtrise du feu; la faculté de métamorphose, enfin, c'est-à-dire plus exactement la capacité de revêtir des formes animales et d'acquérir des pouvoirs supra-naturels (le fait de voler comme un oiseau, par exemple).

Si l'on garde à l'esprit ces quatre éléments par rapport à la problématique de ces pages, on ne peut manquer d'être frappé par la co-habitation des éléments religieux et des éléments techniques: le chaman vit l'expérience de mort/renaissance, voyage de manière extatique; mais il doit pour cela avoir non seulement la maîtrise du feu, technique originaire par excellence, mais également celle de toutes les techniques de métamorphose, qui permettent d'acquérir des pouvoirs supplémentaires. Or, on l'a vu, dans cette logique de la métamorphose, ce qui se dessine est bien la logique même qui permet à la technique primitive de capter les forces sacrées du monde en se branchant sur elles (et en actualisant ce que Deleuze et Guattari appellent le *devenir animal* du chaman). Ce lien intrinsèque entre le but extatique que vise le chaman et son utilisation des techniques paraît bien illustré par le fait que les techniques qu'on lui associe sont toujours à la fois instrumentales *et* magico-symboliques. Le chaman s'accompagne ainsi, par exemple, la plupart du temps, d'un bâton qui lui confère un pouvoir magique; il utilise des techniques de transe, parfois de possession, techniques d'autotransformation psycho-physiologiques. Ces techniques psycho-somatiques, on peut le noter, s'apparentent à n'importe quelle autre technique, à la différence près — elle est évidemment de taille — qu'elles permettent en principe au chaman d'effectuer ce dont les autres techniques ne permettent que de *rêver*: le vol illimité et la maîtrise de la distance attribués symboliquement aux flèches du chasseur ou du guerrier étaient en effet supposés se réaliser concrètement dans le voyage extatique du chaman, qui était réputé sortir *réellement* de son corps pour voyager dans le monde.

On pourrait multiplier les exemples de techniques bien concrètes dont se sert le rituel chamanique dans le but d'atteindre l'extase: codage et guidage selon le rythme du tambour et de la musique, utilisation cérémonielle d'instruments magiques, etc. Il importe surtout de souligner que le chaman se sert de toutes les techniques courantes, en les doublant toutefois, si l'on peut dire, d'autres techniques — de transformation psycho-physiologiques — et en canalisant les unes et les autres en fonction d'un seul et même but: celui d'accéder au monde des puissances surhumaines que la technique profane évoque, certes, mais qu'elle ne fait précisément, en un sens, qu'indiquer symboliquement.

C'est en ce sens qu'il y a lieu de voir le chaman comme le personnage qui «résume» le mieux la dimension sacrée attribuée à la technique dans la première articulation, préhistorique et primitive, du symbolisme des techniques. Pour le chaman, en effet, la technique est indissociablement activité profane et activité sacrée qui, transgressant l'ordre du monde, donne accès à des puissances surnaturelles et permet de maîtriser magiquement la distance et le monde, comme le font analogiquement les flèches. (On pourrait être tenté de dire que bien longtemps même avant l'expérience *zen* du tir à l'arc, le chaman est le premier à devenir lui-même une flèche vivante et à s'imposer, par là même, comme le modèle exemplaire du paradigme symbolique de la puissance obtenue par la métamorphose.)

Non seulement le chaman «résume»-t-il remarquablement, en sa propre personne, les ambiguïtés du statut de l'objet technique dans sa première articulation symbolique (tout à la fois transgression, gain de puissance et crainte de punition), mais il se présente en outre, pour les autres membres de la communauté, comme un modèle exemplaire qui permet de jouer le statut de la technique en la représentant dans une dramaturgie sacrée. Le chaman, à l'instar de la technique non soumise aux codes qui la règlent, fait peur. Il est source de vénération et d'admiration, certes, mais également de crainte et de répulsion, à l'image même, bien sûr, de ce sacré dont il constitue une incarnation privilégiée. (Il n'est d'ailleurs pas rare que la menace qu'il représente le fasse tenir à l'écart de la communauté.) Le chaman met en œuvre des puissances qui, comme celles qui surgissent de tout objet technique, sont toujours perçues comme dangereuses; les techniques chamaniques doivent dès lors être codées et maîtrisées de manière très précise, au risque de les voir se retourner contre leur utilisateur et de le faire périr, de le brûler — au sens d'ailleurs tout à fait littéral, si l'on songe en particulier aux prétentions chamaniques à la maîtrise du feu...

En ce sens, le chaman est, pour l'ensemble de la société, un constant rappel de la nécessité de respecter les règles d'utilisation de la technique en se gardant de toute transgression pour laquelle on ne serait pas préparé. Plus que quiconque, le chaman est le «spécialiste» des techniques, aussi bien profanes que sacrées. Le modèle qu'il incarne fait bien voir que, dans la première articulation historique de son symbolisme, toute technique, si instrumentale et profane qu'elle puisse apparaître, s'inscrit néanmoins d'emblée dans le registre symbolique du sacré. Plus encore: le modèle chamanique tout à la fois explique et justifie qu'il ne puisse y avoir de technique, à ce stade, que codée de manière symbolique et sacrée. Si le chaman est le personnage qui catalyse et focalise les valeurs symboliques attribuées à l'objet technique (en les «jouant» et en les «représentant», en quelque sorte), il sert en même temps à indiquer les dangers et les risques encourus par une activité qui fait appel à des puissances dépassant les capacités humaines. Représentant de manière quasi théâtrale la sphère symbolique de la technique et les métamorphoses vertigineuses auxquelles elle donne lieu en ouvrant l'accès à une autre puissance, le chaman en serait dès lors également l'exorciste, celui qui justifie le secret de la connaissance (technique) et rappelle sans cesse la nécessité de se plier, pour toute technique, aux règles fixées depuis les temps immémoriaux du mythe.

Le modèle technique de la sacralisation

Il reste à considérer quel modèle technique sera dès lors favorisé dans ce premier univers, modèle dont toutes les autres techniques dépendront.

De manière schématique, on peut poser que toute technique y apparaît, d'emblée, comme *technique de sacralisation*. Rigoureusement codée dans son usage, toute technique fait non seulement participer à une sur-puissance, mais elle se trouve en outre et par là même intégrée dans une vision symbolique globale qui lui assigne une place et une fonction précises, d'ailleurs reflétées dans les mythes. C'est en ce double sens qu'on peut parler de sacralisation: au-delà de la transgression à laquelle elle participe, toute technique vise en effet, sur le modèle du chaman, à ouvrir à d'autres puissances et à (se) réintégrer dans un ordre du monde harmonieux, à consolider cet ordre, et même à le régénérer, pour autant que les rituels réglant son usage soient respectés.

Si le monde moderne se définit en un certain sens par une catégorie particulière d'objets techniques à la quasi-exclusion de tous les autres (en l'occurrence des objets techniques instrumentaux, qui permettent une productivité maximale), force est de constater que les sociétés primitives connaissent une situation fort différente. L'objet technique y englobe en effet tous les objets, toutes les techniques qui permettent d'avoir un certain contact avec les puissances du monde, d'opérer des connexions avec les flux du monde. Il n'y a dès lors pas lieu de s'étonner que, dans ces sociétés primitives, ce soit le modèle de la technique de sacralisation qui domine l'ensemble des objets techniques et qui leur donne sens.

Le schème de la technique de sacralisation guide tout développement d'une technique spécifique, en lui donnant son cadre et son mode de fonctionnement. C'est ainsi que, par exemple, même une simple technique de chasse comportant le fait d'abattre un animal au moyen de flèches est, en même temps qu'une activité profane, un mode de participation à la puissance magique de la flèche et, par la suite, un mode de communion (au sang de l'animal tué). Ce statut de la technique comme technique de sacralisation est merveilleusement illustré par les tatouages et peintures qui s'appliquent au corps lui-même. Il est en effet impossible de comprendre les différents marquages et incisions du corps sans y voir justement une manière d'appliquer à ce dernier une technique destinée à le transformer en le sacralisant et en l'ouvrant aux flux du monde. C'est ce que Nietzsche avait déjà bien vu lorsque, dans sa dissertation sur la généalogie de la morale, il montrait que le «corps primitif» ne se constitue comme humain qu'à travers la cruauté du marquage des chairs destiné à lui donner une nouvelle mémoire, et, suggèrent Deleuze et Guattari en reprenant un concept d'A. Artaud, à lui créer un nouveau corps sans organes, corps ouvert aux flux du monde. Radkowski l'aperçoit également fort bien: «Le catalogue des interventions que les diverses sociétés pratiquent sur le corps humain, écrit-il, contient toutes les nuances possibles, depuis les tatouages, les coiffures "excentriques", les maquillages du visage, en passant par la banale circoncision, jusqu'aux mutilations irréversibles infligées à ce corps: dents sciées ou arrachées lors des initiations, nez et oreilles déformés, cous systématiquement allongés, clitoris cousus, pieds bandés des Chinoises d'antan, crânes artificiellement modelés des anciennes cultures andines, etc.; (...) [autant de] transformations de la forme vivante de l'homme (...) [qui ne sont] rien d'autre que des systèmes différentiels: ensembles ordonnés d'alternances — d'écarts — greffées sur notre nature spécifique. Elles ont pour fonction de la transformer, la dénaturer, la rendre autre que celle que nous tenons de notre espèce et dont répondent nos "besoins"» (*Les jeux du désir*, p. 179-180). Ce statut originaire de toute technique comme technique de sacralisation, investie de la fonction de relier aux différents flux du monde et de régénérer son ordre, est une modalité spécifique que les civilisations ultérieures vont complètement occulter.

*

Les sociétés archaïques ou primitives, que nous considérons volontiers comme des sociétés «pré-techniques», ne sont donc pas, on le voit bien, des sociétés «sans technique», des sociétés auxquelles «il manquerait un développement» des techniques. Leur richesse — et c'est aussi leur spécificité — tient précisément au fait qu'elles développent prioritairement une catégorie de techniques sacralisantes, qui permet de tenir à l'écart toute prétention de la technique, quelle qu'elle soit, à se vouloir purement profane et instrumentale. On peut aller plus loin et poser que si, selon les inspirants travaux de P. Clastres [SCÉ], ces sociétés peuvent être considérées comme des *sociétés sans État*, c'est entre autres choses parce qu'elles sont dotées d'un système technique qui permet d'assurer une régulation sociale en empêchant toute prise de pouvoir par un quelconque sous-groupe. Ainsi considérée, cette première articulation des techniques comme moyen en vue d'une (re)sacralisation du monde a en effet pour but d'établir une espèce d'écosystème dans lequel les différentes dimensions symboliques de la technique s'équilibrent et s'articulent en un système renforçant (parce que sacralisé) la cohésion du groupe. Renforcement d'autant plus important que la technique permet de découper des «classes sociales» qui, toujours d'après Clastres, ont comme caractéristique de s'autocontrôler en autolimitant leur sphère de pouvoir propre. Toute technique étant soumise au modèle de la sacralisation, il y a ainsi complémentarité des techniques et des groupes sociaux qui les utilisent, sans hégémonie des uns sur les autres. Ainsi donc, facteur de désordre et de transgression à l'origine, la technique donne également accès à un surplus de pouvoir qui sera finalement mis au service du maintien de la cohésion de la communauté. Elle devient ainsi le moyen de fonder la perdurance de l'ordre du monde.

63

De telles conceptions de la technique finiront par s'estomper au profit d'une vision de la technique comme pur «instrument de production» mais elles survivront néanmoins pendant des siècles. Il ne faut pas oublier en effet que l'efficacité technique s'est d'abord définie par la possibilité de capter le sacré. On en retrouve d'ailleurs encore des traces dans bien des civilisations du monde. C'est ainsi qu'en Inde, pour ne prendre qu'un seul exemple, rapporté par C. Malamoud, l'érection d'un autel aussi bien que la construction d'une maison comportent toujours une dimension et une visée symboliques qui se traduisent par exemple par le fait qu'on laissera toujours un vide à la base de l'édifice. Ce vide assure la même fonction d'*axis mundi* et d'ouverture aux flux sacrés du monde qu'Eliade reconnaît pour sa part dans toute construction primitive. (On peut également songer ici à cette ouverture des tentes nomades et des huttes africaines mais également à celle pratiquée souvent dans les villas romaines tout comme aux pyramides tronquées à leur sommet pour des motifs semblables. Ce «vide» n'est évidemment pas un «manque» et l'efficace symbolique de sa fonction sacrale tient bien sûr à l'intentionnalité de sa présence.)

Du chaman au prêtre — La technique sacrificielle

Si toute technique est bien, originairement, technique de sacralisation, au fur et à mesure qu'on s'éloigne des sociétés «primitives», c'est la technique sacrificielle qui deviendra le modèle technique dominant. La perdurance du modèle des techniques de sacralisation s'est en ce sens faite en se concrétisant peu à peu dans un modèle sacrificiel «résumant» en quelque sorte toutes les autres techniques.

Une telle évolution marque le lent glissement progressif du pouvoir de la figure du chaman à celle du prêtre, comme «technicien du sacrifice». Elle se laisse notamment bien voir dans l'histoire de l'Inde, ce fascinant «conservatoire» (A. Daniélou, *Shiva et Dionysos*) des plus antiques civilisations de l'humanité. Le sacrifice y devient en effet, à la fin de l'époque védique et avant la crise upanishadique (aux environs du 7e siècle avant notre ère), le modèle symbolique dominant, qui concerne aussi bien les origines du monde que les gestes les plus humbles de la vie quotidienne: il code par exemple l'activité ménagère et les techniques de cuisson (sources de souillure à cause de la violence meurtrière infligée à la nature, au monde animal) aussi bien qu'il rend compte de la création du monde (à partir du sacrifice de Prajapati, divinité cosmique, grâce auquel a pu naître le monde qui, à son tour, ne subsiste que grâce au sacrifice...). Le technicien par excellence devient dès lors le brahmane, qui doit veiller au respect des rituels permettant le «bon fonctionnement» du sacrifice et de sa fonction de catalyse, de participation aux flux sacrés du monde.

Dans le cas particulier de l'Inde, on le sait, le système sacrificiel finit par prendre une place exorbitante, rythmant et ritualisant la moindre des activités profanes. Cette hypertrophie — voire cette hypostase — du sacrifice védique allait certes entraîner une crise profonde au sein de la religion indienne (notamment du fait qu'un sacrifice aussi généralisé devient de plus en plus lourd et, ultimement, de moins en moins signifiant et crédible). Elle n'en demeure pas moins riche d'enseignement pour ce qui nous intéresse ici davantage. Elle fait bien voir à quel point toute technique en était venue à ne plus prendre sens que par rapport au sacrifice, et à quel point, corollairement, le sacrifice était lui-même devenu le *modèle*, non seulement de toutes les autres techniques mais également de la répartition des différentes «classes sociales» et même de la représentation globale de l'univers et du destin de l'homme. C. Malamoud et M. Biardeau (*Le sacrifice dans l'Inde ancienne*), attentifs à ce fait, parlent d'«universalisation du modèle sacrificiel» codant désormais toutes choses (et jusqu'aux expériences des yogins qui prétendaient le nier).

Si cela n'apparaît pas trop difficile à montrer pour le cas de l'Inde, on peut encore rappeler que, selon R. Girard (*Des choses cachées depuis la fondation du monde*), une technique aussi «profane» que celle de l'élevage des animaux se serait à l'origine développée moins pour des raisons pratiques qu'en fonction de préoccupations d'abord sacrificielles. Les animaux domestiqués, avant d'être considérés comme un garde-manger commode, auraient en effet d'abord été gardés en captivité pour constituer une réserve en vue du sacrifice. Ainsi, comme l'a bien vu cet auteur, le sacrifice

65

devient rapidement le modèle explicatif des autres techniques particulières qui participent elles-mêmes à des puissances sacrées dans la mesure où elles empruntent leur structure et leur sens au modèle du sacrifice qui permet le branchement sur les flux sacrés du monde. La technique sacrificielle, en ce sens, avec ses prêtres qui, successeurs des chamans, peuvent être vus comme les premiers «spécialistes techniques» de l'histoire (ils deviendront plus tard astronomes et computeurs des «moments propices»), forme à vrai dire un véritable modèle épistémologique en vertu duquel toute technique, pour être efficace sur le plan purement instrumental, est d'abord renvoyée à un ensemble extrêmement complexe et contraignant de règles et de rituels sacrés. C'est cette technique qui, à cet égard, présidera au développement de toutes les autres techniques. Qu'il s'agisse en effet d'entreprendre une action quelconque, de partir guerroyer, de construire une maison ou de fonder un temple, toutes ces entreprises (techniques) devront toujours, en dernière instance, se plier aux règles édictées par les techniques sacrificielles, et par ce qu'il faut bien appeler, en dernière analyse, un *sacré technique*.

La première articulation du symbolisme technique vise donc à créer un système à l'intérieur duquel l'objet technique est à la fois favorisé et immédiatement réintégré par les mythes et les rituels dans une perspective sacralisante et globale. Cette dernière les transforme en outils destinés à capter les énergies sacrées, supra-humaines, à se relier aux flux du monde, à assurer par là même une fonction de régulation du cosmos, de remembrement, de consolidation et de régénération de l'ordre du monde. Dans un tel système, les outils ont une fonction profane et instrumentale aussitôt couplée à une fonction sacrée: utiliser un outil revient en effet à établir un lien nouveau entre des éléments radicalement séparés, comme l'emblème totémique ou le sacrifice par exemple permettent de relier le monde humain au monde divin.

Ce premier système contribue, ce faisant, à articuler les trois dimensions symboliques fondamentales de la technique en une sorte d'éco-système symbolique. Alors, en effet, que la symbolique de puissance magique valorise la technique et favorise son développement en tant qu'insertion au sein des flux sacrés du monde et de «com-position» avec la nature, la dimension de transgression qui lui est liée et la peur qui en résulte contribuent à en limiter l'essor, à en restreindre l'usage, à la fois au plan qualitatif (en lui conservant toujours une fonction sacralisante) et au plan quantitatif (en restreignant son développement concret et ses usages possibles).

En ce sens, cette première articulation favorise une intégration des techniques à l'intérieur d'un cadre social et naturel dont elles sont inséparables. Le lien qui s'instaure entre les différentes dimensions symboliques de l'objet technique empêche par ailleurs les techniques d'évoluer de manière autonome, c'est-à-dire de s'abstraire du contexte culturel qui leur confère leur sens, de se détacher de l'environnement social et naturel qui les fait répondre à des besoins précis. Elles demeurent toujours dans un équilibre plus ou moins instable par rapport au milieu dans lequel elles s'appliquent. Dans un tel contexte, la possibilité pour une technique d'échapper à cet encadrement pour se déployer de manière purement instrumentale et profane est proprement impensable. La technique est ainsi astreinte à une fonction d'autant plus précise et limitée que les sociétés primitives se caractérisent par des dimensions restreintes et par une économie quasi autarcique, stable, fermée (n'acceptant par exemple d'excédents qu'en vue de leur consommation / consumation festive et rituelle); les techniques qui s'inscrivent dans un tel cadre social ne peuvent dès lors que se transmettre de génération en génération, sans changement fondamental ou, en tout cas, avec un rythme d'évolution d'une extrême lenteur.

Évolution du premier univers symbolique attribué à la technique

Si, de fait, ce premier univers symbolique des techniques empêche largement celles-ci de se développer de manière autonome, favorisant davantage leur transmission fidèle que leur déploiement ou leur innovation, il faut pourtant se garder de penser que cet univers symbolique est demeuré partout et toujours le même, sans évolution ni changement. On pourrait même dire que ce fut tout le contraire.

67

C'est bien en effet à l'intérieur de ce cadre symbolique pourtant fort contraignant que se sont malgré tout opérées les plus grandes «révolutions technologiques» que l'humanité ait sans doute jamais connues: la domestication du feu, la «révolution» de l'agriculture et celle, un peu plus tardive, de la métallurgie. À chacune de ces mutations technologiques apparaît un nouveau système de valeurs symboliques qui code aussitôt celle-ci et l'insère dans une nouvelle strate de signification.

Il est intéressant de le noter, à une époque qui, comme la nôtre, voit sans cesse surgir de «nouvelles technologies» tout en étant bien incapable de leur donner un sens quelconque, emmurée qu'elle semble être dans le silence de son impuissance symbolique: chacune de ces grandes innovations technologiques provoqua non seulement une reformulation de toute la sphère des valeurs symboliques au moyen desquelles l'être humain exprimait son rapport au monde, mais chacune d'elles suscita également une (ré)intégration de ces techniques nouvelles dans un système d'articulation symbolique qui les forçait à s'ancrer dans la réalité naturelle et le contexte social. Ces innovations techniques allaient redessiner différemment l'univers symbolique tout en demeurant malgré tout à l'intérieur du même type d'articulation visant une réintégration dans les puissances du monde. «Toutes ces découvertes, souligne Eliade avec à propos, ont suscité des mythologies et des affabulations para-mythologiques, et parfois ont fondé des comportements rituels. La valeur empirique de ces inventions est évidente. Ce qui l'est moins, c'est *l'importance de l'activité imaginaire déclenchée par l'intimité avec les différentes modalités de la matière*» [HCIR, I, 46].

L'agriculture

Sans pouvoir entrer dans le détail des reformulations symboliques qui accompagnent les grandes mutations technologiques de la préhistoire et de la haute antiquité, on peut néanmoins en relever un certain nombre de traits significatifs: il y a ainsi par exemple lieu de signaler que la découverte-invention de l'agriculture va profondément bouleverser toutes les valeurs que l'être humain donnait à son activité technique. Le sacré, sous l'aspect de la transgression, resurgit avec force du fait même que le laboureur retourne les «chairs de la terre», la pénètre, lui inflige une «blessure terrible» et, à proprement parler, «contre nature». Il s'agit là, en vérité, d'un redoutable sacrilège dont témoignent bien, par exemple, tous les mythes de l'origine des céréales comme vol puis comme ensemencement profanateur du ventre de la Terre-Mère. D'où, on le conçoit sans peine, l'émergence de tous ces rituels, de tous ces sacrifices expiatoires adressés aux terrifiantes puissances chtoniennes qui se trouvent ainsi dérangées, voire violées, et dont il importe dès lors de ménager la colère.

Non seulement l'invention de l'agriculture fut-elle ainsi l'occasion de toute une réorganisation de l'univers symbolique et religieux qui lui donnait sens, mais elle se trouva en outre à l'origine d'un nouvel ancrage de cet univers symbolique par rapport aux rythmes de la nature (et, plus précisément, aux cycles de la végétation). À la communion mystique du chasseur avec sa proie animale succède ainsi, peu à peu, une religiosité nouvelle, attentive au *Grand Temps* cyclique de la nature, scandée par le rythme même de la vie, de la mort et de la renaissance, largement déterminée par une sacralisation de la sexualité, ainsi que de la fécondation et de la fertilité qui lui sont associées (cf., par exemple, A. Daniélou, *Shiva et Dionysos;* W. Schubart, *Érotisme et religion).*

La métallurgie

L'invention de la métallurgie sera elle aussi l'occasion d'une reformulation profonde de l'univers symbolique associé à la technique. L'aspect de transgression et de violence à l'égard de la nature-mère y apparaît encore plus nettement que dans le cas de l'agriculture. Sans doute est-il opportun de rappeler que, pour rendre compte de la transformation impliquée par cette nouvelle technique métallurgique, l'imaginaire archaïque fait volontiers appel à un schème selon lequel les métaux «poussent» et «grandissent» dans le sein de la terre — cavernes et mines étant ainsi symboliquement assimilées à la matrice de la mère chtonienne. Or, plutôt que de les laisser croître librement, l'homme les extrait de la terre «avant terme», si l'on ose dire, faisant par la suite «mûrir» de manière artificielle les «fruits minéraux» prématurément arrachés aux entrailles maternelles de la terre, se substituant donc au travail du temps, s'attribuant sa puissance en accélérant (et en forçant pour ainsi dire) le processus «naturel» de la maturation. La métallurgie sera, de ce fait, à l'origine d'une sacralité tellurique plus trouble, plus dangereuse et plus menaçante que celle qui émerge de l'agriculture. Les rituels qui en sont tributaires tenteront dès lors souvent de conjurer l'aspect «démoniaque» qui s'attache à une telle transgression. Nombreux, ces rituels se focaliseront souvent, on le conçoit, sur la figure du mineur-forgeron. Celui-ci doit, entre autres choses, se plier à de nombreux rites de purification et de jeûne; il doit souvent exercer son activité à l'écart, loin du village, quand il n'est pas lui-même isolé et marginalisé de la vie sociale. Son travail, dans les entrailles de la terre et sur les «fruits» de celle-ci, l'amène vraisemblablement, selon les mythes analysés par M. Eliade (*Forgerons et alchimistes*) et J.-P. Vernant (*Mythe et pensée chez les Grecs*), à croiser les esprits et les fantômes, à côtoyer les forces mystérieuses et cachées dans les profondeurs de la terre. Eliade le fait bien remarquer: les métallurgistes participent largement de l'ambivalence à la fois fascinante et terrible qui s'attache au sacré; on les estime tout en les craignant et la vénération qu'on leur porte n'est pas exempte de mépris.

L'univers symbolique ainsi projeté sur la nouvelle technique métallurgique accentue donc encore la dimension transgressive du sacré. Il permet à cette technique nouvelle de naître et de se développer tout en l'assignant à résidence, si l'on ose dire, dans un système de signification qui souligne son aspect dangereux et qui, par là même, en circonscrit le déploiement et en limite étroitement l'usage.

*

Cette première articulation symbolique du monde technique s'organise donc toujours autour du pôle du sacré de transgression.

Non seulement l'agriculture et la métallurgie appartiennent-elles à cette première figure, mais on peut même dire qu'elles l'exacerbent, dans la mesure où leur origine s'ancre de manière plus terrible et violente encore dans le registre de la transgression, viol ou profanation de la terre-mère. Elles donnent bien lieu au développement de tout un système qui leur confère un sens, les intègre dans l'ordre du monde, tout en insistant du même mouvement sur le danger qu'elles représentent et sur les précautions que requiert leur bon usage. Bien qu'ayant été à la source d'une redéfinition radicale et extrêmement riche de tout l'univers symbolique et religieux des valeurs attribuées à la technique, ces innovations techniques n'en demeurent pas moins englobées dans le système symbolique de la participation aux techniques comme puissances sacrées du monde, participation désormais codée selon un schème cyclique de vie-mort-renaissance épousant les cycles mêmes de la nature.

*

Quelque part cependant, dans la plaine du Péloponnèse et sur les rives rocheuses d'Ionie, une autre sorte de révolution se prépare. «Révolution»? Au sens des «périples» d'Ulysse, peut-être, tout au moins: une «révolution» de la technique «aux mille ruses»...

Chapitre 2

LES TECHNIQUES DE LA RUSE

Un monde gagné pour la Technique est perdu pour la Liberté.
G. Bernanos,
La France contre les robots

Si chaque instrument était capable, sur une simple injonction,
ou même pressentant ce qu'on va lui demander, d'accomplir le
travail qui lui est propre, comme on le raconte des statues de
Dédale ou des trépieds d'Héphaïstos, lesquels, dit le poète, *«se
rendaient d'eux-mêmes à l'assemblée des dieux»*, si, de la
même manière, les navettes tissaient d'elles-mêmes, et les plec-
tres pinçaient tout seuls la cithare, alors, ni les chefs d'artisans
n'auraient besoin d'ouvriers, ni les maîtres d'esclaves...
Aristote, *Politique*

(...) Celui qui porte un cœur de machine dans sa poitrine perd sa
pure innocence...
Tchouang T'seu
(philosophe taoïste)

Disposant d'un appareillage technique relativement limité, les sociétés primitives dont il a été question jusqu'à maintenant se contentaient pour l'essentiel de reproduire et de transmettre les inventions techniques à partir desquelles elles s'étaient constituées. Ce constat, on l'a vu, n'est pourtant pas à interpréter comme le résultat d'une pauvreté technique ou d'une ignorance épistémologique: ces sociétés développaient en effet la technique selon une finalité autre que celle de nos sociétés modernes, c'est-à-dire d'abord et avant tout comme outil de captation du sacré. Toutefois, même sous cette forme, la technique était étroitement codée, de manière à empêcher qu'elle soit monopolisée par un personnage ou un groupe qui en aurait tiré une source de pouvoir hégémonique: d'où notamment la marginalisation fréquente des chamans et des techniciens-forgerons. On a déjà remarqué au passage, en évoquant les analyses de P. Clastres [SCÉ] ou de G. Deleuze et F. Guattari [AO; MP], le parallèle entre cette stratégie de limitation de la technique et les stratégies de ces mêmes sociétés à l'égard du pouvoir d'État: de même en effet que ces sociétés «sans État» connaissent l'État comme cette forme d'organisation sociale à laquelle elles ne veulent cependant pas parvenir, de même pourrait-on dire qu'elles connaissent l'évolution technique comme le destin vers lequel elles pourraient tendre mais qu'elles conjurent sans cesse en codant ces techniques dans des systèmes de mythes et de rituels symboliques, les empêchant de se développer au-delà d'un certain seuil; elles vivent en somme dans

75

une autosuffisance technicienne dont elles n'éprouvent pas le besoin de sortir et qui leur assure, selon Clastres (cf. également M. Sahlins, *Âge de pierre, âge d'abondance*), un «état d'abondance» qui leur suffit. C'est cette double stratégie d'autolimitation du pouvoir (politique) et de la puissance (technique) qui va changer en raison de deux phénomènes historiques majeurs: l'avènement de l'État, d'une part et, d'autre part, le surgissement des villes.

Conditions d'une désacralisation des techniques

Avec l'avènement de l'État, tout d'abord, s'amorce en effet la lutte pour le pouvoir — et pour son monopole hégémonique. Or la technique devient d'autant plus l'un des principaux enjeux de cette lutte que c'est précisément sa maîtrise (celles des armes, en particulier) qui permet au guerrier de s'imposer, celui-ci étant, toujours selon Clastres mais également selon d'autres auteurs (Bataille et Deleuze, notamment), l'un des personnages déterminants pour expliquer le glissement vers des sociétés étatiques caractérisées par des luttes personnelles pour le pouvoir. Si ces auteurs ont bien vu le rôle fondamental du guerrier dans cette évolution, il n'est pas sans pertinence de préciser que ce personnage n'a une telle importance que parce qu'il est, de par son statut, concerné au premier chef par la technique, par la fascination et la tentation du pouvoir de vie et de mort que celle-ci paraît conférer et accroître. (Sans l'épée, rappelons-le, selon Hegel, il n'y aurait pas de dialectique du maître et de l'esclave...)

L'urbanisation, second facteur déterminant de l'évolution du système symbolique attribué aux techniques, contribue, tout comme l'agriculture, d'ailleurs, à fixer les populations sur un territoire précis et à leur permettre de sortir du cadre étroit des sociétés primitives. La technique, dans ce nouvel environnement urbain, connaît un tout nouvel essor. Non seulement n'y sera-t-elle plus codée de manière aussi rigide, mais elle s'y développera en outre beaucoup plus librement, laissant ainsi par exemple des «classes professionnelles» s'organiser dans des quartiers particuliers, se donner une existence relativement autonome. O. Spengler (*Le déclin de l'Occident*) a bien montré que la technique, pour la première fois, ne s'y développe plus en relation avec le monde naturel et ses contraintes, mais dans un nouveau contexte artificiel qui la favorise.

La conjonction de ces deux facteurs explique en bonne partie le fait que, dans les grandes civilisations antiques — babylonienne, égyptienne, chinoise, indienne, entre autres —, la technique ait de plus en plus tendance à ne concerner désormais qu'un secteur particulier d'activité de la société et non plus l'ensemble de celle-ci. La technique se spécialise tout comme elle se désacralise peu à peu, tendant à devenir une activité instrumentale et profane.

Force est pourtant de constater, dans toutes ces civilisations, une même réaction qui consiste certes à entériner cette évolution dans le sens d'une technique profane et instrumentale, mais à lutter malgré tout contre son essor sans contrainte, notamment au moyen de mythes et de systèmes de valeurs qui indiquent et stipulent plus fortement que jamais les limites à l'intérieur desquelles ces techniques doivent être contenues. Prenons encore une fois l'exemple de l'Inde: dans ce pays, la *crise* du *sacrifice védique* (ce sacrifice qui, on l'a évoqué, s'était mis à coder la moindre des activités quotidiennes) relève très exactement de l'évolution instrumentale et profane de la technique sacrificielle. Si cette dernière s'était universalisée, c'était en effet au prix d'une instrumentalisation qui la rapprochait dangereusement des techniques profanes: comme ces dernières, la technique sacrificielle consistait à mettre des moyens en œuvre en vue d'une fin précise. Par là même, elle se désacralisait, puisqu'elle était conditionnée par une série — profane — de causes et d'effets. Or, en étant ainsi conditionnée, elle ne pouvait plus provoquer qu'un salut lui-même conditionné, c'est-à-dire précaire et temporaire, condamnant l'être humain à revenir sur terre, l'assujettissant au *samsara* (cette chaîne causale de morts et de renaissances perpétuelles qui a vu le jour, comme l'a bien montré L. Silburn (*Instant et cause*), dans le sillage d'une réflexion sur la causalité mise en jeu par la technique sacrificielle).

Si l'instrumentalisation de la technique sacrificielle entérine bien cette évolution des techniques sacrées vers des techniques profanes conditionnées («tout comme périt le monde des actes, périt le monde du sacrifice», commentera ainsi la *Chandogya Upanishad*), on assiste parallèlement, en Inde, à l'élaboration d'un nouveau système axiologique qui vient remplacer l'ancien codage sacrificiel désuet en essayant de refréner la technique d'une nouvelle manière:

LES RUSES DE LA TECHNIQUE

le système des *varna*, improprement traduits par le mot *castes*. Selon G. Deleury (*Le modèle indou* [sic]), ce système a en effet comme fonction de contrebalancer l'avènement d'activités profanes (auxquelles la technique appartient bien entendu) en situant celles-ci au dernier rang des valeurs symboliques et en magnifiant à l'inverse toutes les valeurs non (ou même anti) productivistes, non (ou anti) technicistes du renoncement. Toujours selon Deleury, il s'agit bien dès lors, grâce à un tel système hiérarchisé de valeurs, d'empêcher que les activités profanes — qui ne sont plus codées, sacralisées par le sacrifice — ne deviennent en quelque sorte «dominantes» dans la société.

L'Inde demeure sans doute un exemple particulièrement significatif de la manière dont la technique tend à imposer, en même temps qu'elle-même, un schéma de pensée purement techniciste et instrumental qui en arrive à remettre en cause l'univers traditionnel du sacrifice et du sacré qui y est visé. Mais elle illustre aussi remarquablement la manière dont réagiront les grandes civilisations antiques face à l'essor d'une technique désacralisée et de plus en plus profane: en élaborant, «à côté» du système technique, un autre système symbolique sacré qui assignera aux techniques une place précise et justifiera leur maintien dans de strictes limites, en permettant finalement de récupérer l'antique sacrifice, mais profondément remodelé et intériorisé, comme l'a bien montré M. Biardeau [SIA]. C'est l'existence d'un tel système symbolique hostile aux valeurs techniques qui explique que, même désacralisées et rendues en quelque sorte à leur autonomie profane, les techniques aient été malgré tout contenues dans de sévères limites, empêchées aussi bien de se re-sacraliser que de se déployer de manière totalement autonome au-delà d'un certain seuil.

Le cas de la Grèce:
abandon des anciens codages religieux

Si les techniques, dans les grandes civilisations qui viennent d'être évoquées, ont rapidement été considérées d'un point de vue largement instrumental et profane tout en demeurant néanmoins codées dans un système symbolique qui continuait d'affirmer la prééminence d'autres valeurs, le cas de la Grèce apparaît à maints égards unique et justifie qu'on s'y arrête de manière à mettre en évidence la spécificité d'une strate qui se révélera d'ailleurs déterminante pour l'évolution ultérieure du symbolisme des techniques. La civilisation grecque, on le verra, s'inscrit dans le cadre de ces grandes civilisations, tout en développant un système axiologique de refrènement technique extrêmement ambivalent, voire ambigu, qui prônera la limitation des techniques tout en préparant du même coup leur libre essor.

La naissance de la Cité

L'avènement de la *Cité grecque* succède à une très grave crise des anciens codages mythiques et religieux de la Grèce archaïque et homérique comme, également, à une profonde crise socio-politique résultant de l'affrontement de deux classes rivales des nobles-guerriers et des paysans (J.-P. Vernant, *Mythe et pensée chez les Grecs*). La Cité hellénique représente en ce sens une nouvelle organisation collective qui fonde sa légitimité et son autorité non plus sur le respect des Ancêtres et la vénération des mythes mais, d'abord et avant tout, sur la raison et l'accord entre les citoyens. J.-P. Vernant a très bien montré comment, aussi bien la nouvelle structure de la Cité grecque que les nouveaux schèmes de pensée rationnelle ne sont en fait, à maints égards, qu'une transcription apparemment désacralisante des anciens mythes dans le langage du *logos*.

L'émergence du sujet

Seconde caractéristique essentielle qu'il convient de rappeler afin de comprendre les facteurs menant à un décodage des techniques et à leur nouveau statut instrumental purement profane: l'émergence du «sujet» et le surgissement de la «conscience de soi» qui lui est corollaire. Cette apparition du sujet comme individu se manifeste dans tous les domaines: dans la structure de la démocratie, qui demande à chaque citoyen d'exprimer son point de vue sur les affaires de la Cité; dans la statuaire qui, dénudant et individualisant progressivement ces archaïques *kouroï* aux traits encore lourds d'antiques mystères, en arrivera finalement à représenter elle aussi l'individualité; dans l'évolution du théâtre qui, d'Eschyle à Euripide, décape les mythes de leur aspect fabuleux et surnaturel pour dévoiler les ressorts quasi humains qui animent et motivent les divinités aux traits de plus en plus individualisés; dans la religion enfin, comme en témoigne notamment le succès des cultes à mystères promettant un salut personnel, mais aussi l'évolution de mouvements collectifs comme le dionysisme qui, d'une religion de la transe fusionnelle dans le Grand Tout cosmique, se transformera peu à peu en culte de la transe individuelle, interprétée comme anticipation d'un salut personnel au-delà de la mort (cf. H. Jeanmaire, *Dionysos — Histoire du culte de Bacchus*; A. Daniélou, *Shiva et Dionysos*).

L'avènement d'une nouvelle «petite bourgeoisie»

Rappelons enfin que l'avènement de la Cité grecque est contemporain de l'apparition d'une troisième classe sociale intermédiaire, celle des marchands, constituant — si l'on peut se permettre ces rapprochements anachroniques — une sorte de «petite bourgeoisie» ou de «classe moyenne» favorable, de par son essence même, à la fois aux techniques et au commerce qui la font vivre.

L'ensemble technique grec: les paradoxes d'une désacralisation

Les trois éléments qu'on vient de repérer rendent vraisemblablement compte à la fois de la spécificité et de la ressemblance que présente le «cas» grec par rapport aux autres grandes civilisations de l'antiquité: même essor des valeurs instrumentales de la technique qu'en Inde, par exemple; même montée des classes marchandes que dans la Chine ancienne; même remise en cause des anciens codages religieux, mais accompagnés, en Grèce — et apparemment seulement en Grèce —, de l'émergence du *sujet* comme individu et conscience de soi ne s'appuyant plus que sur sa seule *raison*. Quels sont donc, dans ce nouveau contexte symbolique, les avatars de la technique et de ses développements?

L'agriculture

Il faut se garder de simplifier l'image de l'antiquité grecque: la Grèce ancienne n'est pas une mais multiple. Dans ce sens il est clair que les techniques agricoles subsisteront bien sûr en Grèce lors de l'avènement de la Cité et continueront d'être largement investies de toute la symbolique mythique traditionnelle qui a été évoquée. L'agriculture demeure prégnante d'un lourd sacré de transgression: comme le rappelle nostalgiquement Hésiode (*Les travaux et les jours*), avant que cette technique n'apparaisse, les dieux et les déesses donnaient eux-mêmes la nourriture aux humains, qui n'avaient dès lors pas besoin de travailler pour se nourrir... C'est le vol de cette technique aux dieux qui eut pour conséquence de condamner l'humanité au travail. On repère bien sûr ici la marque du sacré de trangression lié aux techniques agricoles ainsi que la symbolique de punition — la «condamnation au travail» — qui leur est associée. Et cependant, si les rituels nécessaires sont respectés, cette «condamnation» peut en quelque sorte s'estomper, voire s'inverser en bénédiction, et le travail agricole lui-même redevenir un moyen de s'intégrer à l'ordre sacré du monde et de contribuer à le consolider. À partir du moment en effet où l'être humain renonce à l'*hubris*, à la démesure, et accepte de se livrer au labeur des champs selon les règles, les divinités (leur courroux atténué) s'arrangent, rassure Hésiode, pour que celui-ci retrouve l'abondance et la fécondité des origines. (Virgile, un demi-millénaire plus tard, lui fera écho dans son célèbre passage des *Géorgiques*: «Ô heureux paysans, s'ils connaissaient leur bonne fortune... Loin du bruit des armes, grâce à l'immense justice de la terre, ils tirent du sol une facile subsistance...») C'est pourquoi, selon Vernant [MPG], le travail des champs prend une valeur religieuse en ce qu'il permet de tisser de nouvelles relations entre le monde humain et celui des dieux et met l'humain en contact avec l'univers des puissances chtoniennes. Le travail de la terre «ne constitue pas un type particulier de comportement visant à produire, par des moyens techniques, des valeurs utiles au groupe; il s'agit plutôt d'une forme nouvelle d'expérience et de conduite religieuses: dans la culture des céréales, c'est à travers son effort et sa peine, strictement réglés, que l'homme entre en contact avec les puissances divines (...)» [MPG, II, 20].

Comme dans toute symbolique agricole primitive, cette intégration à un ordre sacré que permet l'activité agricole ne se produit évidemment que dans la mesure où interdits et rituels sont scrupuleusement observés. Les mythes grecs insistent sans cesse sur le fait que le travail agricole, s'il n'est pas effectué «correctement», c'est-à-dire conformément au rituel, prend les sombres traits d'une impureté à la source de punitions terribles, et l'on voit bien sûr resurgir toute l'angoisse liée à la transgression originaire. Ainsi, par exemple, Vernant rappelle [MPG, II, 24] que Déméter punit Erysichton d'avoir porté la hache sur son bois sacré, en rentrant dans une colère — divine! — à cause de cet usage d'un instrument technique — profane — sur un objet sacré. Lycurgue, en se trompant et en utilisant malhabilement son outil lorsqu'il croyait tailler un pied de vigne, se coupe le pied (ou, selon une version différente, tue son propre fils). Phylacus, en taillant un arbre — opération symboliquement castratrice et dangereuse —, rend son fils impuissant, probablement pour ne pas avoir respecté les codes et les rituels nécessaires (ce que la légende ne précise pas, en se contentant de montrer l'aspect dangereux mis en branle par la technique). Tous ces mythes — on pourrait en évoquer d'autres — rappellent que, même resacralisée et transformée en sacré bénéfique d'intégration à l'ordre du monde, la technique, ici agricole, n'en conserve pas moins — toujours — son aspect dangereux, inquiétant et menaçant.

Ainsi donc, à l'approche de l'âge classique, les techniques agricoles ne sont pas encore devenues, en Grèce, de simples techniques instrumentales et profanes; elles n'y sont d'ailleurs pas considérées comme des «métiers» au sens où le seront celles des artisans, par exemple. Il s'agit toujours d'activités profondément rituelles qui permettent, au-delà des individus, une intégration à l'ordre social et cosmique.

Certaines tendances paraissent néanmoins déjà exister, qui invitent à considérer l'agriculture comme une simple activité instrumentale et profane parmi d'autres, bien que la plupart des auteurs luttent contre une telle évolution. Rappelons à cet égard l'ambivalence de Xénophon (*Économique*, I) et d'Aristote (*Politique*, VII, ainsi que les *Économiques*, I, du Pseudo-Aristote), qui considèrent tantôt l'agriculture comme une activité religieuse conforme à l'ordre naturel et tantôt comme une activité profane, servile et mercantile. Leur attitude renvoie en fait au double niveau sur lequel ils se situent l'un et l'autre, entérinant — ou prévoyant tout au moins — l'évolution de cette activité vers un métier purement profane, comme le remarque Vernant, mais continuant tout de même à prôner l'ancien aspect religieux de l'agriculture.

L'artisanat

Si, donc, l'agriculture résiste aux tendances qui portent à la considérer comme une activité purement instrumentale et profane, l'artisanat a, quant à lui, irrémédiablement cessé d'être codé de manière religieuse, et a définitivement glissé, chez les Grecs, du côté des techniques profanes.

Dans les sociétés primitives, les techniques artisanales sont toujours reliées à des thèmes héroïques et légendaires qui, selon G. Dumézil, expliquent notamment comment elles sont intervenues de manière décisive dans l'histoire cosmogonique, en permettant aux divinités de créer le monde et de lui donner son ordre actuel. Or, en Grèce, on ne trouve plus aucune de ces références prestigieuses qui légitiment la technique et l'investissent d'une origine sacrée. Les seuls personnages qui pourraient peut-être y jouer ce rôle d'«ancêtres fondateurs» sont les Cyclopes. Ceux-ci semblent bien en effet évoquer d'antiques corporations métallurgistes, à qui par exemple Poséidon doit son trident, emblème de sa suprématie sur les mers. Mais ces Cyclopes ont perdu leur pouvoir et leur prestige. Chassés de l'Olympe (par une nouvelle génération de dieux qui symbolise mieux la nouvelle rationalité et la «juste mesure» de la Cité), ils se sont mués en personnages sombres, «négatifs»: ils renvoient en fait à un âge révolu du monde, n'étant plus dorénavant représentés que par ces êtres marginaux, errants et nomades qui continuent certes d'utiliser les techniques de la métallurgie, mais que l'on n'intègre guère volontiers dans la Cité.

Non seulement la référence à l'origine religieuse des techniques artisanales est-elle ainsi renvoyée dans un passé lointain qui ne concerne plus la génération divine actuelle (celle du monde de Zeus), mais en outre, et c'est nouveau, ces techniques artisanales, dans le présent de la Cité, sont vécues en dehors de tout codage religieux, comme de pures activités rationnelles et instrumentales, profanes. Le fait est notamment bien confirmé par l'absence, à l'époque classique, de toute organisation religieuse de ces professions: ce sont des *métiers* qui, certes, ont leur place, et même, concrètement, leurs quartiers dans la Cité, mais qui ne donnent lieu à aucune «corporation» ou «confrérie» de nature religieuse (comme ce sera par exemple le cas dans l'Europe médiévale).

Les techniques artisanales ne se définissent donc plus en rapport avec des valeurs religieuses. Elles sont considérées comme de pures activités instrumentales spécialisées, c'est-à-dire dont on ne peut obtenir la maîtrise qu'à la condition de se spécialiser soi-même, de se vouer à l'approfondissement (profane) des règles (techniques) du métier. (C'est, au reste, comme le rappelle J.-P. Vernant [MPG, II], ce qu'illustre bien le personnage mythique de Margitès, ce «double» de Prométhée qui, connaissant tous les métiers, n'en pratique aucun correctement... La leçon paraît claire: on n'attend pas d'un artisan qu'il soit un puits de science ou qu'il participe de par son activité à une régénération du monde, mais, simplement, qu'il connaisse une technique, s'en tienne à la spécialisation de son métier, et la pratique correctement. Monsieur Seguin n'eût sûrement pas désapprouvé...)

La technique artisanale apparaît ainsi pour la première fois, en Grèce, comme une activité purement profane. Outre les facteurs structurels précités, deux éléments plus spécifiquement techniques peuvent vraisemblablement expliquer cette — relativement soudaine — désacralisation. D'une part, selon Bertrand Gille (*Les mécaniciens grecs*), son taux de diffusion. À partir du moment où une technique se diffuse massivement à une certaine époque, cessant

par là d'être l'apanage d'une confrérie souvent quasi secrète, il semblerait en effet qu'elle perde toute possibilité de demeurer codée de
manière strictement religieuse, c'est-à-dire circonscrite dans un
réseau mythique et rituel. D'autre part, la technique artisanale serait
moins apte (que la technique agricole, par exemple) à porter et à
conserver des valeurs et des symboles religieux, du fait de ce que É.
Dupréel (*Sociologie générale*, p. 207) appelle le facteur de la «collaboration de l'intervalle» qui, seul apparemment, permettrait au religieux de se manifester: le travail agricole, comportant un long intervalle entre le temps des semailles et le moment des récoltes, inviterait
à expliquer le succès — ou l'échec — de l'entreprise en faisant appel
à la «collaboration» de puissances extra-humaines au cours de
l'«intervalle». Le résultat du travail artisanal étant au contraire presque immédiat, sans intervalle entre la cause et l'effet produit, cette
activité nécessiterait beaucoup moins le recours à des interprétations
religieuses et à des puissances non spécifiquement humaines ou
techniques. Associés aux éléments structurels déjà mentionnés, ces
deux facteurs expliqueraient ainsi que l'instrumentalisation d'une
technique purement profane se soit plus rapidement réalisée dans le
cas des techniques artisanales que dans celui des techniques
agricoles.

*

Et pourtant un problème demeure entier: celui que soulève l'absence
d'essor des techniques artisanales, en Grèce, aussi bien en termes
quantitatifs (production «en série», par exemple, de nouveaux objets
grâce à une technique artisanale apparemment libérée de toute
contrainte religieuse) qu'en termes qualitatifs (création de nouvelles
techniques, de nouveaux objets artisanaux). Si totalement instrumentale et apparemment profane qu'elle ait pu devenir, la technique
artisanale grecque n'en a toutefois étrangement pas profité, si l'on
ose dire, pour «exploser»: elle continue bien au contraire à fournir

une production éminemment traditionnelle, limitée, sans aucune innovation fondamentale. Voilà qui demande à être élucidé. Mais pour comprendre ce caractère étonnant des techniques artisanales, il faut auparavant poursuivre le tour d'horizon des techniques grecques, en s'intéressant aux innovations qui peuvent y être repérées.

Les innovations techniques grecques

Les innovations techniques grecques se caractérisent tout d'abord par le fait qu'elles concernent davantage le champ de ce que l'on entend plus spécifiquement de nos jours par technique machinique que celui de l'agriculture ou même de l'artisanat. En ce sens, c'est bien en Grèce que la *technique*, dans l'acception moderne du terme, voit le jour. B. Gille [MG] n'hésitera d'ailleurs pas à y voir le berceau non seulement de la technique moderne, mais aussi de la *technologie* en tant que discours systématique sur la technique et ses principes fonctionnels. Les innovation techniques grecques appartiennent à quatre principaux domaines.

Le premier de ces champs techniques est celui du transport, objet de nombreuses innovations, aisément compréhensibles chez un peuple de commerçants et de marins. Elles toucheront essentiellement au domaine de la construction portuaire et navale (le transport routier, notons-le, demeurant en revanche très archaïque, surtout lorsqu'on le compare à celui des Romains qui, au contraire, le privilégieront pour leur part quelques siècles plus tard).

Le second champ d'innovation technologique se déploie dans le domaine de la guerre et de l'armement. Seront ainsi créées et mises au point de nouvelles «machines» permettant par exemple de catapulter des pierres automatiquement, ou de lancer des flèches en série, mécaniquement.

Toutes ces techniques guerrières bénéficient de l'essor d'un troisième domaine d'innovation grecque, celui, justement, de la technologie des machines. C'est en effet en Grèce qu'on assiste à la construction des premières «machines», notamment grâce aux inventions, à peu près contemporaines, des roues à dents, des vis, des poulies et des engrenages. On se mettra alors à construire de fort nombreuses machines: béliers mécaniques et sortes de lance-flammes par exemple, venant compléter l'arsenal guerrier; machines hydrauliques permettant de faire circuler l'eau, et même de la faire remonter; grues et pressoirs mécaniques, etc. Ktésibios, selon les dires d'Hipparque de Nicée (successeur d'Archimède, vers 200 av. J.-C.), invente la pompe à incendie, l'orgue hydraulique, de même que certains engins de guerre qui évoquent curieusement nos blindés actuels; Héron, de même, perfectionne pour sa part un grand nombre de machines tout en en construisant lui-même de nouvelles grâce à l'invention de la presse à vis. On pourrait multiplier à loisir les exemples de telles «inventions», qui mettent toujours à contribution les effets de la pesanteur (que l'on sait calculer depuis Archimède), ceux de la torsion des câbles, de l'élasticité des lames de métal, de la compression de l'air et des liquides, des vases communicants, de la vapeur, de l'aspiration par le vide, autant de connaissances technologiques nouvelles faisant appel à un savoir-faire et à une «science» d'ingénieurs.

Ce n'est cependant pas dans la production et dans le travail humain, comme on pourrait s'y attendre, que ces inventions machiniques trouvent leur application, mais sur le plan quasi exclusivement militaire. L'histoire des techniques grecques est pleine d'inventions qui sont saisies par la logique vertigineuse — déjà! — des machines et des anti-machines toujours plus perfectionnées et gigantesques. Ainsi, les tortues-béliers qui sont utilisées pendant le siège de Rhodes (en 305 av. J.-C.) portent chacune, selon Diodore, une poutre de cent vingt coudées (environ 53 m) qui se termine par un éperon de navire, et que mille hommes doivent porter pour la mouvoir sur ses roues. À cette invention et aux autres catapultes meurtrières, Énée le Tacticien, au siège de Tyr, opposera d'une part des roues qui, en tournant sans cesse grâce à une machinerie, brisent et dévient les flèches de l'ennemi, d'autre part, d'immenses tridents barbelés et attachés à une corde de façon que, se fichant sur les boucliers des soldats qui poussent les béliers ou qui se tiennent sur les tours, on puisse les harponner et attirer à soi leurs boucliers...

Cette importance des techniques guerrières a pourtant ceci de caractéristique qu'elle ne donnera jamais lieu à leur usage civil; elles n'entraîneront jamais la naissance, en somme, de ce «mégasystème» — ou «complexe» — militaro-industriel que nous connaissons bien aujourd'hui et qui, si l'on peut se permettre l'image, fertilise les champs techniques civils à partir des découvertes faites et mises au point pour un usage militaire.

À côté de ces machines utilitaires à but guerrier, il faut également faire une place particulière aux fameux *thaumata*, ces «machines merveilleuses» qui n'ont apparemment aucune utilité concrète immédiate et qui sont véritablement les ancêtres de tous les «automates» de l'histoire des techniques: on conçoit ainsi par exemple des automates animant les statues des divinités dans certains temples (ces *dei ex machina* qui resteront dans la langue...), ouvrant automatiquement des portes grâce à des mécanismes hydrauliques dissimulés, projetant en l'air des oiseaux artificiels — et gazouillants! —, voire actionnant de savants jets d'eau qui n'auraient pas juré au grand siècle de Versailles et de Haendel. La femme de Ktésibios, le chef de l'École d'Alexandrie qui a été évoqué plus haut, est elle-même réputée (selon certaines sources) avoir joué du premier orgue hydraulique inventé par son mari... Tradition qui perdurera longtemps puisque, encore au premier siècle av. J.-C., la nouvelle École d'Alexandrie, se servant des innovations constituées par les pompes aspirantes et refoulantes, construira toute une nouvelle série de machines merveilleuses: sonneries et horloges hydrauliques, automates musiciens jouant de la trompette...

Quatrième et dernier domaine relativement fertile en inventions — et non le moindre du point de vue de l'histoire culturelle, bien qu'il n'y ait pas lieu de s'y attarder ici: celui des techniques artistiques (architecture, sculpture, ornementation, céramique, travail du verre et des métaux précieux), auxquelles la construction de nombreux temples, notamment, fera faire de significatifs progrès.

De l'«in-utilité» de la technique grecque

L'ensemble technique qui vient d'être dégagé n'est évidemment pas l'effet de l'accident ou du hasard: on y voit clairement se profiler, sous l'angle de la «nécessité», deux domaines vitaux pour la Grèce ancienne: le commerce extérieur et maritime, d'une part et, d'autre part, la guerre perpétuelle que se livraient les cités grecques entre elles ou qui les opposait fréquemment à de redoutables envahisseurs. Un tel contexte est par ailleurs révélateur de ses propres lacunes: lors même en effet qu'apparaissent les premières machines «utilitaires», aucune d'entre elles ne se développe de manière à s'appliquer vraiment au champ du *travail*, dans le but par exemple de rendre celui-ci plus efficace, plus rationnel, plus rentable, ou moins fastidieux, moins pénible, moins abrutissant. Aux machines techniques qui auraient vraisemblablement pu mettre sur la voie d'une véritable civilisation «industrielle», les Grecs semblent avoir («étrangement», dira notre époque...) préféré les *thaumata*, machines merveilleuses et merveilleusement inutiles qui n'avaient somme toute pour seule fonction que d'amuser, d'étonner en produisant du merveilleux; bref, pourrait-on dire, de réenchanter le monde sur le mode du divertissement. Jamais ne pensera-t-on à leur donner, au sens strict, une quelconque «utilité». «Leur valeur et leur intérêt, note J.-P. Vernant [MPG, II, 49-50], viennent moins des services [que ces *thaumata*] peuvent rendre que de l'admiration et du plaisir qu'ils suscitent chez le spectateur. À aucun moment l'idée n'apparaît que, par l'intermédiaire de ces sortes de machines, l'homme peut commander aux forces de la nature, les transformer, s'en rendre maître et possesseur.»

Mais il y a sans doute plus étonnant encore: contrairement à ce qu'on pourrait être tenté de croire de prime abord, une telle inutilisation de la technologie des *thaumata* ne saurait être imputée à une quelconque insuffisance de la pensée scientifique et technique grecque: dans la foulée d'Archimède, les lois indispensables à la réalisation d'un «progrès technique» avaient au contraire pour l'essentiel bel et bien été dégagées. B. Gille [MG] montre bien comment la technologie, au sens moderne d'un «savoir rationalisé des techniques», a bien pris son essor en Grèce, au moment où cette civilisation propose d'expliquer la technique rationnellement, et non plus en faisant appel au mythe ou à quelque autre explication non mathématisable et non rationnelle. Il rappelle en outre que l'École des mécaniciens d'Alexandrie, créée dans cette ville dès le troisième siècle avant notre ère, y maintiendra pendant plus de trois siècles une véritable «Cité de la recherche scientifique» (fort digne ancêtre de nos prestigieux CNRS et de nos modernes Silicon Valleys) destinée à rassembler sur son territoire les chercheurs les plus éminents de l'époque dans le but de faire avancer la recherche technico-scientifique. (Alexandrie, on le sait, possédait en outre la plus grande bibliothèque de l'antiquité, contenant plus de 400 000 volumes (sous forme de rouleaux) où se trouvaient compilées toutes les connaissances techniques de l'époque; les scientifiques du temps cherchaient au surplus à intégrer ce vaste ensemble de connaissances en une science mathématique unitaire, c'est-à-dire unissant arithmétique et géométrie.) Or si de nombreuses applications techniques «pratiques» ont effectivement vu le jour dans cette antique Cité de la Science et de la Technologie, elles étaient surtout liées aux applications militaires, et n'essaimèrent pas vraiment dans d'autres domaines, malgré l'ingéniosité dont elles témoignaient.

M. Daumas [OCT] s'étonne que cette application des principes de la mécanique se soit à toutes fins utiles confinée à l'arsenal guerrier, et ne se soit pas également manifestée dans le domaine civil, notamment dans le champ du travail. Mais il y a sans doute plus étrange encore: de telles «applications», militaires ou non, étaient loin de représenter la plus grande part des travaux de l'École d'Alexandrie. B. Gille [MG] rappelle en effet que, très souvent, les machines dont les principes de fonctionnement étaient pourtant minutieusement décrits et qu'on trouve par exemple dans les ouvrages d'Hipparque de Nicée, n'ont simplement jamais vu le jour. Tout semble en fait s'être passé comme si, là encore, les Grecs avaient été plus portés à créer une technique et une mécanique instrumentale et profane, certes, mais confinée à un niveau largement à la spéculation, susceptible à la rigueur d'usages «divertissants» (ou militaires, sous la pression de la guerre), mais jamais en tout cas d'une véritable *utilité* dans le domaine du travail, de la productivité, de la conquête-domestication de la nature.

*

Si les techniques mécaniques sont, plus encore que l'artisanat, bel et bien l'objet, en Grèce, d'une rationalisation qui en fait des activités purement profanes, dépouillées de tout codage religieux, de toute explication mythique ou symbolique, il faut se demander comment il se fait que, pas plus que dans le cas de l'artisanat d'ailleurs, cette connaissance technicienne et instrumentale n'ait pas débouché (comme ce sera le cas beaucoup plus tard, avec la Révolution industrielle occidentale) sur une civilisation donnant la priorité à ce mode d'activité technique. À quelles limites la pensée technique, pourtant débarrassée de ses corsets mythologiques, continuait-elle donc de se heurter? Quels subtils interdits l'empêchaient donc de construire, dans la pratique, ce qu'elle pensait spéculativement de manière aussi remarquable? À quel autre usage, à quels autres sens ces limitations et ces interdits renvoyaient-ils donc la technique?

Le «blocage technique» grec

De nombreuses interprétations ont été avancées pour tenter d'expliquer ce que B. Gille [MG] appelle le «blocage des techniques» de la Cité grecque. Le même auteur croit déceler des raisons d'ordre structurel qui relèvent des limitations internes du système grec lui-même, l'ignorance, par exemple, des techniques de la bielle-manivelle et peut-être plus encore de la fonderie (dont on connaît l'importance capitale pour le déclenchement de la Révolution industrielle du 19e siècle). Gille signale également la faible quantité d'énergie naturelle disponible à l'époque.

Une seconde piste d'explication fréquemment évoquée — on songe bien sûr à Marx, mais elle a de fort anciennes racines — a trait à l'institution grecque de l'esclavage. Les Grecs, ayant une main-d'œuvre servile docile et bon marché, n'auraient eu aucun «intérêt» à développer des techniques productives en vue de l'amélioration du travail (et du remplacement de cette main-d'œuvre servile). Une telle explication cite volontiers Aristote qui affirme explicitement (*Politique*, I, IV, 1253b) que, «si les navettes tissaient d'elles-mêmes, les maîtres n'auraient plus besoin d'esclaves...». B. Gille fait bien voir qu'une telle thèse ne saurait suffire à expliquer le blocage technique grec. L'argument, tout d'abord, est bien sûr réversible: il paraît tout aussi plausible de dire que, si les Grecs avaient des esclaves, c'est précisément en raison de l'insuffisance de leurs techniques... Les esclaves — on a parfois tendance à l'oublier — faisaient en effet partie d'une véritable économie de marché: il fallait les acheter, les entretenir, les nourrir... Il y a donc lieu de croire que leur remplacement par des machines aurait vraisemblablement permis d'économiser sur les frais non négligeables encourus par un tel système de main-d'œuvre servile. Des auteurs — J. Ellul [ST], notamment — ont au surplus montré que l'esclavage peut difficilement être considéré en lui-même comme un frein pour le progrès technique: ce sont des civilisations essentiellement esclavagistes qui semblent au contraire avoir connu les progrès techniques les plus remarquables...

On a par ailleurs évoqué d'autres raisons plus ponctuelles: les dimensions restreintes des cités grecques, par exemple, les auraient empêché d'accumuler les capitaux suffisants pour financer de grands travaux techniques. J.-P. Vernant [MPG] estime pour sa part que la technique n'a pas vraiment pu s'appuyer sur une science théorique qui resta toujours, en Grèce, une science de l'«à peu près». B. Gille [MG] montre cependant qu'un tel argument présuppose un lien nécessaire entre science et technique, ce qui ne va pas de soi, la technique — on y reviendra — ayant au contraire tendance à se développer de manière autonome par rapport à la science.

Toutes ces raisons contiennent sans doute une part de vérité mais elles ne suffisent pas vraiment à expliquer le blocage technique de la Grèce classique. Nombre d'interprètes classiques — P.-M. Schuhl (*Machinisme et philosophie; Essai sur la formation de la pensée grecque*), A. Aymard (*L'idée de travail dans la Grèce archaïque*) et A. Espinas (*Les origines de la technique*), par exemple

— ont dû se contenter d'enregistrer le fait que les Grecs avaient bel et bien la capacité scientifique et technique nécessaire pour engendrer une civilisation technicienne mais que, s'ils ne l'ont pas réalisée, c'est qu'ils ne l'ont pas voulu, qu'ils ont, en quelque sorte, «refusé le progrès»... Et, de fait, sans qu'il soit cependant nécessaire de donner à cette affirmation une coloration péjorative ou passéiste, c'est bien ce qui semble s'être produit: les Grecs paraissent effectivement avoir refusé la civilisation technicienne qu'ils reconnaissaient cependant comme leur possible horizon; ce possible, ils semblent l'avoir rejeté d'une manière qui n'est pas sans analogie avec celle des sociétés primitives qui conjurèrent l'avènement d'un État cependant pressenti comme inéluctablement inscrit dans l'horizon de leur organisation sociale.

Certes, les critiques formulées par B. Gille à l'égard de cette thèse commandent un certain nombre de nuances: on ne peut évidemment affirmer que les Grecs auraient pu créer la civilisation industrielle qui naîtra plusieurs siècles plus tard dans l'Europe d'après la Renaissance. Ce serait assurément là commettre un anachronisme fortement teinté d'occidentalo-centrisme. Il suffit sans doute de reconnaître plus prudemment que, disposant de connaissances scientifiques et techniques importantes, les Grecs ne les ont cependant pas mises au service du travail et de la production, et ce, parce que leurs valeurs les ont poussés à privilégier le développement technique dans d'autres domaines. C'est à ce lien fondamental entre technique et valeurs qu'il semble dès lors nécessaire de se référer, en dernière analyse, si l'on veut comprendre pourquoi, au-delà des raisons déjà évoquées, les Grecs n'ont pas appliqué la technique au monde du travail et de la productivité.

Technique et conflit des valeurs chez les Grecs

R. Merton [STS] et M. Weber [EPEC] ont bien montré comment, à l'aube de la Révolution industrielle, l'essor des techniques n'a été rendu possible, en Occident, que grâce à l'existence d'un «courant de valeurs» qui leur était favorable; qui non seulement donnait de la valeur à ces techniques mais, plus fondamentalement encore sans doute, qui les transformaient elles-mêmes en valeur.

La Grèce de l'âge classique connaît assurément bien des positions favorables à la technique. Comme le rappelle Pierre Vidal-Naquet (*Économies et sociétés en Grèce ancienne*), la civilisation grecque est tout entière une civilisation d'artisans et de marchands; elle permet à sa «petite bourgeoisie» technique et commerçante de progresser et de s'enrichir. De plus, les leaders politiques et militaires y prennent, le plus souvent, une position ouvertement favorable à la technique: Archytas de Tarente (5e s. av. J.-C.), à qui l'on attribue aussi bien l'invention de la poulie que de nombreuses victoires militaires, est à la fois savant et homme d'État; tout comme Périclès, il porte un réel intérêt aux techniques mécaniques. Les impératifs militaires jouent ici bien sûr un rôle non négligeable: Philippe de Macédoine, Alexandre le Grand, Denys, tyran de Syracuse, ont tous accueilli dans leur entourage un grand nombre de savants et de techniciens. C'est ainsi qu'autour d'Alexandre gravitent Gorgos, le spécialiste des mines, Cratès, versé dans les questions hydrauliques, Aristoboulos, architecte chevronné; c'est également ainsi qu'au siège de Rhodes, les assiégés pouvaient compter sur les ingénieurs Callias d'Ariados et Diognetos de Rhodes, les assaillants (menés par Démétrios) étant pour leur part secondés par les techniciens Zoïlos et Epimachos d'Athènes. Denys, le maître de Syracuse au 4e siècle av. J.-C., pourrait sans doute même prétendre, à cet égard, au titre de premier monarque technocrate de l'histoire... Lors de la guerre qui l'opposait à Carthage, il fit en effet venir d'un peu partout — d'Italie, mais également de Grèce et d'Espagne — un grand nombre d'ouvriers, de soldats et d'ingénieurs. Non seulement enrôla-t-il ces derniers dans son armée mais encore, au moyen d'un système de primes et de récompenses, il encouragea largement le développement d'inventions et de techniques militaires (ce qui lui valut, entre autres choses, la première catapulte...). Mais c'est également la manière même de faire la guerre et de diriger une armée qu'il transforma profondément, adoptant ce qu'on pourrait appeler un point de vue de «parfait technocrate»: la guerre devint en effet, sous son influence, une opération essentiellement *technique*, menée par des «spécialistes», visant une efficacité collective maximale où s'estompaient significativement en grande partie des facteurs traditionnels tels que la «valeur» ou la «vaillance» personnelle.

On le voit, bien des couches de la société grecque étaient largement favorables à l'essor des techniques. Et pourtant, leur valeur était loin d'être unanimement et simplement reconnue. N'est-il pas tentant de voir là un signe de ce que l'histoire a retenu comme un tenace et profond mépris des Grecs pour toute activité manuelle et servile?

Le «mépris» grec de la technique

Ce «mépris» du travail manuel qu'on attribue aux Grecs est le plus souvent associé aux textes de Platon sur la question — celui des *Lois*, notamment, le plus critique, rédigé à la fin de la vie du philosophe, dans l'amertume consécutive à de nombreux échecs politiques. Platon y tance vertement cette engeance de «techniciens» et d'«ingénieurs», à qui il assigne une place fort peu glorieuse, tout à fait au bas de l'échelle sociale... Une lecture attentive du texte (*Lois* VIII; IX) suggère cependant que ce n'est pas la technique en tant que telle que Platon critique. Après tout, c'est bien un dieu technicien qu'il met, dans le *Timée*, sous la figure du démiurge, à l'origine de la création du monde. Ce qu'il dénonce, en revanche, ce sont les conséquences néfastes que la technique peut selon lui avoir sur la Cité. Si on la laisse se développer sans frein, prévient-il, elle suscite un «vorace appétit d'or et d'argent» qui détruit le lien social et donne le pouvoir à la seule classe des techniciens et des marchands — que tout le monde voudra sans doute se mettre à imiter... «Tout homme [sera] prêt, alors, à employer indifféremment les procédés les plus beaux et les plus honteux, s'ils doivent rendre riche...» [*Lois* VIII, 831 et IX, 918 *sq*].

Si donc Platon paraît bien refléter un système de valeurs qui contribue à bloquer l'essor de la technique au-delà d'un certain seuil, c'est cependant moins par «technophobie» ou en raison d'une valeur «négative» qu'il attribuerait intrinsèquement à la technique, que par peur que cette activité ne devienne une valeur «en soi» qui risquerait alors de miner les valeurs, morales et politiques, sur lesquelles il fonde la Cité. Devant l'avènement d'une technique profane et la possibilité de son développement comme moteur d'innovation sociale, Platon réagit en limitant l'essor des techniques, en empêchant celles-ci de se développer comme activité autonome, sans référence et sans contrôle axiologique. Notons par ailleurs que cette limitation axiologique de la technique, chez Platon, se fonde non sur quelque parole mythique et sacrée des Ancêtres mais bien plutôt sur une limitation imposée par la Raison et par la réflexion morale qu'il poursuit à la suite de Socrate.

On pourrait certes être tenté de penser que ce frein platonicien témoigne plutôt de l'origine aristocratique du philosophe qui, de ce point de vue, ne serait pas forcément très représentatif des valeurs de son époque. Force est pourtant de constater la présence, en Grèce, d'un important courant systématiquement hostile à la technique, de manière d'ailleurs souvent beaucoup plus radicale que l'attitude platonicienne. Si l'agriculture n'est pas religieuse et sacrée, notait Aristote, alors, elle n'est plus qu'une activité «utilitaire» et «servile», dévalorisée et sans grand intérêt... Le Stagirite ne faisait, tout comme Platon, qu'entériner une méfiance et un mépris pour l'activité technique: l'artisan dans la Grèce ancienne, rappelle en effet B. Gille [MG], n'est pas du tout valorisé comme il pourra l'être à d'autres époques. Son activité est considérée comme subalterne, bien peu glorieuse. C'est qu'il se contente au fond d'appliquer des «recettes techniques» en vue d'obtenir une «forme» particulière dont il n'est pas vraiment responsable, et qu'il ne fait que copier. Son travail, de ce fait, n'est ni une création, ni une invention; il s'effectue dans la monotonie et dans l'asservissement à la «forme» recherchée. Qui plus est, le résultat de son œuvre ne sera jamais la forme «idéale» recherchée et demeurera dès lors toujours dans le domaine de l'«approximatif». (On est bien loin d'une certaine sensibilité moderne qui valorise l'artisanat en y voyant une source d'expression personnelle, de créativité et de «retour à la nature»...)

Cette dévalorisation de l'activité technique semble en outre associée, dans la conscience populaire de l'époque, à une représentation peu valorisante du mode de vie de l'artisan-technicien. Si on en croit en effet Xénophon (*Économique*, IV, V), on associe au manque de noblesse de l'activité technique une vie physique et morale bien peu enviable: vie casanière, renfermée dans l'ombre de l'atelier ou tapie au coin de la forge, ce qui «ramollit l'âme», commente sentencieusement Xénophon, provoque la paresse et la déliquescence, au contraire de la vie saine, active et dynamique du paysan ou du guerrier...

Cette dévalorisation de la technique (le langage courant utilisait même comme injure le terme servant à désigner l'ingénieur technicien!) s'accompagnait enfin, chez les Grecs de l'âge classique, d'une sur-valorisation inverse du «travail» intellectuel, réputé pour sa part viser l'universel, par opposition à une technique bien sûr confinée au domaine de l'incertain et de l'approximatif, obligée de s'adapter à un monde sensible, toujours mouvant, procédant par tâtonnements successifs et non par application de «lois générales». S'adonner à la technique c'est dès lors travailler sur quelque chose de purement «profane», de toujours évanescent. Le philosophe, lui, en revanche, lorsqu'il dégage les «essences stables» des choses, participe au dévoilement sacré des mystères du monde. On comprend sans doute mieux de ce fait que, même pour les Mécaniciens d'Alexandrie, il ait été en quelque sorte nettement plus valorisant de dégager les principes de leurs machines que de se salir les mains à les construire... La dévalorisation d'une technique purement profane n'implique donc pas, on le voit, celle de la science qui, au contraire, conserve pour sa part son aura sacrée.

Le modèle axiologique des techniques grecques

Positions favorables à la technique, attitudes hostiles à son endroit: on trouve bien les unes et les autres en Grèce classique. Force est tout de même d'admettre que les secondes l'emportent largement. Pour comprendre cet état de fait et cette ambivalence, il faut remonter à la source de la pensée technicienne grecque.

Selon J.-P. Vernant [MPG], qui expose les thèses de A. Espinas [OT], ce sont les Sophistes qui représenteraient le «premier effort de la pensée technique pour s'affirmer: d'abord par la rédaction d'une série de manuels traitant de *technai* particulières; puis par l'élaboration d'une sorte de philosophie technique, d'une théorie générale de la *technè*, de son succès, de sa puissance. Chez la plupart des Sophistes, le savoir revêt la forme de recettes qui peuvent être codifiées et enseignées. Le problème de l'action, pour eux, ne concerne plus les fins à reconnaître, les valeurs à définir; il se pose en termes de moyens: quelles sont les règles du succès, les procédés de réussite dans les divers domaines de la vie? Toutes les sciences, toutes les normes pratiques, la morale, la politique, la religion seront ainsi envisagées, dans une perspective "instrumentaliste", comme des techniques d'action au service des individus ou des cités» [MPG, II, 45].

Il est important de rappeler que les premiers Sophistes, prenant en quelque sorte la place des anciens «spécialistes de la technique» qu'étaient les personnages religieux (chamans ou gardiens des connaissances secrètes dans les cultes à mystères), se caractérisent par le fait qu'ils vont de ville en ville, proposant une nouvelle connaissance ouverte à tous: la connaissance de l'habileté et de la maîtrise technique. Contemporains de l'avènement du sujet en Grèce, ils invitent à abandonner toute préoccupation religieuse pour ne s'intéresser qu'à l'être humain, «mesure de toute chose», selon la célèbre formule de Protagoras. (On songe, dans la même veine, aux trois fameux principes de Gorgias dans son ouvrage *Sur le non-être ou sur la nature* (*in* J. Voilquin [PG]): 1) il n'y a rien; 2) s'il y avait quelque chose, ce quelque chose serait inconnaissable à l'homme; 3) même si ce quelque chose était connaissable, cette connaissance ne pourrait être communiquée...) Le nouveau but que les Sophistes dévoilent est dès lors de permettre à l'être humain de maîtriser toutes ses activités en adoptant une attitude résolument profane et instrumentale: «Comment faire pour que ça fonctionne», telle aurait pu se formuler la devise des Sophistes. Non seulement ceux-ci, à travers leurs déplacements, sont-ils concrètement ceux qui vulgarisent la connaissance technique en en faisant une simple question d'habileté technique, mais leur nouvel enseignement touche en outre les techniques particulières, toutes soumises à ce schème de pensée instrumentale et fonctionnelle. L'un des Sophistes les plus caractéristiques à cet égard, Hippias, parle ainsi volontiers de morale aussi bien que de politique, d'éloquence ou d'astronomie, de grammaire ou de composition musicale, de poésie ou de jurisprudence... Dans chacun de ces domaines, il s'agit toujours de dégager les «règles de fonctionnement» de la technique en question, de manière à favoriser la maîtrise purement instrumentale et profane, et donc une utilisation conforme à ses souhaits (qu'il s'agisse de briller dans une assemblée, de l'emporter sur un adversaire aussi bien que de construire un «système du monde»...).

*

Si le mouvement sophistique est bien le creuset où se fonde et le foyer à partir duquel se diffuse le nouveau schème de pensée techniciste, par laïcisation des activités et rationalisation de leurs règles, il n'en demeure pas moins que l'une de ces techniques l'emporte largement sur les autres au sens tout au moins où on peut la voir comme «modèle» de toutes les autres. Il s'agit, on le soupçonne, de la technique oratoire des Sophistes, qui fut leur premier modèle de réflexion. Non seulement les premiers Sophistes ont-ils en effet commencé par une réflexion d'hommes politiques sur l'«art de la persuasion» (des hommes politiques comme Corax et Tisias, en Sicile, ayant ainsi les premiers cherché à dégager les principes de leur «art» avant que Protagoras ne systématise ces recherches en dégageant les règles de la rhétorique comme science) mais, en outre, c'est toujours par rapport à ce modèle rhétorique que les autres techniques sont conçues. De même que le succès oratoire qui permet d'emporter une décision sur l'agora dépend de la connaissance de base du discours, de ses techniques de persuasion et de réfutation, indépendamment de la «vérité» en cause, de même toute technique peut se maîtriser à partir de la connaissance de ses règles de base. Dans le cas des techniques machiniques, on pourrait dire que, de même que l'agencement des arguments et des faits est susceptible de multiples variations à partir d'un canevas de base, de même l'agencement des pièces et des rouages d'une machine peut être très divers, tout en se ramenant toujours néanmoins aux mêmes mécanismes élémentaires.

Il faut cependant se garder de confondre ce «modèle oratoire»

99

des Sophistes dont il est ici question avec ce qu'il est convenu d'appeler, et avec une nuance extrêmement péjorative, le «sophisme». L'art que les Sophistes déploient sur la place publique, pour emporter l'adhésion au cours d'un procès ou, plus encore peut-être, pour se gagner une assemblée politique, est un art tout entier fait de ruse et d'habileté, certes, mais non pas — du moins à l'origine — celui de dire «n'importe quoi». Il s'agit avant tout de savoir ruser avec les faits, de les présenter sous un aspect favorable à la cause défendue, mais en demeurant néanmoins à l'intérieur des limites et des contraintes imposées par les faits et la question en cause. La rhétorique, à proprement parler, ne crée rien; elle réagence d'une autre manière, met en place les éléments du discours de façon à les présenter sous un autre jour, naviguant certes périlleusement, pourrait-on dire, entre deux pôles: celui du monde «purement vrai» qu'on chercherait à traduire fidèlement et celui du monde «illusoire» qu'on pourrait créer de manière totalement artificielle. (On songe bien sûr à cet égard à la critique dévastatrice que fera Platon de la rhétorique sophistique qui, à toutes fins utiles, en était arrivée à ne se définir qu'en rapport avec ce second pôle.)

Ce n'est donc pas un hasard si, selon ce modèle sophistique, la technique n'a jamais été une technique «ouverte», c'est-à-dire permettant de penser qu'on pourrait construire des objets ayant de multiples usages, mais essentiellement une technique d'adaptation aux choses, une «étéotechnique», selon le terme de L. Mumford (*Technics and Civilization*). D'autres auteurs, A. Espinas (*Les origines de la technique*) et M. Heidegger (*La question de la technique*) par exemple, ont eux aussi bien mis en lumière ce caractère spécifique de la technique grecque qui n'a pas pour but de «créer» de nouvelles choses. Heidegger est sans doute celui qui a le plus profondément médité cet aspect spécifiquement grec de la technique, notamment lorsqu'il montre que, même chez les Sophistes, la valorisation de l'efficacité et de l'utilité n'a jamais signifié l'instrumentalisation et la libre disposition technicienne de toutes choses. L'idée qu'on puisse «dominer» la nature et lui imposer totalement l'ordre que l'on souhaite demeure en vérité une croyance propre à l'Occident moderne, bien étrangère à la mentalité grecque de l'âge classique.

Le paradigme de la ruse

On voit ainsi se dessiner le paradigme symbolique qui préside aux destinées de la technique grecque à la frontière entre technique et rhétorique, imposant au discours sa première technicisation et, à la technique, sa première «logocisation», au sens d'une première tentative de la faire parler. Ce paradigme met ainsi en jeu une attitude fondamentale de *ruse avec la nature*: un outil technique ne sert pas à maîtriser la nature mais plutôt à la détourner de son ordre naturel, à la manière des machines hydrauliques qui détournent les eaux d'une rivière de leurs cours normal en vue d'une fin particulière, dans un autre but que celui fixé, pourrait-on dire, par la nature elle-même.

H. Védrine (*Les ruses de la raison*) a fort bien mis en relief la *ruse* caractéristique de la raison technicienne grecque — qu'il faut se garder de comprendre à travers le prisme de notre propre raison technicienne conquérante. Elle montre en effet que, d'Hermès (le dieu de la ruse) et de Mètis (femme de Zeus et incarnation de la ruse elle-même) à cet Ulysse «aux-mille-ruses» dont l'*Odyssée* vante tant l'habileté (elle confine d'ailleurs souvent à la perfidie!), la pensée grecque est toujours une *pensée de la ruse* avec les choses. C'est ce schème fondamental qui, d'après de nombreux auteurs, domine dans le cas de la technique grecque. J.-P. Vernant [MPG] montre ainsi que l'habileté prométhéenne qui fonde cette technique, jusques et y compris dans le geste même de dérober le feu aux dieux, relève davantage de l'ordre de la ruse que de celui de la conquête (interprétation sans doute la plus courante; cf. également M. Detienne et J.-P. Vernant, *Les ruses de l'intelligence — La mètis des Grecs*, qui font précisément de cette «intelligence de la ruse» un paradigme de la pensée grecque). D. Janicaud définit de même la technique grecque comme une technique de la ruse. «La rationalité qui se manifeste, écrit-il, est principalement celle d'une intelligence rusée ou taxinomique» (*La puissance du rationnel*, p. 165). H. Védrine [RR, 5] y voit, de même, l'un des doublets de la pensée rationnelle grecque: Zeus prenant pour femme Mètis, la Ruse, celle-ci se trouve ainsi tout à la fois canalisée et légitimée dans l'Olympe. G.-H. de Radkowski insiste pour sa part sur le fait qu'entre la technique primitive, qui revient à composer avec la nature, et l'attitude technique moderne, qui lui impose un nouvel ordre, se déploie tout l'espace d'un *jeu avec la nature*, impliquant qu'on la déforme minimalement sans pour autant la mutiler. «La technique, écrit-il [JD, 65, 64], est le fruit de ce jeu [avec la nature]. Elle est la ruse même (...) fille de l'imagination.» En se référant enfin aux interprétations de G. Deleuze et F. Guattari (*Mille plateaux*), on pourrait être tenté de dire de ce stade qu'il correspond à ce que ces auteurs appellent la logique des «appareils de capture» par opposition aux «appareils de guerre» à venir, ce qui, dans la problématique de ces pages, pourrait se traduire en disant que la technique sert à capter les énergies naturelles, à les détourner, sans créer pour autant autre chose, sans les dominer. Quelle que soit la perspective privilégiée, le paradigme de la ruse avec la nature apparaît donc fondamental.

Ruse et puissance

Mais il reste encore à préciser le rapport que ce paradigme entretient avec la puissance — essentielle, on l'a vu, dans le cas du symbolisme technique. On le soupçonne: il ne s'agit plus ici de cette puissance cosmique sur laquelle la technique permettait de se brancher et dans laquelle l'existence collective baignait tout entière; il ne s'agit pas encore non plus de la puissance purement technicienne mise en œuvre par les outils que nous connaissons depuis l'ère industrielle. Et si la nature continue d'être perçue comme *dunamis*, force et puissance (*phusis*, la nature, désignant, en grec, ce qui s'engendre et se déploie comme force vivante), si elle demeure en ce sens chargée de toute cette aura de vitalisme, de force à la fois terrifiante et fascinante, la technique est conçue comme devant capter cette force, pour la détourner de ses fins naturelles, mais sans jamais créer tout à fait autre chose (la technique n'est ainsi jamais mise en place d'une nouvelle «force de production»). Le Grec de l'âge classique, voyant l'horizon chargé de mystère sacré s'éloigner et la technique profane se profiler comme pure instrumentalité, découvre la possibilité de détourner les puissances jusque-là sacrées pour les faire répondre à ses desseins, mais sans pour autant en arriver à une simple activité instrumentale au sens moderne du terme.

Le rapport à la nature établi par ce paradigme de la ruse est donc un rapport de détournement des puissances naturelles destiné à leur faire viser autre chose tout en limitant étroitement la puissance ainsi captée. Deux processus se révèlent fondamentaux dans ce nouveau paradigme: celui de la rétention de la puissance technicienne, et celui de son détournement dans un autre but.

La rétention de la puissance technicienne

La rétention se manifeste dans le fait que les Grecs, fondant pourrait-on dire objectivement la technique instrumentale, n'ignorent pas son possible usage fonctionnel mais préfèrent la limiter étroitement, à l'intérieur de cadres précis. Cette limitation de la technique est assurée par tout un système axiologique qui impose de ne se servir de la technique que dans d'étroites limites.

Première formulation de cette limitation des techniques: celles-ci ne devront pas servir à n'importe quel usage. J.-P. Vernant [MPG] montre très bien par exemple comment la technique des artisans ne permet pas de créer à l'infini de nouvelles formes, mais doit au contraire se contenter de reproduire les formes précises qui sont jugées nécessaires pour le bien et les besoins de la Cité. La technique se voit ainsi étroitement codée en fonction d'impératifs sociaux qui l'enjoignent de répondre — seulement — à ces besoins jugés naturels.

La première limitation des techniques concerne donc le champ d'extension de leur nombre possible: on ne conçoit pas en effet qu'il puisse exister une infinité de techniques; celles-ci doivent au contraire se restreindre au domaine des arts et métiers dont la nécessité est reconnue (une technique pour le tissage, par exemple, une autre pour la fabrication des armes, de la poterie, etc.) et ne sauraient servir à produire des objets jugés socialement superflus — des «gadgets», dirait-on aujourd'hui.

Seconde limitation: l'objet technique façonné ne peut prendre n'importe quelle «forme». Il ne saurait par exemple être question de transformer une arme ou une amphore en modifiant radicalement sa forme. Car cette forme, bien sûr, cette *eidos* préexiste à l'objet; l'artisan ou le technicien se limite à la faire advenir, à la faire exister. Rien n'est vraiment créé; on se contente de copier, de reproduire des formes d'objets techniques qui, au moins dans leur virtualité, existent «de tout temps».

Cette soumission de la technique à la forme préexistante est évidemment particulièrement explicite chez Platon, qui montre par exemple que le véritable sculpteur ou l'authentique artisan, à travers son travail technique, vise bel et bien à réaliser une *eidos*, une idée ou une forme préexistante — alors que le sophiste, lui, croit pouvoir jouer n'importe comment avec les formes. Mais une telle conception se retrouve également chez Aristote (*Métaphysique*), notamment dans sa «théorie des quatre causes». La technique y apparaît en effet comme un moyen qui, à partir d'une matière première ou *cause matérielle* (l'argile, par exemple, dans le cas du sculpteur ou du potier), et à l'aide d'un outil ou *cause instrumentale* (le ciseau ou le tour), consiste à produire une forme déterminée (*cause formelle*, la forme de la sculpture, de la poterie) laquelle répond au but qu'on s'était fixé (*cause finale*). M. Heidegger (*L'origine de l'œuvre d'art*), commentant cette conception aristotélicienne de la quadruple causalité, soulignera fort justement que la technique, bien que considérée comme un outil dont on se sert de manière purement instrumentale, demeurera malgré tout toujours soumise à la cause formelle aussi bien qu'à la cause finale (l'une et l'autre finissant par être occultées dans l'histoire occidentale des techniques). Or, toujours selon Heidegger, cette subordination de la causalité instrumentale à une causalité formelle et finale montre bien que la technique grecque, avant d'être un «moyen» permettant de réaliser quelque chose, demeure un mode d'activité permettant de faire advenir à la forme, et donc à l'être, des «choses» qui existent à l'état virtuel (et ce, encore une fois, seulement dans la mesure où elles peuvent répondre à des besoins fondamentaux). L'instrumentalité strictement profane de la technique se voit ainsi intégrée dans une certaine vision du monde (dans un *éthos*, pour parler comme M. Weber) qui limite sa possibilité de créer un nombre infini d'objets, qui l'astreint à la reproduction de formes préexistantes correspondant aussi bien à des besoins sociaux qu'à des manifestations de l'être.

La troisième limitation du champ technique s'opère par le rejet ou, tout au moins, par la dévalorisation de tout ce qui, précisément, se présente comme une activité échappant au codage entrevu. Les activités (économiques, notamment) qui ne sont pas perçues comme répondant à un besoin naturel sont ainsi considérées comme autant de «fictions»: bien que «nécessaires», elles ne correspondent cependant à rien de «réel». C'est ainsi par exemple que le commerce et l'argent, n'ayant pas de «réalité naturelle» prédonnée mais apparaissant tout de même comme nécessaires, sont dévalorisés du côté des artifices, des réalités «non naturelles». Selon Vernant [MPG], *sophistes*, *mécaniciens* et *banquiers* ont tous ainsi en commun d'exercer une activité sans «référent naturel» immédiat. Vernant souligne d'ailleurs que ces trois catégories professionnelles sont fréquemment dénoncées et à tout le moins dévalorisées: les activités auxquelles elles s'adonnent ne visent en effet qu'à créer des «illusions» au service du plaisir plus que du besoin véritable, inscrites dès lors dans le registre de l'«artificiel». Radkowski le note lui aussi: «Pour ces premiers penseurs de la technique qu'étaient les Grecs, celle-ci se définit autant par sa puissance que par ses limites. Leur conception de la technique est totalement étrangère à la notion de progrès indéfini. Chaque technique est, au contraire, dès le principe, bloquée dans un système fixe d'essences et de pouvoirs. Les techniques authentiques sont toutes limitées autant en nombre qu'en ressources. Une fois qu'elles vont au-delà des besoins humains qui sont *finis,* elles ne visent plus à les satisfaire mais à procurer des plaisirs. Cependant, elles n'engendrent alors plus rien de réel, *ne procurent plus aucun pouvoir sur lui,* mais sont porteuses uniquement d'illusions et d'imitations» [JD, 244].

Cette catégorie de l'artificiel ou de l'illusoire qui permet de contenir la possibilité de «la technique pour la technique» provient, on l'a vu, d'une limite du modèle oratoire qui peut devenir un jeu sophistique gratuit perdant tout lien avec le réel, toute référence au monde concret. On comprend que ce soit d'un même mouvement que Platon condamne les Sophistes, les techniciens et les commerçants: en visant uniquement un enrichissement «non naturel», ceux-ci ne font somme toute que travailler loin du «réel», sur des images d'images, des simulacres de simulacres... On comprend également qu'à maints égards le destin des techniques ait été semblable à celui des Sophistes. Véritables sages, selon la stricte étymologie du terme qui les désigne, on sait pourtant combien le déclin de ces Sophistes fut rapide et leur disgrâce abrupte. Leur nom n'évoquera bientôt plus, et de manière fort péjorative, que la connaissance superficielle et l'habileté intéressée... De la même manière, la technique, affranchie du monde sacré, jouissant d'une nouvelle autonomie toute profane qui lui vaut un essor rapide et remarquable, se bloque soudain, figée dans la dévalorisation, voire engluée dans le mépris. Technique et sophistique se trouvent toutes deux vouées à la même condamnation: l'une et l'autre n'engendrent qu'un goût immodéré du pouvoir et de la richesse quand on leur laisse libre cours...

Quatrième et dernière limitation axiologique des techniques grecques: toute une nouvelle problématisation morale de la technique s'élabore, en Grèce, qui s'interroge sur les effets de la technique au plan des valeurs humaines. Tandis que les hommes d'État la favorisent, et que les philosophes la jugent avec sévérité, un large débat s'instaure sur ses impacts éthiques. Ce que nous appelons aujourd'hui, avec quelque fierté morale, le souci d'une «évaluation sociale» des techniques et des changements technologiques n'est certes pas, on s'en aperçoit, une préoccupation complètement nouvelle... Archimados de Sparte, déjà, s'interrogeait: à quoi peut encore servir la bravoure sous le tir des catapultes... Aristote ne cachait pas sa perplexité: un homme «brave» peut-il avoir recours à des «machines» de guerre sans renier ses valeurs? L'empereur Vespasien, bien plus tard, mais imprégné du même paradigme axiologique, passera à l'histoire pour avoir été le premier homme d'État à refuser l'installation de machines pour la construction de bâtiments, de crainte qu'elles ne créent du chômage pour la population... L'auteur — anonyme — des *Articulations*, à l'époque romaine, préfigurant quelque Einstein inquiet des temps modernes, se débat avec sa «responsabilité morale» d'inventeur: les instruments qu'il a inventés dans le but de réduire les luxations musculaires ne risquent-ils pas de servir aussi à de nouvelles formes de tortures?...

On le voit: la «question morale» de la technique n'est pas récente, et on comprend qu'en Grèce, elle ait ainsi été profondément marquée par une préoccupation de la *limite*.

LES TECHNIQUES DE LA RUSE

Le détournement de la puissance technicienne

Ce quadruple système axiologique de *rétention* de la puissance technicienne n'est cependant que l'envers négatif de son *détournement* positif vers d'autres fonctions: la rétention de l'efficacité technicienne, on l'a en effet entrevu, est valorisation d'une technique souvent conçue sans être jamais réalisée, valorisation primordiale du plaisir de la ruse, de l'habileté, de l'ingéniosité. Ce qui compte dans la technique serait en somme moins son résultat concret et davantage le fait que «ça fonctionne», l'habileté dont on fait preuve à travers tel ou tel modèle technique proposé. Il ne faut pas oublier que les Présocratiques, à travers leurs «systèmes du monde» — qui plaçaient par exemple la Terre ou le Soleil au centre de l'univers — se présentaient comme cosmographes autant que comme cosmologues: ils construisaient des maquettes techniques de l'univers tel qu'ils se le représentaient, et, en l'absence de «preuves expérimentales», le système qui était retenu comme le plus plausible était celui qui apparaissait comme le plus simple et le plus ingénieux; le critère épistémologique de la *simplicité* se trouvait ainsi enrichi, chez eux, de tout un sens esthétique aussi bien qu'éthique. Qu'est-ce à dire, si ce n'est que la rétention de la puissance technicienne allait de pair avec une sorte de mise en scène de cette technique comme spectacle et prétexte à l'ingéniosité? La technique grecque est bel et bien, en ce sens, objet d'une éthique et d'une esthétique, la source d'une disposition d'esprit fondamentale.

C'est du reste ce qui se laisse deviner dans le fait même que la technique, chez les Grecs de l'âge classique, est subordonnée au travail des formes pré-existantes. Elle est en ce sens détournée vers une mise en forme aussi bien esthétique (comme poursuite d'une forme belle) qu'éthique (comme forme répondant à des besoins humains naturels). C'est d'ailleurs pourquoi, comme le rappelle Vernant, la *poièsis,* l'activité poiétique et esthétique, dans son sens moderne, est liée, à l'origine, à l'activité technique qui lui est subordonnée: «À l'intérieur même de son activité professionnelle, l'essentiel échappe à [la] compétence [du Grec]; les règles de sa *technè* concernent les procédés de fabrication, la *poièsis*; l'oeuvre, *poièma*, en vue de laquelle il travaille, le dépasse: aux yeux du Grec

107

elle est en effet étrangère au domaine proprement technique. Qu'il s'agisse de maisons, de chaussures, de flûtes ou de boucliers, elle répond à la nécessité d'un besoin naturel défini» [MPG, II, 62].

En ce sens, la valorisation partielle des techniques, comme *technè* finalisées dans la *poièsis*, et leur dévalorisation globale ne sont pas vraiment contradictoires. Elles s'intègrent au contraire dans une vision axiologique cohérente. Cet univers axiologique conduit, somme toute, à valoriser la technique pour son aspect merveilleux de «ruse» en même temps qu'il pousse à la coder strictement, à la limiter en fonction d'un certain nombre de besoins sociaux reconnus. Un tel système axiologique permet ainsi à la fois d'enrôler la technique profane au service des besoins de la Cité et d'en contrôler l'expansion au nom d'un système de valeurs.

Le «modèle technique» des *thaumata*

On comprend sans trop de mal dans ces conditions que le modèle qui va, dans cette histoire du symbolisme des techniques, présider à l'«essor retenu» des techniques comme objet d'ingéniosité esthétisante ait été celui des *thaumata*. Ces machines merveilleuses ont en effet le mérite de ne pas viser un but directement utilitaire mais plutôt l'émerveillement et la démonstration d'ingéniosité. Plus clairement encore que dans le cas de toute autre technique, elles n'ont d'autre but que de permettre de développer une «technique de ruse» piégeant la nature et la détournant vers d'autres finalités. En ce sens, l'ensemble technique le plus fascinant pour le monde grec est bien celui des *thaumata*, machines qui, pour la première fois dans l'histoire des techniques, ne dépendent plus d'une antique configuration de technique sacrée sans pour autant être devenues résolument productives.

Ces fameux *thaumata* ont assurément des ancêtres, si l'on peut dire, dans les anciennes techniques religieuses thaumaturgiques de l'Antiquité (A. De Rochas, *La science des philosophes et l'art des thaumaturges dans l'antiquité*, p. 8 s.). Elles sont cependant désormais conçues de manière purement rationnelle, leur fabrication ne faisant plus appel qu'à des principes techniques et opératoires. Elles continuent malgré tout d'étonner, d'émerveiller. Et ce, précisément, du fait de la *ruse* à laquelle elles renvoient. Non seulement en effet les *thaumata* représentent-ils au mieux cet aspect de «ruse» et de «jeu» avec la nature que comportent toutes les techniques grecques, mais ils correspondent en outre parfaitement à l'usage de la sophistique dans son aspect à la fois positif et négatif de «gratuité». Ils expliquent en somme que jamais la technique grecque même la plus perfectionnée ne soit sortie du cadre de la ruse avec la nature pour servir un désir de conquête ou de transformation de la nature.

Cela, Vernant le confirme à sa manière lorsque, pour symboliser et résumer l'esprit technique des Grecs, il choisit non pas les machines fonctionnant sur la base des cinq techniques simples connues de ceux-ci (levier, poulie, treuil, vis et coin), mais bel et bien ces *thaumata* qui seuls peuvent rendre compte du fait que ces cinq techniques de base ne donnent pas d'abord prise à un souci d'efficacité fonctionnelle mais servent avant tout à un jeu avec la nature. «Cette ingéniosité technique, jointe à une recherche des principes généraux et des règles mathématiques permettant, quand cela est possible, de calculer la construction et l'emploi des engins, a produit une série d'inventions remarquables. Cependant elle n'a pas agi sur le système technologique de l'Antiquité pour le transformer; elle n'a pas brisé les cadres de la mentalité prémécanicienne (...) Quand elles [les machines] font appel à d'autres sources d'énergie et qu'au lieu d'amplifier une force donnée au départ, elles fonctionnent en automate développant son mouvement propre, il s'agit d'ouvrages qui se situent, conformément à toute une tradition d'objets merveilleux, en marge du domaine proprement technique. Ce sont des *thaumata*, construits pour provoquer l'étonnement. La bizarrerie même de leurs effets, produits d'un dispositif caché, en limite étroitement la portée. Leur valeur et leur intérêt viennent moins des services qu'ils peuvent rendre que de l'admiration et du plaisir qu'ils suscitent chez le spectateur. À aucun moment l'idée n'apparaît que, par l'intermédiaire de ces sortes de machines, l'homme peut commander aux forces de la nature, la transformer, s'en rendre maître et possesseur» [MPG, II, 49-50]. Vernant montre encore [MPG, II, 57] que ce modèle domine même les techniques «utiles» des ingénieurs de l'époque: «Elle [la machine] permet de les [les forces naturelles] détourner momentanément de leur voie naturelle, produisant ainsi un phénomène étonnant, exceptionnel, mais de portée réduite. C'est cet aspect extraordinaire qui apparaît encore au premier plan (...)»

Technique et sophistique: paradoxes et congruence

Modèle technique des *thaumata*; Sophistes comme «personnages exemplaires» de la technique grecque; paradigme de la rétention de la puissance technicienne et de son détournement vers l'univers des formes grâce à la ruse fondamentale avec la nature: tels sont les trois éléments qui forment l'ossature du monde symbolique de la technique grecque. Mais encore faut-il sans doute justifier le fait de les relier tous les trois. Vernant remarque en effet très bien le paradoxe qu'il y a à poser ensemble technique et sophistique: toutes deux ne sont-elles pas, en un certain sens, aux antipodes l'une de l'autre? «Chez les Sophistes, écrit-il ainsi [MPG, II, 63-64], (...) il ne saurait être question d'une pensée technique. Leur enseignement ignore les activités artisanales; il ne concerne pas les moyens d'agir sur la matière. Leur domaine est la *praxis*, qu'ils opposent précisément à la *poièsis* de l'artisan. C'est pour la conduite générale de la vie, l'activité politique, les relations humaines qu'ils proposent, remplaçant le hasard aveugle ou les lumières surnaturelles de l'oracle, des recettes tout humaines, positives, rationnelles. Il est bien vrai qu'ils prétendent régler et codifier l'action, enseigner des techniques de succès. Mais, pour le Grec du Vᵉ siècle, agir ce n'est pas fabriquer des objets ni transformer la nature: c'est avoir prise sur les hommes, les vaincre, les dominer (...)»

Le paradoxe s'éclaire cependant lorsque Vernant [MPG, II, 52], citant Aristote, remarque d'autre part que, si les Sophistes ne peuvent être considérés comme des modèles concrets pour le développement de la technique au sens moderne, la prégnance du modèle oratoire qu'ils développèrent s'est effectivement imposée aux autres techniques grecques: celles-ci, du coup, ne purent se développer selon notre conception moderne de la technique, mais se contentèrent plutôt de produire des «renversements de la puissance naturelle», source d'étrangeté et de merveilleux. «La *technè* du sophiste consiste dans la maîtrise des procédés grâce auxquels les arguments les plus faibles peuvent, dans cette lutte, équilibrer les plus forts, l'emporter sur eux, les dominer, *kratein*. Dans la *Rhétorique*, Aristote la définit comme l'art de rendre le plus faible des deux arguments le plus fort. De façon analogue, il délimite le domaine de la mécanique comme celui où, pour reprendre sa propre expression, "le plus petit domine le plus grand", comme l'ensemble des procédés qui permettent avec une petite force d'équilibrer et de mouvoir les poids les plus lourds. Qu'au moyen d'un levier, la faible force de l'homme puisse l'emporter sur celle, beaucoup plus grande, d'une masse pesante, il y a là, en bonne logique, un phénomène étrange, *atopon*. Les instruments qui opèrent ce véritable renversement de puissance comportent quelque chose d'extraordinaire, *thaumasion* (...)» [MPG, II, 53]. On comprend enfin que, pour Vernant, c'est bien parce que le modèle sophistique domine la pensée technique que cette dernière ne pourra jamais devenir une véritable technique au sens moderne du terme, et qu'elle demeurera irréductiblement, pourrait-on conclure, une technique propre à la Grèce de l'âge classique.

Après avoir ainsi dégagé le système symbolique qui code la technique grecque à la fois dans le sens de la rétention et dans celui du détournement de la puissance, il faut maintenant aborder les univers symboliques qui en ont résulté.

Les mythes grecs et la limitation de la technique

Les Grecs auront développé, à l'égard de la technique, une attitude tout empreinte de mesure, apparemment apollinienne, qui confinait cette technique au service d'un certain nombre de besoins sociaux reconnus comme vraiment nécessaires, n'allant jamais jusqu'à en faire un instrument de domination ou de «domestication» de la nature. Nombre de leurs mythes tenteront de justifier une telle attitude, en investissant notamment les techniques existantes de toute une symbolique de résistance à la démesure, de refus de l'*hubris*.

Prométhée et l'origine de la technique

Les mythes d'origine de la technique montrent en effet que celle-ci, quoique devenue profane, continue néanmoins de se déployer sur l'arrière-scène de son origine sacrée et, plus précisément, sur son arrière-fond de transgression: horizon par rapport auquel on a certes pris des distances, et par rapport auquel se trouve justement valorisé un aspect beaucoup plus profane et «mesuré».

Le mythe de Prométhée, dans lequel se reflète l'*éthos* grec de l'usage des techniques, présente son héros central, père de toutes les techniques et en premier lieu de celles du feu, comme ayant dérobé ce feu à la roue du soleil de Zeus (ou, selon une version différente, à la forge d'Héphaïstos) pour le donner aux humains. C'est donc clairement sur un vol, sur une transgression de l'ordre divin que se fonde ici l'origine de la technique. Cette transgression, qui révèle une volonté de divinisation, un désir de «prendre la place» des dieux grâce à la technique, entraînera la terrible punition de Prométhée: non seulement sera-t-il enchaîné pour l'éternité à un rocher, mais un aigle (ou un vautour), chaque jour, viendra lui dévorer le foie; suprême et cruelle ironie, l'organe est immortel et se reconstitue chaque jour. Le supplice sera, lui aussi, éternel...

Et pourtant, si une telle volonté de divinisation grâce à la technique apparaît dans le mythe comme une faute méritant un terrible châtiment (qui transforme l'immortalité en supplice), cette punition, de fait, ne sera pas définitive: Prométhée sera en effet délivré par Héraklès (qui tuera l'aigle) ainsi que par le centaure Chinon, qui donnera au héros une immortalité délivrée du supplice (et dans laquelle il y a vraisemblablement lieu de voir le symbole d'une sublimation de l'esprit, absente de la geste originale de Prométhée). J.-P. Vernant [MPG, II, 5 ss] le fait bien voir: Prométhée, dans ce mythe, apparaît comme une figure éminemment ambivalente, duelle, à la fois bénéfique et maléfique: bienfaiteur de l'humanité, certes, mais aussi voleur du feu divin, et de ce fait responsable, par sa fourberie, de tous les malheurs de l'humanité. Cette ambivalence du mythe rappelle à vrai dire que la technique, dans la mesure où elle n'est pas maîtrisée par la sagesse et la modération, peut être la pire et la plus néfaste des choses. Jouant à la manière d'un interdit qui empêche de vouloir «profiter» purement et simplement de la nature, ce rappel mythique justifie ainsi un usage rationnel, humain et essentiellement profane de la technique. Celle-ci n'apparaît bénéfique qu'à partir du moment où elle abandonne son aspect sacré originaire de transgression divinisante, pour se confiner au registre d'une instrumentalité profane.

D'autres éléments du mythe viennent confirmer cette interprétation. Prométhée est présenté comme descendant de ces Titans qui sont précisément le symbole d'une ancienne démesure technicienne punie par les dieux. Héphaïstos — auquel, selon l'une des versions du mythe, il a dérobé le feu — subissait une malédiction technique analogue: dieu du feu, donc bienfaisant et source de vie, il est par ailleurs boiteux comme l'éclair, représentant le feu né des sources célestes (et, à l'instar de l'Agni indien, il se précipite, avec cet élément, du ciel jusqu'à la terre).

Les personnages qui gravitent dans l'entourage de Prométhée évoquent quant à eux les deux écueils dont il lui faut se garder: Épiméthée («l'irréfléchi»), son frère, gauche et maladroit, symbolise la nécessité de maîtriser parfaitement la technique et d'éviter la faute due à la maladresse et au manque de connaissance; Pandore («celle qui donne tout»), son double féminin, est le symbole même de la richesse excessive, de la tentation périlleuse de l'abondance que pourrait engendrer la technique.

Les mythes et les risques de la technique

Le mythe de Prométhée constitue véritablement le noyau de la symbolique grecque de la technique dans la mesure où il affecte celle-ci d'une valeur ou d'une virtualité d'*hubris*, de démesure, et par là, de danger. Autour de ce noyau s'articuleront plusieurs dimensions symboliques qui, toutes, montreront le risque d'une technique oublieuse de la «leçon» de Prométhée. Les autres figures mythologiques dont il sera en ce sens brièvement question peuvent de fait être considérées comme autant de figures différentes du risque inhérent à la technique, pour la Grèce de l'âge classique. (Il est bien entendu tentant d'y voir un équivalent des processus de conjuration des risques technologiques majeurs qui menacent la société moderne...)

Le premier de ces risques est celui de la tentation titanesque de la révolte contre les dieux, elle-même soutenue par un désir de divinisation; risque implicitement présent, selon P. Diel (*Le sym-*

bolisme dans la mythologie grecque), dans toute entreprise technique. Les Titans étaient en effet identifiés à de puissants techniciens-forgerons. Leur maîtrise de la technique les poussa à vouloir se dresser contre les dieux, à chasser ceux-ci de leur domaine et à dominer la terre grâce à leur force aussi bien qu'à leur puissance technicienne. Le mythe grec punira ces Titans en les enchaînant justement à cette terre qu'ils avaient osé vouloir se soumettre: Atlas est condamné à porter le monde sur ses épaules, Sisyphe à rouler éternellement sa pierre... Les symboles, ici, se laissent facilement déchiffrer: la technique comporte une puissance qui peut induire une tentation de domination du monde, d'éviction des dieux. Mais un tel désir de divinisation technicienne et de domination de la terre entraîne un enchaînement d'autant plus terrible qu'il oblige à travailler sans cesse, à s'engluer dans la matière et le labeur, à en devenir l'esclave. Sisyphe, aujourd'hui, souffrirait peut-être de *burn-out*...

On voit en tout cas à quel point ce mythe de la révolte titanesque peut sans doute encore parler à notre époque. Outre l'orgueil de l'humanité moderne qui se divinise elle-même en remodelant techniquement la création, on songe bien sûr aussi à certaines critiques sociales ou éthiques contemporaines du «matérialisme» actuel, pour qui l'illustration la plus lucide et la plus terrible de ce vieux mythe pourrait bien être la réalité de notre propre monde et de ses choix technologiques — y compris celui d'une fuite éperdue vers la nouveauté...

Une seconde catégorie de héros mythiques met à l'inverse l'être humain en garde contre la démesure et l'exaltation de la puissance purement humaine de la technique. Il ne s'agit plus tellement ici d'une volonté de remplacer les dieux mais plutôt du danger contenu dans la puissance (sacrée) qui semble émaner de la technique elle-même. Une telle fascination ne saurait en effet, pour un certain nombre de récits mythiques grecs, que précipiter à la catastrophe, du fait de l'incapacité humaine de maîtriser totalement les techniques mises en branle. Le mythe d'Icare illustre avec éloquence ce type de risque. Dédale, inventeur des ailes qui permettent de voler comme les oiseaux, y est, comme Prométhée, symbole ambivalent d'une intelligence technicienne à la fois astucieuse et risquée. Icare, faisant témérairement l'essai de ces ailes, est aveuglé par la puissance technique qu'il déploie. Voulant aller toujours plus loin, toujours plus haut, il succombe au moment où, trop proche du soleil (c'est-à-dire, en somme, de la divinisation), la cire qui retenait ses ailes se met à fondre et le précipite dans les flots. Ce qui est en cause, dans ce récit, c'est bien la fascination pour la puissance technique, source d'une ivresse technicienne fatale. Voisin, le mythe de Phaeton illustre essentiellement le même thème. Fils du Soleil — et, donc, de cette harmonie apollinienne de l'ordre et de la mesure —, Phaeton obtient de conduire le char du Soleil, porteur de lumière, de chaleur et de vie sur la terre. Enivré par sa vanité et par la toute puissance dont il croit ainsi disposer, il se révèle en fait incapable de maîtriser un appareillage — technique — trop puissant pour lui. L'attelage s'emballe et le précipite, lui aussi, dans l'abîme...

Ces deux mythes, on le voit, insistent sur le risque inscrit au cœur de la fascination humaine pour la puissance technicienne. Ils traduisent également l'appréhension de la punition qui peut résulter d'une entreprise technicienne démesurée qui pousse l'être humain à vouloir toujours plus de puissance et, de ce fait, à transgresser ses limites. Ne sommes-nous pas témoins, de nos jours, de nombreuses résurgences de cette «leçon mythique», dans bien des craintes écologistes, par exemple, comme dans tant de dénonciations de ces savants-techniciens qui jouent aux apprentis sorciers avec des techniques imparfaitement maîtrisées?

Une troisième catégorie de personnages victimes de la technique symbolise enfin le risque de ce que Diel [SMG] appelle sa «banalisation conventionnelle». Il s'agit cette fois non plus de la tentation de la (toute) puissance mais, en un sens au contraire, de celle qui consiste à s'installer dans une médiocrité hédoniste et profane sans plus, c'est-à-dire coupée de toute dimension religieuse ou spirituelle: à se contenter de vivre, en somme, dans un univers technique assurant un maximum de plaisir et de confort. Le roi Midas en serait un parfait exemple: victime de la richesse qu'il désirait, de la vie luxueuse que lui ont procurée l'argent et la disposition de toutes les possibilités techniques (les deux thèmes sont étroitement associés dans le mythe), Midas fait face à un affreux destin, son fantasme

115

devient cauchemar, tout ce qu'il touche se transforme en or... Lorsqu'il obtient enfin que cesse le paradoxal supplice, Midas conservera malgré tout de l'aventure des oreilles d'âne... Ce mythe, selon Diel, bien qu'il ne concerne qu'indirectement la technique, en relève néanmoins un des dangers possibles, la leçon symbolique insistant sur le risque qu'il y a à devenir «stupide» et à perdre son âme lorsqu'on ne convoite que les valeurs «matérialistes» d'utilité et de richesse conférées par l'argent grâce à une maîtrise technique à la fois «démesurée» et non soumise à des valeurs supérieures.

La technique grecque, entre Apollon et Dionysos

Ainsi donc, si une attitude apollinienne invite les Grecs à ne se servir de la technique que de manière profane et modérée, en la limitant aux domaines où elle est réellement utile, les mythes qui viennent d'être évoqués suggèrent bien que cette mesure prend sens et forme sur le fond d'un rappel constant de l'aspect transgressif et dangereux toujours lié à la technique depuis ses origines. Ce monde «clair» d'une technique utilisée avec «mesure» sur le mode de la ruse avec la nature émerge au sein d'un univers de ténébreuse et dangereuse opacité où la technique est au contraire assimilée à une entreprise, à une tentation de la démesure. Ces mythes en effet le confirment: les Grecs n'ont pas ignoré la possibilité d'un développement de la technique au service d'une maîtrise toujours plus poussée de la nature, d'un déploiement illimité de la puissance technicienne. Ils ont cependant refusé cette voie qui leur est apparue comme celle de la folie et de la démesure (tentation vestige d'un passé titanesque dont l'humanité s'est précisément sortie en édifiant un monde profane *à sa mesure*), en même temps qu'ils ont bien senti qu'une telle tentation demeurait inscrite comme une possibilité toujours ouverte, toujours risquée, inhérente sans doute à l'entreprise même de la technique.

Si celle-ci favorise une appréhension claire, rationnelle et désacralisée du monde, en refoulant l'aspect sombre et titanesque qui la fait par ailleurs participer de l'antique tentation de la démesure, on comprend qu'elle prenne place parmi les éléments fondamentaux qui assurent la construction apollinienne de l'«ordre» grec de la Raison et de la Mesure. Cité, lois, raison et technique rationnelle:

tous ces éléments se conjuguent effectivement, poursuivant un même mouvement d'élaboration d'un monde parfaitement clair.

Mais cette utilisation apparemment mesurée de la technique ne renvoie-t-elle qu'à une attitude apollinienne? Ne s'agirait-il pas là d'une vision par trop dualiste dès lors qu'on se rappelle que Nietzsche a bien mis en lumière le fait que l'apollinisme grec se nourrit constamment de son *autre* dionysiaque? N'est-ce pas ici encore ce qui se montre dans le fait que ce monde apparemment mesuré se découpe toujours sur l'horizon d'une démesure proprement dionysiaque?

Mais autre chose encore. Il importe de bien creuser le sens de cette démesure présente dans la limitation même de la technique grecque. Alors en effet qu'ils disposent — selon nombre d'historiens — des connaissances nécessaires, les Grecs préfèrent ne pas appliquer concrètement la technique ou, plus exactement, la réserver à des applications soit purement théoriques, soit absolument vitales (les techniques guerrières, par exemple), soit «gratuitement» ludiques (avec les *thaumata*). À vrai dire, plutôt que de parler de pure perspective apollinienne, de «juste mesure» acquise par équilibrage harmonieux des forces techniques, ne pourrait-on aussi apercevoir un phénomène beaucoup plus profond de *rétention démesurée* d'une puissance technicienne que l'on réserverait à un nombre très limité d'usages (théoriques, guerriers ou ludiques)?

M. Maffesoli (*L'ombre de Dionysos*), s'inspirant lui-même d'une distinction proposée par G. Durand, a bien mis en lumière le fait que l'on peut parler de deux modalités du dionysiaque: le mode de l'excès («en *hyper*») et celui de la rétention («en *hypo*»). Dès lors, tous les mythes «à saveur» apollinienne qui viennent d'être rappelés pourraient aussi se lire moins comme appel à la «juste mesure» et davantage comme expression d'une «rétention démesurée» de la puissance fonctionnelle et pratique de la technique — bref, comme manifestation de cette possibilité rétentionnelle de l'orgiasme dionysiaque. Il n'est peut-être qu'à rappeler à cet égard les incessantes mises en garde des philosophes (Platon, par exemple) ou des mythes pour évaluer en quelque sorte la démesure de ces rétentions opérées sur une puissance qui, dans les faits, n'était que très peu développée, actualisée, bien qu'elle y ait été virtuellement présente.

Cet aspect dionysiaque de la technique double la vision apollinienne d'une manière d'autant plus frappante que, précisément, le but de la technique grecque est bien de détourner les applications purement profanes et fonctionnelles de la technique vers des activités ludiques ou esthétisantes. Or n'est-ce pas le propre du désir dionysiaque que de tordre l'aspect purement profane des choses en y investissant précisément la force du désir, et en canalisant dès lors toute activité vers un but autre que purement profane et fonctionnel?

Ainsi donc, non seulement la démesure d'une rétention dionysiaque se dissimule-t-elle vraisemblablement sous l'apparente mesure apollinienne, mais c'est peut-être cette rétention dionysiaque qui permet le mieux de rendre compte de la forme non d'abord fonctionnelle que prend la technique grecque: c'est parce qu'elle se relie à la force transgressive et débordante du désir dionysiaque que la technique grecque est jeu avec la nature, «jeu du désir», et non pas simple adaptation aux choses ou, moins encore, maîtrise de celles-ci.

Sans doute pourrait-on confirmer davantage encore cette filiation dionysiaque de la technique en reprenant les caractéristiques de ces deux champs apparemment hétéronomes que sont l'univers grec de la technique et ce qu'on pourrait appeler la spiritualité dionysiaque du monde grec. Ainsi, par exemple, il faut se rappeler que c'est précisément parce qu'elle est vue du côté de la transgression que la technique est, à l'origine, l'apanage des forgerons qui, à l'instar de Dionysos, sont toujours relégués à la marge, maintenus à la périphérie de la Cité dont ils menacent l'ordre calme et rationnel. Songeons par ailleurs à l'évolution même du culte de Dionysos. Il y aurait une étude fascinante à tenter du lien qui l'a toujours relié à l'histoire de la technique grecque. On s'aperçoit ainsi, en reprenant notamment les analyses de Jeanmaire [DI], que Dionysos était à l'origine une divinité liée aux rythmes agricoles; son culte consistait essentiellement en fêtes rituelles qui, au moment des semailles ou des moissons par exemple, permettaient d'entrer symboliquement en communion avec les forces de la nature. À ce stade, notons-le, l'expérience d'exaltation, de transe extatique et de violence transgressive liée dès l'origine au culte dionysiaque peut être atteinte sans rupture marquée avec l'ordre technicien sous sa forme agricole: en même temps en effet qu'elle permet de canaliser, de ritualiser et d'euphémiser largement la violence du groupe, la fête, l'orgie dionysiaque joue un rôle non négligeable et même fondamental dans une économie symbolique et cosmique de l'agriculture: rituel de fertilité, elle promet richesse et abondance pour les récoltes à venir. À partir du 4ᵉ et surtout du 3ᵉ siècle av. J.-C., c'est-à-dire à l'époque où émerge une technique de plus en plus profane et instrumentalisée, on peut constater une évolution fort significative du culte dionysiaque. Le sacré de trangression, en effet, ne peut plus tellement se manifester en lien avec les techniques agricoles — qui ne constituent plus la référence principale du monde grec urbanisé de la Cité. Il ne peut guère davantage se manifester dans les nouvelles techniques qui se développent d'une manière essentiellement profane. Il tendra dès lors à resurgir de manière autonome, détaché de tout symbolisme naturel immédiat, dans des festivités collectives qui catalysent toute la violence et toute la transgression refoulées et qui, notamment au moyen de la danse, de drogues, de l'orgie sexuelle et de techniques incantatoires collectives, visent à provoquer la *mania*, c'est-à-dire la transe ou la folie divine. Face au monde clair et profane, de plus en plus humain — trop humain, dira Nietzsche! —, que la Cité et son contrôle de la technique symbolisent désormais, Dionysos, avec son turbulent cortège de satyres et de bacchantes, ses bruyantes orgies et ses tumultueux défoulements, ses danses frénétiques et ses transes extatiques, ce dieu à qui la mythologie officielle de la Cité tenta de faire une réputation d'«étranger», apparaît ainsi bien plutôt comme incarnant la résurgence d'un sacré archaïque et autochtone, plein de violence, de passion, d'excès.

Loin d'avoir été définitivement chassé de l'univers religieux grec, ce sacré transgressif et dangereux, sombre et excessif va donc, en un sens, simplement se déplacer. Au lieu de se manifester dans des rituels qui, comme ceux de jadis, codaient les techniques en en contrebalançant ainsi l'aspect angoissant et transgressif, il surgira désormais de manière plus directe et plus intime dans l'expérience à la fois personnelle et collective de la transe, de l'extase sacrée. Cette expérience dionysiaque du sacré de transgression va dès lors

119

accueillir et cumuler en son sein la transgression de tous les interdits formulés par le mode apollinien de la technique et de la Cité. Elle va s'enraciner dans la démesure, dans la fête, symbole par excellence du gaspillage, de la dépense, de la consommation-consumation non rationnelle, de l'orgie sous toutes ses formes (cf. G. Bataille, *La notion de dépense*; M. Maffesoli, *L'ombre de Dionysos*). Ce n'est, à cet égard, d'ailleurs pas non plus un hasard que cette religiosité dionysiaque se soit en bonne partie adressée aux femmes, ces Ménades précisément exclues de l'ordre — et du pouvoir — apollinien, mâle, rationnel et techniciste de la Cité grecque.

On le voit: lorsque l'ordre technique semble devenir un ordre purement profane, de moins en moins lié à son essence dionysiaque originaire de jeu avec la nature, on n'assiste pas à une disparition de l'expérience dionysiaque mais bien plutôt à sa résurgence sous forme de violence et de désordre où se manifeste, de manière exacerbée, la part d'ombre de l'âme grecque, son double nocturne refoulé par le *logos* triomphant.

Cet ultime lien, qu'il faudra se contenter d'indiquer ici, entre Dionysos comme catalyseur du sacré de transgression et l'avènement d'une technique grecque profane fondée sur un refoulement de la démesure peut être confirmé par l'évolution des mythes d'origine de Dionysos lui-même. Celui-ci cesse en effet peu à peu d'être ce dieu végétal, arbustif, qu'il était dans les anciennes versions du mythe, lié aux cycles de la végétation et, comme elle, perpétuellement mourant et renaissant. Il est désormais revêtu — et l'on reconnaîtra notamment ici l'influence de l'orphisme — d'une origine mystique plus directement liée à la technique elle-même: enfant, il aurait en effet été démembré (et mangé) par les Titans, c'est-à-dire, en somme, vaincu, détruit et englouti par la technique elle-même, représentée sous les traits de ces redoutables figures archaïques présentes, on l'a vu, «à l'origine» de la technique.

Technique profane et déplacement du sacré

Étrange destin que celui qui préside aux déplacements du sacré: les Grecs, bien avant notre modernité, ont eux aussi vécu une désacralisation de leur univers religieux... Celle-ci, entre autres conséquences, a permis un véritable essor des techniques qui, pour la première fois, ont pu échapper au strict codage religieux et se développer de manière purement profane. Le sacré grec n'en est toutefois pas disparu pour autant. Il s'est plutôt *déplacé* le long de deux voies balisant le système technique profane en émergence.

D'une part, en effet, l'ancien système symbolique qui rappelle le caractère transgressif et dangereux de la technique revient pour ainsi dire coder et limiter l'activité technique, et ce au moyen d'un ensemble de mythes insistant sur les dangers qui lui sont inhérents (par exemple, celui de Prométhée), mais également grâce à un système rationnel et moral qui fixe à la technique les limites et les conditions de son usage (le modèle sophistique; le paradigme de la ruse avec la nature et de rétention/détournement de la puissance technicienne; les *thaumata*). D'autre part, le pôle angoissant de la transgression, tout en étant apparemment refoulé hors du champ technique (au profit d'une vision calme et claire des choses), ne cesse en fait de resurgir comme ce qui innerve tout le système de rétention de la puissance technicienne, mais aussi comme ce qui le finalise et l'oriente vers un but non fonctionnel qui permet un réenchantement dionysiaque du monde.

*

Reprenons le fil de notre histoire du symbolisme des techniques: force est de constater que la technique, chez les Grecs, devient — pour la première fois — profane, mais toujours, pourtant, sur fond menaçant et fascinant de puissance de transgression. Si elle commence donc à s'éloigner de ce pôle, elle est encore tout entière définie par rapport à lui — voire contre lui — et pas du tout encore comme pôle de l'ordre sacré du monde. C'est ce qui explique qu'en apparence apollinienne dans sa prétention de créer un monde lumineux et calme, elle demeure en fait profondément imprégnée de l'aspect sombre du dionysiaque et de la transgression, mais, pour reprendre la distinction déjà suggérée, «en *hypo*», sur le mode de la rétention démesurée d'une puissance détournée vers des fins autres que productives. Nous sommes aux antipodes de l'époque moderne, mais également sur l'autre versant du dionysisme: si en effet notre civilisation a vu exploser la démesure technicienne comme forme du dionysiaque «en *hyper*», cette possibilité n'a-t-elle pas somme toute été préparée dès la Grèce de l'âge classique où, pour la première fois, la technique a été liée au désir et à la transgression dionysiaque, mais alors sur le mode de la rétention plutôt que sur celui de l'excès?

Cela ne devrait sans doute pas nous étonner. Les Grecs paraissent en vérité avoir fait un pari inverse de celui de notre modernité, et opéré, en conséquence, un déplacement du sacré très différent de celui dont notre propre civilisation semble faire l'expérience: si leurs valeurs invitent à construire un monde de calme et de mesure indissociable d'une limitation de la sphère technique et d'une rétention de sa puissance, resurgit cependant sans cesse leur phobie de (mais ne serait-ce pas également une séduction par?) la démesure. Cette *hubris* réapparaît en effet sans cesse: en *hyper*, à travers l'expérience des cultes dionysiaques extatiques; en *hypo*, dans la rétention technicienne et son détournement. N'y aurait-il pas là un sujet de méditation pour l'Occident de cette fin de siècle qui, tout en vivant dans un monde prétendument désacralisé, semble pourtant, et à l'inverse, avoir tout misé sur une technique livrée à tous les vents de la démesure conquérante, valorisant le changement et le progrès technologiques à partir de toute une mythologie, de toute une eschatologie laïcisée — on y reviendra —, et ne pouvant dès lors plus confier à la sphère du religieux et du symbolique que le rêve (ou l'utopie?) d'une vie de calme, d'harmonie et d'humaine mesure...

Dévalorisation axiologique des techniques profanes

Les techniques grecques de l'âge classique ont joué un rôle à maints égards déterminant dans l'histoire du symbolisme des techniques. Apparaissant pour la première fois sous un jour profane et instrumental, elles ont en effet instauré un premier écart entre le monde des dieux et une humanité qui découvre qu'elle peut, en s'en servant, ruser avec la nature. Cet «écart» ne se creusera toutefois jamais en vertigineux fossé, ne débouchera jamais sur une conception conquérante de la technique par rapport au monde naturel et à l'ordre cosmique. Elle demeurera, au sens propre, une *technique de la ruse*. Les Grecs n'ont pas développé leur système technique au point de provoquer un essor comparable à celui du machinisme industriel du 19ᵉ siècle occidental. Non en raison d'une quelconque ignorance, ni même du seul fait que leur institution de l'esclavage aurait prévenu cette évolution comme «inutile», mais plus fondamentalement parce que leur système axiologique visait précisément à empêcher un tel essor purement utilitaire des techniques.

D'autres civilisations semblent avoir réagi de manière assez semblable à l'avènement profane et instrumental de la technique. On en retrouverait d'ailleurs des témoignages jusques et y compris à notre époque. Rappelons ainsi un exemple tout à fait contemporain, que rapporte Radkowski (*Les jeux du désir*, p. 93, inspiré d'une étude de B. Laine, *Le village ensorcelé*, 1976) à propos d'un village de Colombie, Quarinocito, qui, encore dans les années 1960, vivait toujours avec des techniques ayant peu évolué depuis l'âge de pierre. Ce village vit à un certain moment arriver le progrès technique — notamment sous la forme d'engins permettant de motoriser ses embarcations. La communauté tout entière, après avoir un moment expérimenté ces nouveaux outils, décida d'enterrer solennellement tous ces moteurs, jugés incompatibles avec ses valeurs traditionnelles...

Mais ce type de réaction n'est pas propre aux sociétés que l'on pourrait qualifier de «primitives». L'histoire multiplie au contraire les exemples de grandes civilisations «avancées» qui mobilisèrent leurs ressources politiques et culturelles pour contenir la technique en deçà de certaines limites précises et refusèrent de la laisser se développer «pour elle-même». Le cas de l'Inde a déjà et rapidement été évoqué. Un phénomène analogue peut également être observé en Chine. J. Needham (*La science chinoise et l'Occident*) soulève en effet à propos de la civilisation chinoise la question que P.-M. Schuhl (*Machinisme et philosophie*) s'était posé au sujet des Grecs: il ne comprend pas pourquoi les Chinois qui disposaient, vers le début de l'ère chrétienne, de connaissances scientifiques et techniques fort avancées, n'en aient cependant pas «profité» — eux non plus — pour créer une société «machiniste», voire «industrielle». Needham, pourtant, paraît bien répondre lui-même à son interrogation lorsqu'il montre que le système du mandarinat, qui coiffe le monde des savants et des techniciens dans la Chine ancienne, a justement pour effet d'empêcher que l'activité de ces derniers ne prenne un essor trop grand, ne s'autonomise hors de tout contrôle social, éthique et politique. Le système axiologique chinois jouera ainsi, à cet égard, un rôle analogue à celui des techniques de la ruse chez les Grecs. C'est ce qui explique, comme le note Radkowski [JD], que si les sciences et les techniques y ont atteint très tôt un haut degré de développement, et même souvent dépassé, jusqu'au 17ᵉ siècle, celles de l'Occident, jamais elles n'ont amené les Chinois à adopter une «attitude technique», qui demeure une «invention spécifiquement occidentale». Outre ce système destiné à limiter la sphère technique, on constate la même dévalorisation axiologique de la technique au nom de valeurs en quelque sorte supérieures à celle d'une expansion illimitée et conquérante de sa puissance ou de sa valorisation purement profane. Mais laissons parler ce texte de Tchouang T'seu, célèbre philosophe taoïste de la Chine ancienne, qui l'illustre merveilleusement:

> Lorsque Dsi Gung traversa la région au Nord de la rivière Han, il vit un vieil homme qui travaillait dans un potager. Il y avait aménagé des rigoles d'irrigation. Il descendait lui-même dans le puits et remontait dans ses bras un récipient plein d'eau qu'il vidait dans les rigoles. Tout en se donnant extrêmement de mal, il n'arrivait qu'à peu de choses.

> Dsi Gung dit: "Il existe un moyen d'irriguer cent rigoles en un jour. Avec un peu de peine on arrive à de grands résultats. Ne veux-tu pas l'utiliser?" Le jardinier le regarda et dit: "Et que serait-ce?" Dsi-Gung dit: "On prend un levier de bois, lourd à l'arrière et léger à l'avant. C'est ainsi qu'on peut puiser de l'eau à profusion. On appelle cela un puits à chaîne."

La colère monta à la figure du vieux qui dit en riant: "J'ai déjà entendu mon maître dire: 'Celui qui utilise des machines exécute machinalement ses affaires; celui qui utilise machinalement toutes ses affaires se fait un cœur de machine. Or celui qui porte un cœur de machine dans sa poitrine perd sa pure innocence. Celui qui a perdu sa pure innocence devient incertain dans les mouvements de son esprit. L'incertitude de l'esprit ne peut s'accorder avec le sens vrai.' *Ce n'est pas que j'ignore ces choses, j'aurais honte de m'en servir...*"

*

Écart qui se creuse entre le monde divin et l'univers technique; constitution, à l'intérieur de cet écart, d'un système symbolique et axiologique venant limiter la sphère de la technique en l'empêchant de s'autonomiser: un tel système, qui n'est plus directement inscrit «dans» les techniques mais qui vient plutôt les «coiffer» et les intégrer «de l'extérieur» en visant à combler l'«écart» entre le monde du «sens» et celui de la technique, semble à vrai dire avoir correspondu à des stratégies quasi universelles de rétention de la puissance technicienne, puisqu'on les retrouve aussi bien en Chine qu'en Grèce ou en Inde. Dans cet écart et ce jeu des techniques qui rusent avec la nature se dessine bien la seconde grande strate de l'histoire du symbolisme des techniques.

Il valait la peine de s'arrêter longuement au cas de la Grèce dans la mesure où il semble que cette civilisation ait développé et articulé cette strate d'une manière spécifique. Nulle part ailleurs ne retrouve-t-on en effet le foisonnement de mythes relatifs à la technique, dont on conjure certes sans arrêt l'essor mais que l'on reconnaît par là même comme un étrange objet de fascination, un obscur objet du désir... Il semble par ailleurs, comme en témoignent sans doute avec éloquence le texte cité de Tchouang T'seu et les quelques éléments évoqués de la civilisation indienne, que, dans ces contrées, la technique ait été d'abord et avant tout dévalorisée en tant qu'activité étrangère à la sphère des valeurs reconnues comme authentiques; elle n'y était toutefois pas l'objet profane de cette «ré-intégration» grecque qui les forçait à viser l'univers des formes. C'est en Grèce, selon toute apparence, que la rétention de la puissance technicienne s'est accompagnée d'un détournement ambivalent et capital de cette puissance en vue de son «esthétisation éthique», à travers ce qu'on pourrait voir comme une sublimation, une orientation vers des finalités autres que purement fonctionnelles et profanes.

D'où le caractère paradoxal de la situation grecque: aux antipodes de la pensée occidentale moderne, puisqu'elle fait ce pari de la rétention technicienne, elle en est en même temps le négatif, pourrait-on dire, se présentant de fait comme la source d'où jaillira la technique occidentale ultérieure par une inversion du modèle premier. On peut le comprendre sans trop de mal: en doublant en effet la rétention de la puissance technicienne d'un redéploiement esthétisant de la technique, en reliant ainsi pour la première fois intimement — et non accidentellement ou partiellement — la technique au flux dionysiaque (fût-ce sur le mode de l'*hypo*), ne préparait-elle pas la possibilité d'un déploiement de la technique pour elle-même, cette fois sur le mode dionysiaque de l'*hyper*, c'est-à-dire de la démesure et de l'excès? Un tel «renversement» ne s'est bien sûr pas opéré de manière brusque ou abrupte. Il est le résultat d'une longue «évolution» dont il importe maintenant de considérer d'autres étapes déterminantes.

Chapitre 3

LA RUSE ONTOLOGIQUE
DE LA TECHNIQUE

Le chiffre est une invention du diable. C'est à coup sûr le fruit de l'arbre défendu. Et les cuisines que l'on peut en faire en les combinant sont poison mortel. Quant à cette science, que les Arabes ont apportée de leurs terres à scorpions, et qu'on nomme «al djebra», c'est sperme du diable...

H. Vincenot,
Les étoiles de Compostelle

La fin qui est proposée à notre science n'est plus la découverte d'arguments mais de techniques, non plus de concordance avec les principes mais des principes eux-mêmes, non d'arguments probables mais de dispositions et d'indications opératoires. C'est pourquoi d'une intention différente suivra un effet différent. Vaincre et contraindre: là-bas, un adversaire par la discussion; ici, la nature par le travail...

F. Bacon (Lord Verulam),
Instauratio Magna

Si nous savons maintenant que les civilisations sont mortelles, il semble en revanche que les champs techniques qu'elles génèrent aient le privilège de leur survivre et de se transmettre à travers les aléas de l'histoire. C'est en tout cas la leçon que paraît offrir l'histoire de Rome.

En grande partie héritières des techniques grecques, quoique considérablement enrichies par rapport à ces dernières, les techniques développées par les Romains se sont toujours situées elles aussi dans le registre d'une activité profane. Avec la chute et la dissolution de l'empire romain, au 5e siècle de notre ère, se produit cependant un événement capital du point de vue de l'évolution de la technique et de la symbolique qui lui est associée. Inutile d'insister longuement pour rappeler l'importance de l'effondrement du monde romain. M. Daumas, par exemple (*Les origines de la civilisation technique*), parle d'une véritable «coupure» civilisationnelle, celle-ci se manifestant aussi bien au plan de l'économie, de la vie sociale et de l'organisation politique qu'à celui de l'art, de la philosophie ou de la culture. En revanche, note-t-il cependant, le seul domaine qui ait largement échappé aux effets de cette dislocation d'une civilisation et qui, plus encore, n'ait pas vraiment connu de «régression» malgré toutes les vicissitudes de cette époque troublée, semble bien avoir été celui de la technique.

Un premier ensemble technique «mondial»

Si l'ensemble technique survit à la disparition des principaux autres repères de la civilisation romaine, c'est tout d'abord et dans une large mesure parce que les ingénieurs et tous ces artisans qui composent le tissu vivant du champ social continuent, pour l'essentiel, de pratiquer leurs arts et leurs métiers. En l'absence de toute structure politique stable, c'est même le réseau d'échanges économiques qu'ils constituent qui devient, à toutes fins utiles, la trame réelle du tissu social. Le pouvoir «organisé» disparu, subsiste l'ordre technique des ingénieurs, des techniciens et des commerçants. Et c'est cet ordre qui, pendant longtemps, assurera la régulation sociale des activités quotidiennes.

Cette stabilité relative d'une structure socio-technique qui permet aux marchands et aux techniciens de poursuivre leurs activités malgré les tremblements de terre qui ont secoué tant d'autres provinces de la culture rend largement compte, par exemple, de l'ensemble technique mérovingien tel qu'on le voit apparaître aux 6e et 7e siècles de notre ère. Celui-ci peut en effet se caractériser par la pérennité des structures héritées de l'Antiquité. Il se constitue en récapitulant, pourrait-on dire, tous les acquis des connaissances techniques de l'Antiquité, fidèlement conservées et transmises. À vrai dire, la seule «perte» technique un peu significative qu'on ait pu y constater paraît avoir été celle des techniques romaines de fabrication du ciment, qu'on ne retrouvera que dix siècles plus tard.

Si l'ensemble technique qui survit à la chute de l'Empire romain demeure ainsi très stable, il va néanmoins s'enrichir à travers nombre de contacts et d'échanges qui se nouent alors entre marchands et techniciens appartenant à des aires culturelles différentes. L'impérialisme et l'hégémonie de Rome avaient d'ailleurs amorcé ce mouvement et favorisé un enrichissement des techniques romaines par l'importation de techniques étrangères. C'est ainsi que, pour reprendre un exemple célèbre, les Romains durent avoir recours à des techniques indigènes de construction routière dans les contrées nordiques qu'ils avaient conquises, leur propre technique de dallage ne supportant pas le gel et les grands froids. Si impressionnante qu'elle nous paraisse aujourd'hui encore, la technologie romaine de la voie appienne n'aurait pas survécu à bien des hivers transalpins...

Loin donc de mettre fin à ce mouvement d'échange, contrairement à ce qu'on aurait parfois tendance à croire, la chute de l'Empire accentue au contraire les échanges — techniques — entre civilisations. Les moulins à eau développés par les Romains vont essaimer vers le nord et du côté de l'Allemagne lorsque, en desserrant son étreinte, Rome laisse revenir chez eux des prisonniers qui s'étaient familiarisés avec ces techniques au cours de leurs années de captivité romaine. Ces échanges ne se font pas à sens unique, du «centre» vers la «périphérie». Les «Barbares» d'Europe orientale se révèlent ainsi, par exemple, comme disposant d'un armement et d'une métallurgie bien supérieurs à ceux des Romains. L'Europe médiévale leur empruntera ainsi la structure de ses épées de guerre, qu'elle conservera pendant des siècles. Les Arabes diffuseront en Occident leurs connaissances dans l'art d'élever et de dresser les chevaux, empruntant pour leur part au monde romain ses systèmes d'irrigation plus développés. On pourrait multiplier de tels exemples, qui montrent bien que l'instabilité politique liée à la «décadence» et à la disparition de l'Empire romain eut pour conséquence inattendue d'enrichir et d'accroître l'ensemble technique traditionnel, à travers de nombreux échanges et de fréquentes traverses intercivilisationnelles.

La conséquence de ce mouvement, note Daumas [OCT], paraît être le fait que, pour la première fois dans l'histoire des techniques, on voit se constituer un ensemble technique relativement homogène, empruntant à bien des contrées, et se diffusant de manière assez semblable à travers tout le «monde connu» de l'époque. Ce cosmopolitisme d'une technique «mondialisée» — si l'on ne durcit pas le terme d'une connotation trop occidentalocentrique—, qui existe dans les faits dès la fin de l'Empire romain, paraît à vrai dire clairement montrer que la tendance du système technique à s'étendre de manière homogène (grâce à un réseau d'emprunts réciproques des techniques les plus efficaces) n'est pas l'apanage de notre époque, comme l'ont parfois suggéré les théoriciens d'une «nouvelle ère» de la «technique mondiale» (K. Axelos, par exemple, notamment dans *Les jeux du monde*). Ce cosmopolitisme est également la preuve que la tendance à implanter et à développer un système technique à visée universelle, indépendamment, jusqu'à un certain point, des cadres et des valeurs propres à chacune des civilisations où il s'implante, était déjà une caractéristique de l'époque, préparant en ce sens de très loin la «mondialisation» actuelle de la technique.

Le double destin du champ technique traditionnel au Moyen Âge

M. Daumas [OCT] constate l'étonnante permanence et la remarquable stabilité de l'ensemble technique qui vient d'être évoqué pendant près d'un millénaire, du 7e à peu près jusqu'au 17e siècle. Les innovations, au cours de cette vaste période, sont en effet plutôt rares, et elles ne revêtent aucun caractère spectaculaire. Elles se manifestent pour l'essentiel dans quatre grands domaines: à la métallurgie traditionnelle du cuivre, de l'étain et du bronze s'ajoute celle du fer, très importante notamment pour la technologie des armes; la permanence des techniques agricoles classiques et traditionnelles commence à faire place à des techniques d'assolement triennal; les techniques énergétiques sont, pour leur part, surtout marquées par l'amélioration de celles qui utilisent la force hydraulique; enfin, les techniques de l'habitat progressent surtout en ce qu'elles accroissent les possibilités de construction «en dur», alors que se manifeste un développement continu du tissage et de la filature.

Pas de grand bouleversement donc au cours de ce millénaire: ce qui ne signifie toutefois pas une stagnation, notons-le, mais plutôt que l'essentiel se joue sur un autre plan. De fort intéressantes différences apparaissent en effet dans l'attitude adoptée à l'égard de la technique par les diverses cultures de l'époque.

Dans les civilisations non occidentales — asiatiques et arabes, notamment — l'ensemble technique tend à atteindre (dans certains cas assez rapidement) une sorte de plafonnement, ou ce que Daumas appelle une «forme stabilisée» qui n'évoluera que très peu par la suite. L'Orient méditerranéen, qui a innové dans de nombreux domaines au début de notre ère, perd à maints égards son rôle d'«initiateur» et il ne se définit plus essentiellement que par une fonction de conservation et de transmission des techniques, sur le mode de la reproduction. J. Needham [SCO] le constate également dans le cas de la Chine, allant jusqu'à parler d'un *blocage* de son système technique — lors même que l'Empire du Milieu avait pourtant produit de nombreuses découvertes et de remarquables inventions: l'horloge, la mathématique algébrique, de nouvelles techniques optiques et acoustiques, pour ne mentionner ici que les plus connues. Constatation semblable du côté des civilisations arabomusulmanes. Selon Roshdi Rashed (*Islam et sciences exactes*) celles-ci semblent en effet connaître un «blocage» analogue, vers le 10ᵉ siècle, après avoir pourtant fait faire à l'algèbre et à l'analyse combinatoire aussi bien qu'à l'astronomie et à la médecine de prodigieuses avancées.

Il y a tout lieu de voir dans ce «blocage» des techniques la persistance des codages imposés par le système symbolique et axiologique dont il a été amplement question au chapitre précédent, et qui continuait à empêcher les techniques de se développer au-delà d'un certain seuil. Une nouvelle et saisissante illustration de cette thèse pourrait d'ailleurs être repérée dans cette invention de la «poudre noire» à partir de laquelle les Chinois mirent au point des explosifs, non cependant pour s'en servir comme armes (ou comme outils de travail) mais bel et bien pour alimenter de splendides feux d'artifices. Comme dans le cas des *thaumata* de la Grèce classique, il n'y a pas lieu d'interpréter ce fait comme le résultat d'une ignorance des autres usages possibles de la poudre (les Chinois avaient au contraire bien aperçu ses possibles utilisations militaires et anticipé notamment la technologie du canon), mais comme l'indice d'un choix délibéré de confiner la technique à un usage essentiellement ludique, permettant un émerveillement et un réenchantement du monde (choix au demeurant justifié par l'interdiction axiologique de se servir d'une telle supériorité technique contre un quelconque adversaire). On sait qu'à l'inverse, dès qu'elle parviendra en Occident, cette invention chinoise servira aussitôt à fabriquer de la poudre *à canon* et à développer ainsi une nouvelle technique guerrière particulièrement redoutable. La Chine a donc bien inventé la poudre. Mais c'est plutôt à l'Occident que le monde «doit» les canons...

Il faut d'ailleurs voir là plus qu'une anecdote symbolique. L'ensemble technique oriental se stabilise, demeurant codé symboliquement et axiologiquement dans un système qui lui assurera la stabilité pendant plus de mille ans (ce qui, soit dit en passant, est suggestif de la durée de la seconde «strate» de symbolisme repérable dans une «histoire des techniques»). L'ensemble technique occidental, pendant ce temps, tout en demeurant traditionnel et sans connaître de révolutions brutales, n'en continue pas moins d'évoluer lentement et de se renouveler, esquissant à vrai dire un mouvement qui n'est pas sans préfigurer cette révolution industrielle de l'époque moderne — impensable, on le verra, hors du socle technique (et symbolique) qui s'instaure dans l'Europe du Moyen Âge. C'est donc à l'évolution de cet ensemble technique de l'Occident médiéval qu'il faut maintenant s'arrêter si on veut comprendre les facteurs responsables de ce qui apparaîtra à la fois comme un relâchement progressif du codage symbolique traditionnel et comme un décodage généralisé des flux techniques, ce double processus allant permettre l'avènement d'un nouveau cadre symbolique essentiellement favorable à l'essor de la technique.

Précision que, sur le fond de scène de ces pages, on souhaiterait superfétatoire, mais que les travers mêmes de notre civilisation commandent peut-être prudemment de rappeler: il n'y a évidemment pas lieu de voir dans l'hypothèse d'une telle évolution de l'ensemble technique occidental — par rapport à celle d'une stabilisation des autres civilisations — un «jugement de valeur» particulièrement favorable à l'Occident ou spécialement élogieux à son endroit... Il n'y a en effet, à proprement parler, aucun «progrès» technique d'une strate à l'autre, comme le fait bien voir Radkowski. Tout au plus peut-on parler du remplacement d'un ensemble technique par un autre, d'une transformation du socle technique. «La notion de "progrès technique" est entièrement illusoire et à réviser. Entre une diligence et un avion il n'y a pas de progrès technique, seulement une supériorité économique: quant au temps d'abord, à l'énergie ensuite, à l'économie de fatigue enfin, cette autre forme de dépense énergétique. Supériorité qui n'est pas absolue mais relative à un contexte socio-culturel et historique donné (...)» (*Les jeux du désir*, p. 40).

L'évolution de l'ensemble technique occidental au Moyen Âge

Comment caractériser ces techniques médiévales qui, même sans connaître de bouleversement radical, justifient néanmoins qu'on les analyse sous l'angle d'un développement graduel et continu conduisant l'Occident jusqu'à la Révolution industrielle et à l'«esprit» qui lui donnera naissance?

Techniques énergétiques

Il faut tout d'abord parler de la diffusion massive d'un premier domaine de techniques qui utilisent l'énergie naturelle. On y rencontre un certain nombre d'innovations non négligeables, qui auront des conséquences importantes dans l'avenir: ainsi, par exemple, le *moulin hydraulique*, développé par la technologie romaine, se caractérise désormais par la roue verticale plutôt qu'horizontale. Sous cette forme, il connaîtra une extension et une diffusion massives: les moulins, en effet, surgissent un peu partout sur la carte de l'Europe médiévale, quadrillant l'espace, enserrant pourrait-on dire la nature dans un système destiné, pour la première fois, à capter et à exploiter ses énergies. L'Angleterre, aux alentours de l'an mille, voit ainsi se dresser sur son territoire près de 6000 moulins qui forment un véritable système technique, réseau surimposé à la carte naturelle des fleuves et des rivières.

Au système du moulin hydraulique s'ajoute par ailleurs rapidement celui du *moulin à vent* qui, d'origine iranienne, diffuse lui aussi massivement à travers l'Europe sa grande roue ailée et verticale, créant à son tour un dense réseau technique grâce auquel s'actionneront de plus en plus de meules, de pompes à eau, de systèmes d'irrigation, de scies mécaniques, etc.

Pas de révolution technique proprement dite donc, mais une *diffusion* telle qu'elle transforme une technique jusque-là largement artisanale en un véritable *système* qui commence à corseter la nature dans un cadre technique en vue d'en extraire l'énergie. J. Gimpel (*La révolution industrielle du Moyen Âge*) verra dans la constitution de ces réseaux la véritable «révolution industrielle» du Moyen Âge. Et, de fait, cela est bien corrélatif d'un nouvel état d'esprit à l'égard de la nature que l'on vise à «encadrer» dans un système technique qui cherche à mettre à profit ses forces. Changement de mentalité qui s'exprime même au plan symbolique: le moulin vertical introduit en effet de manière inédite dans le paysage européen une représentation *transcendante* de la technique — d'une technique qui se dresse fièrement, voire orgueilleusement, *contre* la nature au lieu de s'adapter de façon à la fois douce et immanente au cours d'une rivière, comme les moulins orientaux à roue horizontale.

Si le moulin devient ainsi le symbole par excellence du nouvel esprit de conquête technicienne en émergence, il serait sans doute intéressant de réinterpréter, à cette lumière, les perpétuelles croisades de Don Quichotte contre les moulins à vent... Ce héros dont on s'est si souvent moqué n'est-il pas à maints égards l'homme le plus lucide de son époque? Ne saisit-il pas que la technique va désormais devenir le nouveau *conquistador*? Ne reflète-t-il pas le déchirement de l'homme médiéval, écartelé entre ses idéaux chevaleresques et l'ordre techniciste qu'il sent poindre et auquel il ne peut opposer que la grandiose impuissance de sa nostalgie? Mais son combat, pathétique et désespéré, ne préfigure-t-il pas aussi bien des remises en questions modernes de la technique? En nous renvoyant peut-être ici à notre propre impuissance à maîtriser aussi bien qu'à combattre la technique, l'Homme de la Mancha n'incarne-t-il pas l'un des mythes les plus émouvants et les plus essentiels de notre propre temps?

Transformation des matières premières

C'est un développement analogue, c'est-à-dire à la fois graduel et significatif, que l'on peut observer dans un second domaine technique, celui de la transformation des matières premières. Pas de révolution marquante, là non plus, mais un développement significatif des techniques de forage de puits (la houille, par exemple, sera utilisée dès le 11ᵉ siècle) ainsi que des techniques métallurgiques. Vu l'importance sans cesse croissante de la demande, ces dernières en viendront ainsi, presque insensiblement, à donner naissance, entre le 14ᵉ et le 15ᵉ siècle, au haut fourneau alimenté au charbon (dont on sait toute l'importance pour les débuts de la Révolution industrielle).

Notons également l'essor soutenu des techniques de chimie empirique, utilisées notamment dans la fabrication artificielle des colorants textiles et artistiques. Si ces techniques se développent et sont encouragées, c'est que les Turcs ont à l'époque, avec l'alun, le monopole de la production de ces colorants et qu'il faut dès lors s'assurer contre les aléas de la guerre et de la diplomatie... C'est un désir similaire d'hégémonie (et d'autarcie) qui explique en bonne partie l'essor parallèle des techniques de préparation des explosifs.

Si ces techniques n'amènent aucune nouveauté fondamentale, elles prennent néanmoins de plus en plus d'importance et sont significatives du développement de cet «état d'esprit» qui considère de plus en plus la nature comme quelque chose d'exploitable, et ce sur une vaste échelle (état d'esprit qui, on l'entrevoit déjà, prépare et annonce le tournant de la Révolution industrielle qui plonge ses racines dans le Moyen Âge où elle commence à germer). La nouveauté de cet état d'esprit est d'autant plus importante qu'à travers ces techniques de transformation, on peut repérer une sorte de série: feu-métallurgie-mines-chimie, qui se met progressivement en place. Or non seulement cette série sera celle sur laquelle s'appuiera la révolution industrielle ultérieure, mais elle s'impose en outre comme éminemment significative au plan symbolique. On sait en effet, notamment grâce aux travaux de M. Eliade (*Forgerons et alchimistes*), que toutes ces techniques plongent dans l'imaginaire alchimique selon lequel l'être humain, dans le travail métallurgique, se met à la place de la nature, accélère le processus de maturation de celle-ci et crée même de nouveaux métaux. Lorsqu'une telle activité n'est plus, comme dans les sociétés traditionnelles primitives ou même comme dans la Cité grecque, mise en marge de la vie sociale mais au contraire de plus en plus développée (à des fins militaires, notamment), la vieille symbolique prométhéenne de l'homme créateur d'un nouvel ordre de puissance qui se substitue à celui de la nature se trouve largement favorisée. Maintenue, jusque-là, dans de strictes et contraignantes limites, elle se transforme en modèle éminemment positif.

Techniques d'assemblage

Dans le troisième domaine qu'il y a lieu de retenir ici, celui des techniques d'assemblage, les innovations touchent surtout deux secteurs essentiels: celui du textile (filature du lin, de la laine, du chanvre, du coton et de la soie — qui sont, là encore, les premiers balbutiements de la future «industrie» textile), et peut-être devantage encore celui de l'armement. C'est en effet au Moyen Âge que les techniques d'assemblage destinées à la fabrication de nouvelles armes propulsent les techniques guerrières à l'avant-garde du progrès, lui donnant tout comme aujourd'hui, et pour la première fois dans l'histoire, un rôle moteur déterminant l'évolution des autres techniques (technologies des ponts flottants, des chars à voiles, des bateaux actionnés par des roues-manivelles et, bien sûr, des canons qui allaient rapidement devenir, on le sait, le «dernier argument des rois»...). Notons encore, dans cette vaste et nouvelle panoplie, le harnachement des chevaux de même que l'invention et le perfectionnement de l'étrier qui eurent une fortune considérable. L. White (*Technologie médiévale et transformations sociales*) y a vu en effet le fondement technique de la chevalerie comme classe féodale. L'étrier, accroissant la maîtrise du cheval, permet une plus grande précision dans le combat, faisant ainsi apparaître une véritable classe de spécialistes de la technologie de la guerre. Non seulement en effet cette invention donne-t-elle une supériorité militaire incontestable (expliquant notamment en bonne partie l'issue de la cruciale bataille de Hastings qui donna l'Angleterre à Guillaume le Conquérant), mais la nouvelle classe de chevaliers va se *techniciser* de plus en plus. On verra bientôt ces preux chevaliers bardés de fer des pieds à la tête sur leurs montures également caparaçonnées d'acier, les uns et les autres technicisés, pourrait-on dire, au point de devenir de simples appendices d'une armure qui les englobe totalement et parfois même — on songe à la fin tragiquement célèbre d'un Frédéric Barberousse — les engloutit...

En ce sens, des chevaliers engoncés dans leur armure aux Goldorak, Dark Vador et autres semi-robots *transformers* de la B.D. actuelle, la distance n'est peut-être finalement pas si grande: on pourrait en effet n'y voir qu'une sorte de perfectionnement du rêve des chevaliers du Moyen Âge, désireux de se donner un autre corps — technique, puissant, invincible. Il n'est peut-être pas étonnant dès lors de constater, dans maints thèmes de la science-fiction populaire contemporaine, de nombreuses et remarquables ressemblances entre les anciens paladins et les nouveaux chevaliers à moitié robotisés de l'ère technologique... Mais songeons également à la fascination des populations précolombiennes pour les conquistadors blancs casqués et bardés de fer — qu'elles prirent, on le sait, pour des dieux... Naïveté de «primitifs crédules»? À moins d'y lire une intuition quasi anthropologique qui échappa autant aux envahisseurs Européens qu'elle échappe encore à l'Occident moderne lui-même: ne serait-ce pas en effet toute la mythologie autodivinisante de l'Occident que les sujets de l'Inca ou de Montezuma auraient décelée, au moins intuitivement, sous la protection clinquante, et spectaculairement technique, des heaumes, des cuirasses et des cottes de mailles?...

Agriculture et techniques traditionnelles

On peut parler des techniques traditionnelles comme d'un quatrième domaine, incluant notamment l'agriculture. Ces techniques se voient pour leur part largement rationalisées. L'innovation fondamentale dans ce domaine, on l'a déjà évoqué, consiste dans l'assolement triennal systématique qui se répand rapidement et qui est bien sûr caractéristique d'une nouvelle rationalisation du travail de la terre.

Dans le domaine du bâtiment apparaissent les premières constructions civiles répondant à des critères architecturaux et sociaux purement fonctionnels: hospices, asiles, hôpitaux multiplient ainsi leurs «salles communes» souvent froides et anonymes, permettant d'ajouter, au soulagement de la misère, la surveillance et le contrôle des miséreux...

Les systèmes des poids et mesures, enfin, connaissent une tendance vers une certaine homogénéisation. Si, jusque-là, chaque province de France avait par exemple son propre système de poids et de mesures, l'unification politique et la nouvelle autorité monarchique centralisatrice s'accompagnent, au Moyen Âge, des premiers efforts pour imposer à tous et partout les mêmes étalons de mesure.

L'horloge mécanique et le calcul comptable, qui font leur apparition à cette époque, commencent par ailleurs à permettre de rationaliser le temps et de le découper en «tranches fonctionnelles», ouvrant ainsi la voie à ce «temps des machines» bien analysé par Jacques Attali (*Histoires du temps*) qui y voit la source d'une nouvelle approche du monde invitant à mesurer toute chose d'après le mode de la pensée calculante et comptable.

Ces quelques illustrations de l'évolution du système technique médiéval, sans prétendre à l'exhaustivité, manifestent néanmoins déjà d'importantes tendances. Un nouveau rapport au monde s'y dessine. Diverses techniques inscrivent la nature dans un réseau qui permet d'en extraire l'énergie et de mettre cette dernière au service du travail humain. En ce sens, elles sont bien à la source d'un nouvel état d'esprit qui conçoit de plus en plus la nature comme un immense réservoir énergétique que l'humanité doit apprendre à mieux capter, en vue d'en extraire la «quintessence de la puissance». On ne ruse plus avec la nature. On cherche en revanche de plus en plus à la *maîtriser*, à la *réorganiser*. Cette évolution se produit graduellement, sans révolution brutale, mais d'une manière à la fois indéniable et inéluctable. D'où, précisément, tout un nouveau quadrillage de la nature et de ses éléments: l'air et l'eau s'appauvrissent peu à peu de cette antique symbolique «naturaliste» (qui inspirera à Gaston Bachelard de si admirables pages) pour apparaître de plus en plus comme canalisés dans un réseau technique de moulins qui les encode artificiellement. La terre est elle-même réquisitionnée jusque dans ses soubassements les plus profonds par les techniques minières, tandis que les diverses techniques de transformation des matières premières qu'on y puise participent à la conscription rationnelle et laborieuse du feu. Le Moyen Âge superpose à l'antique symbolique naturelle du cosmos, une nouvelle symbolique technique. Insistons de nouveau sur l'illustration, subtile sans doute, mais néanmoins fort révélatrice, qui a déjà été évoquée: alors que la roue du moulin oriental demeure horizontale, celle des moulins d'Occident se dresse à la verticale: signe, déjà, de l'émergence d'un nouvel ordre — transcendant — du monde, qui fait de chacun de ces moulins le nouveau centre ou le nouvel axe sacré d'un univers dans lequel se réorganise, autour de ce pôle, toute l'énergie des éléments.

Cette nouvelle attitude qui se dessine à l'égard de la technique s'accompagne du sentiment que le «monde des possibles» est toujours plus vaste, l'humanité découvrant que la technique permet de reculer toujours plus loin les limites qui la contraignent et d'accroître, à l'inverse, son désir de puissance. L'époque médiévale est en effet celle où l'amélioration des techniques de construction navale permet d'affronter la haute mer, de défier l'obstacle de la distance, d'ouvrir ainsi l'époque des grandes explorations et des grandes découvertes. Les anciennes limites du monde commencent à s'estomper tandis que se devinent au loin des horizons jusque-là à peine soupçonnés. Comme si la nouvelle voilure des caravelles et le perfectionnement de leur gouvernail ranimaient le vieux rêve chamanique de la distance enfin vaincue... L'amélioration des lunettes astronomiques permet, de même, de reculer encore les limites de l'accès à un univers que l'on avait cru jusqu'alors clos et limité.

Cette nouvelle maîtrise de l'espace qui commence à faire reculer les confins traditionnels du monde s'accompagne également, on le sait, d'une soif accrue de puissance militaire qui permettra à l'Occident de s'assurer de la maîtrise du bassin méditerranéen et, partant, d'écarter le risque des invasions musulmanes (turques, notamment) qui l'avaient toujours menacé. Dorénavant, la soif de puissance occidentale pourra cesser d'être simplement sur la défensive pour devenir conquérante et finir par imposer son ordre à tant de «nouveaux mondes»...

*

Adoption d'un point de vue plus fonctionnel, rationalisation des techniques, émergence d'un nouvel ordre où la mesure quantitative se révélera déterminante (notamment grâce aux nouveaux découpages du temps): ainsi pourrait être brièvement caractérisée l'évolution de l'ensemble technique d'un Moyen Âge — qui ne ressemble pas tout à fait, vu de cette manière, à l'âge d'*obscurantisme* auquel on l'a si souvent réduit... Certes, les «grandes découvertes» et le «nouvel âge industriel» ne viendront que plus tard. Et pourtant tous les éléments qui préparent cet avènement de la «modernité» sont déjà en place: non seulement en effet y développe-t-on un système technique fondé sur une nouvelle approche — conquérante — de la nature, mais la technique commence déjà à y être encodée dans une symbolique qui l'investit d'une nouvelle valeur de puissance à maints égards inédite et déterminante.

Il y a lieu d'interroger ce qui, au plan des valeurs et des représentations symboliques, permet de rendre compte du fait que les techniques, au Moyen Âge, tout en se développant de manière essentiellement instrumentale, apparemment dépouillée de tout frein axiologique, deviendront malgré tout l'objet de nouvelles cristallisations et de nouvelles valorisations symboliques favorables à leur essor: c'est à ce nouveau processus de décodage et de recodage symbolique qu'il convient maintenant de s'arrêter.

La technique comme «tentation» du monde profane

G. Deleuze a été le premier, avec F. Guattari (*L'Anti-Œdipe*) à montrer que les *flux machiniques du désir* sont toujours codés, dans les sociétés primitives, par les mythes et les rituels qui les canalisent dans une forme précise, mais aussi par les lignages et structures de parenté qui tissent tout un système social. Le passage de la société primitive à la société d'État se produirait par un surcodage des flux collectifs du désir, notamment dans les appareils bureaucratiques qui en viennent à en régir les moindres détails. Selon ces auteurs, l'«ordre» moderne assuré par la société capitaliste se ferait, à l'inverse, par un décodage généralisé des flux qui devraient désormais «produire pour produire», aveuglément, en dehors de tout codage. (C'est la raison pour laquelle, selon Deleuze et Guattari, la société capitaliste occidentale s'identifie avec le processus schizophrénique lui-même...)

Il est intéressant de noter, pour le propos de ces pages, qu'il se produit effectivement, au Moyen Âge, une amorce de décodage généralisé des flux techniques. Ceux-ci, n'étant plus codés et maintenus par des systèmes axiologiques restrictifs, commencent à déployer librement leur puissance, leur potentialité illimitée. Deleuze et Guattari remarquent toutefois que même un décodage généralisé constitue en fait un nouveau processus de codage. Et, de fait, il apparaîtra que ce décodage médiéval de la technique libérée de la sphère des valeurs ne sera paradoxalement rendu possible qu'au moyen d'un recodage symbolique qui, au lieu de contraindre comme jadis l'essor technique, le favorisera désormais de plus en plus systématiquement. Voyons comment cela s'est passé.

Diffusion et banalisation des techniques

L'essor des techniques profanes est en partie dû — on l'a déjà évoqué rapidement au passage — à leur diffusion massive. Il semble en effet qu'au-delà d'un certain seuil «critique», les techniques tendent à devenir purement profanes et instrumentales. Ce seuil est assurément difficile à identifier avec précision. On peut à tout le moins le concevoir comme un seuil quantitatif de diffusion au-delà duquel les techniques subissent une transformation qualitative, de l'ordre de la banalisation. (Il suffit d'ailleurs peut-être, pour s'en convaincre, de penser à la manière dont, à notre époque, la radio, tout d'abord, puis la télévision et, plus récemment, la vidéo ou l'ordinateur ont successivement été à maints égards l'objet d'une sorte de sacralisation, pour être par la suite rendus à une banale profanité, à la fois par leur diffusion massive et par la concurrence de nouveaux objets à leur tour investis d'une semblable aura. Le dernier chapitre de cet essai tentera d'étayer davantage cette rapide évocation contemporaine.) La diffusion massive des techniques dans l'Occident médiéval (elle ne semble pas se produire dans d'autres civilisations à la même époque) a en ce sens certainement contribué à l'accentuation de ce caractère purement profane et instrumental que la technique avait déjà pour l'essentiel acquis dès l'Antiquité.

Urbanisation et professionnalisation

La croissance de l'urbanisation doit également être rangée parmi les facteurs déterminants de cet essor — profane — des techniques qui, désormais, paraissent échapper aux codes de systèmes axiologiques précis. Dans le paysage urbain de l'Europe se développent en effet, dès le 12ᵉ siècle, de nouveaux métiers à la source d'une rationalisation et d'une division toujours plus poussées du travail. Le métier de drapier, par exemple, ne compte pas moins de six *rangs* ou spécialisations différentes, lors même que se multiplient les professions adjacentes (teinturiers, commerçants de drap, etc.). Chacun de ces sous-ensembles du même métier s'organise en un monde spécifique, avec des codes particuliers de règles et de prescriptions qui, comme le note M. Daumas [OCT], définissent désormais toute technique à l'intérieur du cadre commercial urbain.

Bien des indices viennent corroborer cet aspect toujours plus profane et *banal* de la technique. Toute une «littérature technique» commence ainsi à circuler. Littérature d'abord manuscrite, mais qui — on ne s'en étonnera guère — ne sera pas la dernière à s'inscrire avec enthousiasme dans la «Galaxie Gutenberg». De cette littérature, citons comme exemple les fameux *Cahiers* de Villard de Honnecourt (architecte de la première moitié du 13ᵉ siècle), véritables manuels illustrés de pédagogie de la technique. Naîtront encore, autour du 16ᵉ siècle, de nombreux traités qui ne sont pas sans préfigurer nos modernes «manuels d'ingénieurs», ainsi que tout un théâtre pédagogique mettant didactiquement en scène techniques et machines dans le but d'en expliquer le fonctionnement (et qu'il n'est sans doute pas exagéré de voir comme le lointain ancêtre de notre actuelle — et souvent fort dynamique! — muséologie des sciences et des techniques...).

Le développement des «métiers»

La floraison des ces traités techniques est indissociable de l'émergence d'une nouvelle classe de ceux que l'on appellera les *ministériaux*: ni paysans, ni guerriers, ni clercs, ces gens ont comme «spécialité» de s'intéresser au savoir-faire des *ministeria* (le terme latin d'où proviendront nos modernes *métiers*). Ces «spécialistes des techniques» en deviendront en quelque sorte aussi les commis voyageurs. Ils se mettront souvent au service des princes, comme gestionnaires, experts comptables ou importateurs de matériaux et de techniques exotiques. Ayant leur pied-à-terre dans la ville tout en circulant beaucoup, ces experts en viendront à constituer le noyau d'une nouvelle classe urbaine, dont on ne s'étonnera évidemment pas qu'elle favorise un essor des techniques auxquelles elle doit précisément sa raison d'être. Si Voltaire imaginait le premier roi comme un soldat heureux, les premiers bourgeois semblent bien avoir été, dans les gros bourgs de l'Europe médiévale, liés à toutes les productions de la technique humaine, considérées comme autant de sources possibles d'enrichissement.

Un tel développement profane des techniques n'eût vraisemblablement pas été possible sans que le système symbolique ne cesse de fonctionner comme il l'avait justement fait jusque-là, en limitant et en codant strictement leur nombre et leur usage. Or, si le système de valeurs de l'Occident médiéval n'exerce plus une telle pression sur la technique, c'est précisément dans la mesure où le christianisme y a diffusé une vision du monde accrochée, si l'on peut dire, à une transcendance qui laisse hors de son champ spontané d'intérêt le monde profane auquel appartient justement la technique. On pourrait sans doute parler en ce sens de «vacance» terrestre, dans la perspective d'une religion qui se préoccupe essentiellement d'un salut céleste. Échappant largement par là-même au code religieux et au contrôle de ce code, la technique pourra, dans cette «vacance», se déployer pour la première fois d'une manière tout à fait libre et autonome, sans contrôle immédiat de son activité et de son développement. La chose est frappante lorsqu'on considère les positions adoptées par l'Église au début du Moyen Âge.

L'Église du haut Moyen Âge et la technique

On doit d'abord noter que pendant toute une période, qui correspond en gros à ce qu'il est généralement convenu d'appeler le haut Moyen Âge, l'attitude de l'Église est plutôt étrangère à la technique, aussi bien d'ailleurs qu'à la science, que carrément hostile à leur endroit. Cette Église qui s'édifie lentement sur les décombres de l'Empire romain rencontre pendant longtemps, on le sait, la sourde résistance du paganisme de l'ancien monde. Le monachisme colore profondément son mode, sinon sa «politique», d'enracinement et d'expansion. Ainsi, plutôt que de chercher à convertir les masses encore profondément païennes (comme pourra par exemple le tenter l'Islam, en d'autres lieux), l'Église dissémine les monastères sur le territoire de cette immense «terre de mission» qu'est alors l'Europe: noyés dans un monde à la fois païen et profane, ces monastères se dresseront comme autant de nouvelles arches de Noé, lieux de refuge et de condensation de la chrétienté naissante. Une poignée d'élus se rassemblent au pied de ces nouveaux Horebs (ces «collines inspirées», dira Barrès) où des hommes et des femmes se sont retirés du siècle dans le but de communiquer plus directement avec Dieu.

Ce christianisme monachiste, qui tourne le dos au monde matériel dans son désir de faire surgir des îlots communautaires de salut, ne favorise évidemment pas la science et la technique, l'une et l'autre apparaissant sous un jour purement profane, mondain: le salut appartient à un autre registre, celui d'une transcendance qui n'a rien de commun avec l'espace profane où se déploie la technique. Les témoignages ne manquent pas, qui confirment cette absence d'intérêt de l'Église du haut Moyen Âge pour l'univers de la technique. Si bien que, comme le note R. Fossier avec à propos (*Le Moyen Âge*), lorsqu'on aura besoin de savants, il faudra souvent les importer de très loin, de l'Espagne mauresque, par exemple, ou d'autres contrées musulmanes. Et si d'aventure on souhaite acquérir soi-même une formation technique ou scientifique, il faudra carrément s'expatrier, dans les contrées arabes, notamment. Gerbert, avant d'enseigner à Reims, à la fin du 10ᵉ siècle, avait dû s'exiler ainsi plusieurs années en Catalogne, c'est-à-dire aux confins mêmes du monde musulman, pour s'initier aussi bien à la dialectique qu'aux «sciences exactes» (arithmétique, géométrie, astronomie, mathématique).

Une telle absence de préoccupation technico-scientifique est moins attribuable à une pure et simple ignorance qu'à une méfiance considérable aussi bien à l'endroit de la culture antique, préchrétienne et païenne, qu'à celui des civilisations «infidèles» (celle de l'Islam, en particulier). Sans les «lumières de la Révélation», ces cultures ne pouvaient évidemment avoir développé, aux yeux de l'Église médiévale, que des connaissances marquées au coin de l'erreur. Ainsi par exemple Odon, deuxième abbé de Cluny (au début du

10ᵉ siècle), invite-t-il à rejeter ces «connaissances païennes» après avoir rêvé que du «vase de connaissance» symbolisé par Virgile s'échappaient de dangereux serpents... La répulsion d'Odon est significative. L'allusion aux serpents est en particulier révélatrice des dogmes théologiques auxquels se référait une telle attitude. Odon interprète ainsi la faute originelle de la Genèse en lien avec une soif immodérée de connaissance de la part de l'être humain. Dans cette perspective, le mythe biblique fondateur devient en quelque sorte une mise en garde divine invitant à la méfiance envers la science et la technique en général.

Force est de constater que cette première symbolique technique de l'Église médiévale tend fréquemment à glisser de l'indifférence à une attitude assez franchement négative: la faute originelle ayant condamné l'humanité au travail («à la sueur de ton front...»), la technique ne peut en ce sens qu'être interprétée comme le constant et cuisant rappel de cette transgression originaire et de ses terribles conséquences. L'époque ne cesse de faire écho à cette symbolique négative. Les portes monumentales de la basilique de saint Zénon, installées à Vérone à la fin du 12ᵉ siècle, montrent ainsi Caïn condamné à devenir laboureur en châtiment du meurtre de son frère Abel. Au 13ᵉ siècle encore, l'une des illustrations de la Bible de François Garnier représente un moulin actionné par la force d'un Samson puni et condamné à cette dure tâche technique...

À l'inverse, et d'une manière qui n'est pas sans rappeler l'attitude des philosophes grecs, quoique le sens en soit fort différent, l'Église valorise d'abord et avant tout les types d'activité qui ouvrent la voie au salut: pour l'imagerie de l'époque, les seules figures sacrées sont celles des moines retirés dans leurs monastères, ou encore celles de tous ces laïcs «serviteurs» et «lieutenants» de Dieu (rois et noblesse guerrière) qui s'inscrivent dans le plan de la Providence et font régner son ordre. Dans ce contexte, le rituel du sacre des rois et celui de l'adoubement des chevaliers, personnages éminemment «utiles» à l'édification terrestre du salut, seront puissamment sacralisés, devenant des modèles exemplaires d'un état en quelque sorte opposé au «tiers monde» profane de l'agriculture et de la technique.

Dans la mesure où l'indifférence de l'Église à l'égard de la technique paraît donc malgré tout se teinter d'une sorte d'hostilité sourde et en tout cas bien peu valorisante, il pourrait être tentant d'interpréter l'univers symbolique médiéval comme une pure reconduction du modèle grec, c'est-à-dire, en somme, d'un univers symbolique visant à refréner le développement de la technique et à contenir celle-ci en deçà de strictes limites.

Il y a pourtant une différence à maints égards radicale. Alors en effet que les mythes grecs (celui d'Icare, par exemple) pointent les menaces de la technique et les dangers de se laisser enivrer par ses rêves de puissance ou ses tentations de démesure, les rappels des mythes chrétiens ont des échos bien différents: ils entérinent d'emblée, si l'on peut dire, le fait technique lui-même, en insistant plutôt pour le présenter comme un constant rappel de la chute originelle, et en invitant de ce fait à privilégier l'ordre de la pure transcendance à l'espace de ce monde profane déchu. Ces rappels chrétiens, et la nuance est capitale, n'invitent pas à *imiter* la technique. Ils mettent plutôt l'accent sur la nécessité, en vue du salut, d'échapper au monde où se déploie celle-ci, dans les monastères, notamment. Même dans sa relative dévalorisation, l'ordre technique n'en est pas moins confirmé comme un fait, comme un inéluctable donné, et non pas, ainsi qu'on l'a vu pour la Grèce de l'âge classique, comme une possibilité évitable que l'on s'efforcerait d'exorciser en en restreignant le développement.

Toute négative qu'elle puisse encore paraître, cette attitude à l'égard du monde profane de la technique échappe néanmoins largement à l'univers mythique des civilisations analysées au chapitre précédent. Son but (et, on le verra, son effet) est moins de limiter directement l'essor des techniques que d'inviter ceux et celles que le salut intéresse à privilégier une autre dimension. La dévalorisation médiévale de la technique se présente donc d'abord comme un appel à une conversion spirituelle tout entière tournée vers la transcendance divine, et non plus comme codage d'un monde immanent et sacré contre la menace duquel on tenterait de se protéger. Non plus dès lors système de limitation de la puissance technique mais système d'*orientation* vers une *autre* puissance.

On devine ce qu'une position de ce genre a de vertigineusement paradoxal: elle ne peut en effet que laisser se développer ce monde profane auquel elle sert en quelque sorte de contrepoint, soustrayant le système technique à tout codage symbolique, l'univers ne représentant plus alors qu'un monde déchu de toute transcendance, vidé de tout sacré, laissé irrémédiablement à lui-même. Ce paradoxe d'une technique à la fois dévalorisée et abandonnée à son propre développement a été bien perçu par P. Chaunu [PS] qui avance ainsi que la science et la technique occidentales modernes ne pouvaient naître que dans ce Moyen Âge chrétien, seule une conception de Dieu comme pure transcendance extérieure au monde (profane) pouvant précisément laisser toute latitude au champ technico-scientifique.

Bien des ouvrages intellectuels de l'époque illustrent eux aussi cette première position du monde médiéval à l'endroit de la technique. Souvent nourris de platonisme, ils ne s'intéressent en effet au monde sensible que pour y dévoiler ce qui y est indice d'un ordre totalement autre, intelligible et transcendant. La perspective de saint Augustin vise ainsi par exemple à retrouver l'essence des choses et à remonter, par là, jusqu'à l'universel divin auquel toutes participent. La mystique plotinienne était pour sa part, on le sait, en quête d'un au-delà des essences plus radical encore, l'*Un* y transcendant même le domaine des essences intelligibles. Dans les deux cas, le monde profane réel ne sert que de «tremplin» pour remonter à cet autre monde qui le transcende. Plus tard, saint Thomas lui-même, avec sa *cinquième preuve de l'existence de Dieu,* donnera à cette perspective une de ses plus éloquentes expressions. Selon le Docteur angélique, en effet, l'ordre profane des choses n'a d'intérêt que dans la mesure où, renvoyant de cause en cause, il oblige à passer ultimement à une cause d'un autre ordre, transcendante par rapport à toutes choses: Dieu lui-même.

Si dès lors l'essor des techniques profanes n'a pas été directement encouragé et valorisé par l'Église de cette première période du Moyen Âge, il reste qu'il n'a pas non plus été freiné, comme dans les civilisations antérieures, par le système de valeurs de l'institution et du dogme chrétiens. C'est d'ailleurs la différence, sociale et religieuse, qui distingue le christianisme et l'islam du Moyen Âge. Si ce dernier préconise en effet une conception de Dieu peut-être plus farouchement transcendante encore que celle du christianisme, sa diffusion massive — et par des véhicules bien différents de celui que fut le monachisme chrétien — l'a très rapidement amené à instaurer tout un réseau social qui, comme dans toutes les autres grandes civilisations, codait et contrôlait l'activité scientifique et technique. Est-il besoin de rappeler que du 7ᵉ au 11ᵉ siècle, les grandes bibliothèques musulmanes d'Alexandrie, d'Antioche et de Judyashabur, qui étaient d'importants centres de recherche intellectuelle, servaient en même temps, et probablement même en premier lieu, de centres de diffusion et d'adaptation de l'islam en plein essor aux mains des «théologiens philosophes», comme les appelle R. Rashed [ISE]. Dans une telle perspective, l'autonomisation du champ de la technique et de la science, indispensable selon R. Merton [STS] pour que ces disciplines puissent se développer sans contrôle, ne put s'opérer comme ce fut le cas dans l'Europe médiévale chrétienne. Déplaçant le champ du religieux et l'espace du sacré, l'Église occidentale laissait, elle, à toutes fins pratiques, libre cours au domaine de la technique profane. L'essor médiéval des techniques est ainsi lié à un déplacement de la sphère symbolique codant l'activité technique (cette sphère ne codant plus symboliquement les risques virtuels de la technique mais l'état profane actuel du monde technique), de même qu'à un glissement de sa fonction (qui est désormais d'inviter à une conversion spirituelle et non plus de limiter l'activité profane elle-même).

Le décodage progressif de la technique dans le sens d'une autonomie toujours plus grande de celle-ci aurait manifestement été impossible sans une telle séparation des plans. Le décodage des flux techniques se fait dès lors, en ce premier temps, sous le regard ultimement bienveillant d'une institution religieuse qui s'en sert pour affirmer la spécificité et la prééminence absolue de l'*autre monde* auquel elle seule peut donner accès. La technique apparaît ainsi, au pire, pourrait-on dire, sous les traits d'une *tentation* qui rappelle la profanité du monde, dont le véritable esprit religieux est invité à se détourner en vue de son salut.

Il faut pourtant se demander si, laissés à eux-mêmes, les flux techniques se déploient vraiment en toute liberté, sans aucun codage, ou si au contraire malgré cette apparente absence de codage, ne se dissimule pas en fait une *nouvelle* valorisation symbolique de la technique: un *nouveau* codage qui, paradoxalement, viendrait cette fois valoriser positivement la technique et même y déceler un moyen inédit du salut.

L'eschatologie sociale et la technique comme «moyens de la Providence»

Il serait en effet trop simple de réduire à ce qui vient d'en être rappelé la position de l'Église médiévale à l'égard de la technique. À l'époque du retrait monachiste va succéder, à partir des environs du premier millénaire, une *seconde période* qui sera celle d'une diffusion massive de la doctrine chrétienne. Le *christianisme des moines* y cède en quelque sorte le pas à une *chrétienté des clercs*. Loin, pour leur part, de se détourner du monde, ces derniers y tourneront au contraire résolument leur regard. L'intention se modifie: il s'agit maintenant (les travaux de J. Le Goff et de G. Duby l'ont bien mis en lumière) de christianiser cet Occident encore massivement païen. De manière plus précise encore, et selon une formule de Duby, il s'agit d'imprégner la vie sociale de l'ordre chrétien de façon que, progressivement, la société tout entière se transforme et fasse advenir le *Royaume de Dieu* sur terre. Cette vaste entreprise missionnaire qui caractérise le temps des clercs est en effet indissociable de la résurgence des attentes millénaristes, de l'espoir en un retour du Christ sur terre venant fonder un nouvel ordre du monde: le clerc doit, dans cette perspective, montrer à la société la voie que celle-ci doit emprunter. Il doit orienter la société vers la perfection qui, en quelque sorte, et à plus ou moins long terme, la transfigurera elle-même en Royaume de Dieu.

Ce sont ces espoirs millénaristes, aussi bien d'ailleurs que les terreurs malgré tout associées à la proximité de cette «fin d'un monde» (notamment aux alentours de l'an mille), qui expliquent vraisemblablement en bonne partie l'expansion populaire du christianisme. De même, par exemple, que la religion de l'Inde, intégrant les valeurs du renoncement d'une poignée d'ascètes à un mouvement plus vaste, ouvrait aux masses l'accès à la délivrance, de même le christianisme parvint à se vulgariser, à toucher les masses dans la mesure où il se mit à élargir la voie royale du salut qui s'était jusque-là plutôt restreinte à l'étroit et âpre sentier de la vie monastique. Mais il ne se diffusa ainsi que dans la mesure où il s'imprégna de tous les courants millénaristes et apocalyptiques dont on ne saurait trop rappeler l'importance; dans la mesure également où il devint un facteur d'intégration sociale intervenant dans le déroulement des affaires de ce monde d'*ici-bas* — ce qui ne fut jamais le cas en Inde où les valeurs «anti-sociales» du renoncement demeurèrent toujours vivaces.

Cette Église qui avait pendant des siècles invité à trouver le salut hors du monde s'assigne désormais un nouveau but grandiose: celui de faire advenir sur terre la Jérusalem céleste, la nouvelle Cité de Dieu. Il importe de s'arrêter à cette transition d'un christianisme monacal à une chrétienté de clercs et, de manière plus précise, à cette jonction entre la doctrine chrétienne du salut et ce qu'on pourrait appeler la nouvelle perspective d'un salut social.

On peut constater des indices de cette jonction dès le pontificat de Grégoire VII (1073-1085). Cette époque, on le sait, est celle qui vient tout juste de vivre la «Grand Peur de l'An Mille». L'Europe de ce tournant du millénaire fut balayée par un vent de terreurs associées à la proximité appréhendée de la fin du monde. Si toute une littérature apocalyptique refait surface à l'époque, en témoignant avec éloquence d'une indéniable terreur, celle-ci n'en manifeste pas moins un immense espoir: celui d'une imminente parousie, c'est-à-dire d'un retour glorieux du Christ et de l'instauration de sa royauté sur le monde. Ambivalence donc: s'«il faut que ces — terribles — choses arrivent d'abord», comme le prédisait l'*Apocalypse* de saint Jean, il reste que ce temps de cataclysmes et d'épouvantables épreuves fonde l'espoir d'un nouveau *millenium* dont ils sont les signes avant-coureurs: mille années de paix également prédites par l'ancienne *Révélation* johannique, mille ans au cours desquels le mal sera enchaîné par la victoire du Christ-Roi.

Dans ce contexte, l'attente du Royaume de Dieu prend alors un sens tout à fait nouveau: non plus attente purement spirituelle, de l'ordre d'une pure transcendance extra-mondaine, mais bien espoir concret de transformations visibles et tangibles ici-bas. La Jérusalem céleste apparaît vraiment comme le modèle exemplaire d'une société réconciliée avec son Dieu et avec elle-même, d'une Cité nouvelle qui s'instaure dans l'espace terrestre d'une ville désormais sanctifiée. Transition à maints égards déterminante: le paganisme, comme en témoigne d'ailleurs la stricte étymologie du terme, prenait racine à la campagne, dans le terroir paysan (*paganus*). La Chrétienté naît de l'explosion démographique urbaine du Moyen Âge que sa doctrine de la nouvelle Ville sainte tout à la fois reflète et nourrit.

*

Terreur apocalyptique de la fin d'un monde, espoir millénariste de la parousie, modèle exemplaire de la Jérusalem céleste: au tournant du second millénaire de notre ère, ces trois éléments se conjuguent et se fondent pour occuper le devant de la nouvelle scène symbolique. Le nouveau schème qui articule ces trois dimensions est celui d'une *eschatologie du progrès social*. Il s'agit désormais, en vertu de ce nouveau schème, de viser la transformation d'une société profane et séculière en une société répondant aux principes divins et réalisant peu à peu par là même le nouvel ordre de la Jérusalem céleste. Seul un véritable «progrès social», où les avancées de la justice répareront graduellement les anciennes iniquités, pourra instaurer ce *nouvel âge* et, en préparant la terre pour l'avènement de la parousie, permettre d'échapper aux cataclysmes terrifiants d'une apocalypse uniquement destructrice.

Ce nouveau complexe de croyances (qui renvoient désormais les unes aux autres) entraîne toute une nouvelle perception du monde et de sa configuration. L'espace social et urbain concret s'inscrit en effet de plus en plus comme le nouvel espace du salut. Anselme de

Laon, au 11ᵉ siècle, dans sa relecture de l'*Apocalypse* johannique, montre ainsi que dans la nouvelle Cité, les différences de race et de classe disparaîtront pour laisser place à une égalité parfaite. Le chroniqueur bourguignon Raoul Glaber (c. 985-1050) sera le premier à articuler systématiquement ce nouveau schème à l'ensemble du champ social. La «Cité idéale» que décrit son *Histoire de la France et de la Bourgogne* n'est plus la cité céleste augustinienne, édifiée par une poignée d'élus, et toujours d'un autre ordre que la cité terrestre. Glaber se montre au contraire attentif aux moindres indices, aux plus petits signes qui, dans l'histoire, révèlent la lente mais indéniable gestation terrestre de la Cité nouvelle. Il insiste bien entendu sur le rôle capital de l'Église dans cette mystérieuse économie de la transmutation sociale; d'une Église qui, notamment en séparant l'ivraie du bon grain, assure la marche de cette progression, de ce progrès. C'est chez Glaber en fait que l'on constate le premier glissement de la notion de *progression spirituelle individuelle* à celle de *progrès social collectif.* Car — et il est important de le souligner — cette nouvelle Jérusalem s'y manifeste non seulement sous un aspect terrestre, mais elle s'édifie en outre en faveur du peuple propulsé à l'avant-scène de l'histoire, c'est-à-dire avant même les rois, les nobles et les chevaliers. Ce qui naît en effet également de ce bouillonnement du tournant de l'an mille, c'est bien une sorte de messianisme social qui non seulement permettra au christianisme de s'imposer vraiment comme religion populaire, mais qui contient également en germe nombre de mouvements sociaux de protestation et de révoltes populaires.

Le christianisme des clercs s'adresse certes à tout le monde mais en particulier à une population urbaine de plus en plus importante. À ceux qui n'ont pas encore accès à la ville, et qui vivotent souvent à ses portes dans l'espoir de pouvoir y pénétrer un jour, il promet une nouvelle forme d'organisation sociale appelée à faire disparaître la misère et l'injustice. C'est d'ailleurs ce qui explique plusieurs de ces révoltes de miséreux, de ces jacqueries qui ne cesseront de soulever l'Europe médiévale (jusqu'à cette célèbre Guerre des Paysans dirigée par Thomas Müntzer, au temps de la Réforme) et qui s'articuleront toujours à ces aspirations religieuses «détournées», si l'on peut dire, vers le champ social, mises en branle, comme le note Duby (*Les trois ordres ou l'imaginaire de la féodalité*), par les représentations d'une religiosité millénariste, par une éducation progressive qui accompagnera lentement la vulgarisation du christianisme ainsi que par par la prédication des «prêtres-mendiants».

*

Il faut se demander en quoi le nouvel univers symbolique ainsi mis en place va influer sur la problématique médiévale de la technique. Un bref aperçu de l'histoire et de l'archéologie de ce schème symbolique devrait être éclairant à cet égard et permettre de voir comment, glissant insensiblement d'une attitude passive et d'un salut purement transcendant à une mobilisation active invitant à intervenir pour que ce salut se produise ici-bas de manière imminente, ce schème symbolique vient à recouvrir et à réintégrer le champ technique, lui-même revalorisé.

Le rôle eschatologique de la technique

La première expression du schème qui vient d'être dégagé se traduit par une attente essentiellement passive — quiétiste, pourrait-on dire — d'une parousie qui devrait survenir d'elle-même aux alentours du crucial an mille. À mille ans de distance, cette attitude reproduit au fond celles des premières communautés chrétiennes qui, comptant sur l'imminence du retour glorieux du Christ, se retiraient impatiemment du monde en attendant la parousie. Cette manifestaton glorieuse et grandiose tardant apparemment à se produire, naît peu à peu l'idée qu'une régénérescence morale est indispensable à son avènement.

Les moines de l'ordre de Cluny seront les premiers, au Moyen Âge, à exprimer leur espérance dans un contexte de ce genre. Il s'agit

155

pour eux de faire naître une société de purs dont leurs monastères constituent en quelque sorte à la fois les phares et l'avant-garde. Épris d'un même désir de régénération morale, mais dans une perspective en un sens moins élitiste que celle de l'ordre clunisien, le mouvement des Croisades voudra pour sa part contribuer à l'édification du monde nouveau en chassant de la Terre Sainte ces «infidèles» dont la seule présence retarde l'avènement de la parousie... Ici encore, à travers un mouvement très majoritairement laïc, issu largement des couches les plus humbles de la population, transparaît le schème d'eschatologie sociale. Ce qu'on attend des croisades, ce n'est rien moins que de hâter l'avènement du royaume parousiaque, l'instauration définitive de la nouvelle Jérusalem.

Et pourtant, cette parousie ne semble toujours pas à la veille de se produire. À la longue, en fait, tout se passe comme si l'eschatologie sociale devenait en quelque sorte *flottante*, comme débranchée de la réalisation de ses attentes et de ses promesses. Il semble en effet difficile qu'elle puisse se contenter de prôner une attente relativement passive, qui ne transforme rien, ou de projeter uniquement sur des boucs-émissaires extérieurs la responsabilité du retard de la parousie. L'eschatologie sociale ne va pas pour autant disparaître. Se repliant en quelque sorte à l'intérieur de ses frontières, cette idéologie va en fait être l'objet d'une sorte d'intériorisation du schème eschatologique d'une part, et, d'autre part, d'un déplacement de ses moyens de salut en direction du travail et de la technique. De plus en plus, c'est la société concrète qu'il s'agira désormais de transformer, dans le but de la contraindre aux desseins de l'ordre divin. Duby (*Hommes et structures au Moyen Âge*) le fait bien voir: dès le 11ᵉ siècle, les nouveaux modèles «socio-pastoraux» proposés par l'Église insistent sur la nécessité d'une transformation de l'ordre social concret. Et, pour cela, ce n'est plus le recours aux armes contre les Infidèles qui comptera, mais le travail et la technique qui doivent permettre de provoquer cette mutation.

Ici encore, dans une telle évolution, il semble que le christianisme ne fasse que rejouer son histoire sacrée. Car, de la même manière que le Royaume de Dieu annoncé par le Christ s'est peu à peu intériorisé et projeté dans un avenir vers lequel on ne pouvait que tendre progressivement, de même, la société idéale tant attendue et désirée ne pourra s'édifier que de manière graduelle, à travers une réorganisation du champ social où la technique jouera un rôle important: elle offrira en effet la preuve concrète qu'on est sur la bonne voie, elle donnera le signe tangible d'un progrès. Dès ce moment, commence à se former, par laïcisation de l'idée de la «voie spirituelle» dans laquelle on évolue et par son objectivation sur des objets techniques concrets, le second glissement, qui conduit à penser que l'histoire technique est signe de progrès, signe de la marche du peuple élu vers son idéal. Si ce peuple se voit désormais promettre une cité où il sera plus heureux, c'est notamment grâce au progrès matériel généré par la technique. Un moment flottant, décroché de ses promesses qui tardaient, le schème eschatologique en vient ainsi à s'ancrer dans l'univers matériel profane et technique devenu vecteur d'une nouvelle temporalité historique orientée vers un «mieux-être», désormais signe et promesse d'un avenir radieux...

L'attitude de l'Église à l'égard de la technique s'en trouvera bien évidemment modifiée. C'est à une société de plus en plus urbaine, de plus en plus technicisée que s'adresse en effet, par sa voix, le message chrétien. M. Daumas [OCT] le souligne avec à propos: l'univers technique qui se déploie dans l'espace urbain du Moyen Âge, lors même qu'il sécrète une nouvelle et complexe division du travail, suscite en même temps un nouvel espoir populaire en la possibilité d'un changement dans le sens du mieux-être. Techniques et villes, les unes et les autres d'ailleurs étroitement liées, deviennent en quelque sorte le nouveau pôle d'attraction: délaissant leurs campagnes, nombreux sont les paysans qui se massent au pourtour des villes, avec l'espoir de s'y installer et d'y travailler à l'amélioration de leur condition. Le savoir-faire technique des divers métiers qui ont pignon sur les rues de la ville devient la clé magique de la réussite et de la fortune. La ville et la technique qui y est en plein essor déploient le contour d'un nouvel espace de l'imaginaire, d'un nouveau lieu du salut — et du sacré.

Revalorisation du travail

L'Église de la Chrétienté urbanisée doit assurément modifier son regard. Le hautain mépris monastique pour le monde de la matière et de la technique semble appartenir à un âge révolu. Le «siècle» peut — et doit — désormais devenir le lieu d'un progrès qui annonce et signifie *déjà* la Jérusalem nouvelle *encore à venir*. S'il doit contribuer à régénérer la société en ce sens, le travail ne pourra bien sûr plus se réduire à n'être que le lancinant rappel de la chute primordiale et de ses douloureuses conséquences. Il acquiert au contraire une vertu éminemment positive. Par son travail, chacun apporte sa pierre à l'édification de la Cité nouvelle. Un nouveau système de valeurs se met ainsi en place: il valorisera très exactement une attitude créatrice technicienne grâce à laquelle l'humanité pourra peu à peu maîtriser la nature en fonction d'un plan divin, et non plus se contenter de jouer avec elle, d'en déjouer la dangereuse puissance. G. Duby l'exprime fort bien: l'homme du Moyen Âge découvre qu'il «est capable de maîtriser la nature, de la forcer à rendre davantage et, rectifiant les cours d'eau, équilibrant le cycle des assolements, gouvernant le parcours des troupeaux, de contribuer par la force de ses bras et de sa raison à dissiper un peu de ce désordre qui s'est infiltré dans la création. Tandis que, dans le système de valeurs, toujours plus de prix était reconnu à l'*operatio*, à l'effort déployé pour faire fructifier le jardin d'Eden, tandis que l'attention des intellectuels se tournait lentement vers la nature des choses, vers la physique, l'idée prenait corps que le royaume est peut-être bien aussi de ce monde. Ce qui signifiait sortir du monde du rêve, repousser plus franchement les tentations de l'angélisme, ne plus se satisfaire des analogies, des symboles. Ouvrir les yeux, s'apercevoir que l'homme est l'ouvrier de Dieu, que procréer, que travailler de ses mains est moins dégradant qu'on ne l'a dit naguère. Irrésistiblement (...) se [haussa] imperceptiblement dans la hiérarchie des fonctions sociales la fonction des travailleurs» (*Les trois ordres ou l'imaginaire du féodalisme*, p. 258).

L'Église, bien des indices en témoignent, va contribuer elle aussi à cette revalorisation du travail et de la technique en y lisant justement le signe de ce progrès eschatologique vers lequel tend l'ensemble de la société. Elle le fera plus précisément en revalorisant notamment le statut des travailleurs jusque-là relégués bien humblement au monde profane, cette «vallée de larmes» et de sueur creusée par la désobéissance d'Adam et Ève. Les *Vies exemplaires* proposées par les prédicateurs à l'édification des fidèles accueilleront désormais, parmi les moines, les princes et les chevaliers chrétiens, des exemples d'artisans édifiants et de vertueux marchands. Les arts et métiers entrent dans l'hagiographie. La technique monte sur les autels. Homebon, drapier à Crémone, est canonisé en 1199. Dans un prêche de 1291, Visanti, archevêque de Pise, loue François d'Assise d'avoir été marchand... Tous ces «exemples» insistent sur la même «vérité»: le travail même le plus technique peut être à la source d'une existence sanctifiée, d'une vie sainte. Métiers et techniques peuvent être resacralisés, précise R. Fossier [MA], dès lors qu'ils répondent à une «éthique professionnelle» ancrée dans les valeurs chrétiennes.

Contrairement à ce qui avait été le cas dans la Grèce de l'âge classique, cette amorce de resacralisation du travail et de la technique donnera ainsi naissance à de nombreuses confréries de métier dotées d'un double structure, profane et technique d'une part, initiatique et sacrée d'autre part. Sans doute cette resacralisation débordera-t-elle même, à l'occasion, la revalorisation du travail promue par l'Église. Mais elle n'en est pas moins le signe d'une nouvelle attitude positive de l'Église à l'égard de la technique. Pour l'Église, en effet, le caractère religieux et sacré d'un métier tient assurément moins à son «contenu» qu'à l'état d'esprit dans lequel on l'exerce et qui permet en ce sens de se livrer à n'importe quelle technique du moment qu'on le fait «en chrétien». *Communia non communiter...* La tâche des clercs est à cet égard, note Duby, «de conduire les laïcs vers le bien (...) en répandant parmi eux la sacralité de toute part, jusque sur le champ de batailles, jusque dans les tanières de faubourgs (...) Car le champ de lutte s'était déplacé: ce n'était plus le cosmos (...) Le fort de la lutte, forme nouvelle de l'*opus Dei*, du travail pour Dieu, s'établissait désormais à l'intérieur de ce microcosme qu'est chaque homme: défricher, éclaircir, chasser le démon de ses repaires (...) — tout ce que faisait concrètement, aux marges de la clairière cistercienne, le labeur des convers, ramenant à la droiture, ordonnant» [TOI, p. 285-286].

On comprend qu'ainsi investie d'une nouvelle symbolique, devenue signe et preuve d'un ordre nouveau édifié par l'humanité à la gloire de Dieu, la technique ait été, dans cette seconde période du Moyen Âge, largement adoptée et encouragée par de nombreux ordres religieux et en particulier celui de Cîteaux.

Promotion des techniques: la contribution de Cîteaux

À l'encontre de l'ordre de Cluny, souvent jugé «trop riche», mais également à l'encontre de tout le monachisme de la fuite du monde, l'ordre cistercien, au nom de la pauvreté et de l'imitation du Christ pauvre, sera en effet le premier à préconiser le retour au travail à la fois agricole et manuel (dont la communauté entendra d'ailleurs tirer son autosubsistance).

Mais il faut sans doute parler ici de bien plus que d'une simple revalorisation du travail et de la technique. C'est en fait d'une véritable révolution qu'il s'agit. À la fois fortement centralisé et ramifié dans toute l'Europe, l'ordre de Cîteaux jouera en effet un rôle absolument capital dans l'évolution, la transmission et la diffusion des techniques aussi bien que de leur nouvelle utilisation largement rationalisée. C'est aux moines cisterciens, comme le rappelle notamment M. Daumas [OCT], que l'Europe doit l'implantation des nouvelles techniques de construction en ogives, celle de la brique percée, la diffusion de la technique d'assolement triennal (les monastères cisterciens — on songe entre autres à ceux de La Ferté, de Clairvaux, de Sénanque ou du Thoronet — jouant, on le sait, le rôle de fermes modèles et expérimentales), de même que le développement des premières techniques «industrielles». On pense ainsi, par exemple, à ces bergeries très fonctionnelles des fermes cisterciennes qui inaugurèrent ce qu'il faut bien appeler les premiers élevages intensifs du mouton. L'obligation que s'était imposée l'ordre de subvenir à tous ses besoins l'amena par ailleurs à imaginer les premières «usines» — en concentrant par exemple en un même lieu de ses domaines toutes les techniques de transformation et de fabrication des premières nécessités. C'est ainsi que moulins à blé, forges, tanneries, foulons, granges, écuries, colombiers se trouvent physiquement réunis en un ensemble technique qui, pour la première fois de manière aussi manifeste, isole en quelque sorte cette fonction technique et lui donne, à part, sa spécificité.

Toujours installés en des endroits techniquement stratégiques (aux abords des cours d'eau, par exemple, plutôt qu'au sommet — ascétique et mystique, sans doute, mais bien peu fonctionnel — des montagnes), l'ordre cistercien fera, pendant tout le Moyen Âge, office de «creuset» du développement et du perfectionnement des techniques. La préoccupation cistercienne sera sans nul doute de parachever sur terre la création divine, et d'en rectifier les parcours viciés par le péché. Les abbayes de l'ordre n'en joueront pas moins, sur un autre plan, le rôle de véritables centres de perfectionnement et de diffusion de toutes les techniques à travers l'Europe médiévale. La technique était ainsi, pour la première fois, entérinée comme l'une des activités permettant de corriger la nature marquée par le péché et de viser le salut — et se trouvait en ce sens réintégrée dans le nouveau schème d'eschatologie sociale.

Une nouvelle curiosité «scientifique»

Revalorisation axiologique du travail, promotion exemplaire des techniques: ce changement d'attitude de la société médiévale à l'égard de la technique se fera sentir dans tous les domaines de la société, amenant enfin, comme troisième élément, un nouvel état d'esprit empreint de curiosité à l'endroit de la nature aussi bien qu'à celui des mécanismes mêmes de la technique.

La réflexion théorique de l'époque, en effet, ne se contente plus d'interroger le monde sensible en y cherchant uniquement les signes d'une invisible transcendance, les analogies du divin qui s'y laisseraient déchiffrer. Elle s'intéresse de plus en plus à cette nature sous l'angle des lois qui y sont inscrites et qui peuvent dès lors en être dégagées. Si Dieu a créé le monde selon un ordre admirable et immuable, s'il laisse à l'humanité la tâche de parachever — et de corriger au besoin — sa création, il convient assurément de découvrir les lois qu'y a inscrites sa divine Providence. Il n'y a plus lieu de mépriser la nature mais bien plutôt de la dominer, de la réformer et de la parfaire en vue d'y faire germer la Jérusalem nouvelle. Pour cela, il devient prioritaire de tenter de la comprendre à travers les lois qui la structurent. Comme le signale encore Duby [TOI, p. 292-293], «le projet de ramener, par une nouvelle disposition des pouvoirs et des rôles, la société terrestre à la perfection du dessein de Dieu» aura comme conséquence «le développement de la recherche dans les écoles cathédrales»; et cette recherche mènera de plus en plus vers une *science* et non plus seulement vers une *idéologie* de la société. C'est bel et bien tout un nouveau courant de pensée qui, avec Roger Bacon, Guillaume d'Occam, Duns Scot, pour ne citer que les plus célèbres, commence à s'intéresser à la nature d'une nouvelle manière, en cherchant non plus les «essences» mais les principes de fonctionnement quasi mécaniques et purement profanes qui expliquent la nature grâce aux «lois» que Dieu y a inscrites. Nouvelle conception qui, on y reviendra, allait donner naissance à un nouveau paradigme de pensée, celui-là même de la science hypothéticodéductive telle que nous la connaissons aujourd'hui.

La mutation du regard qui invite désormais à s'intéresser toujours plus au monde profane et à la technique est d'autant plus formidable qu'elle s'est faite, quand on y pense, d'une manière fort peu spectaculaire, presque insensiblement. Mais une question surgit alors: comment intégrer cette nouvelle symbolique de resacralisation de la technique (qui voit dans celle-ci un moyen dont se sert la Providence pour accélérer la réalisation de la Cité nouvelle) et la première symbolique repérée à l'aube du Moyen Âge qui, voyant pour sa part la technique comme une tentation néfaste, invitait plutôt à fuir l'espace profane où cette technique se déploie et à privilégier l'ordre d'un salut transcendant? Et une autre: si la technique est ainsi valorisée par un nouveau codage symbolique qui en fait un instrument de réalisation de l'eschatologie promise, est-il néanmoins certain que cette technique «réponde» toujours parfaitement à cet ordre, à cette mission qui lui est confiée et reconnue? Cette technique, en d'autres termes, est-elle toujours «sur la bonne voie» — celle que l'Église conserve la responsabilité de discerner et d'indiquer —, ou ne risque-t-on pas de voir, parfois, s'y glisser l'ombre inquiétante du Malin qui vient brouiller les desseins de la Providence et tente de dévoyer tous les projets humains?

Les limites du décodage
et la ruse satanique

L'Église des clercs va faire du christianisme une religion populaire, d'une part grâce à l'articulation de son message de salut à une perspective eschatologique et millénariste, d'autre part grâce à la projection de cette perspective sur le monde et la société où se construit lentement la nouvelle Cité sainte. C'est dans un tel contexte, on l'a vu, qu'il y a lieu d'interpréter la contribution de la Chrétienté médiévale à l'essor technique, à la fois au plan axiologique (notamment par la réhabilitation du travail, des métiers), au plan stratégique (en particulier grâce au rôle moteur d'ordres monastiques comme celui de Cîteaux) et au plan épistémologique (dans la mesure par exemple où croît l'intérêt pour une nouvelle approche de la nature). La technique est intégrée, en ce sens, dans le schème d'eschatologie sociale en devenant, avec le travail, l'un des moyens privilégiés qui doivent permettre de faire advenir cette eschatologie.

Il faut néanmoins garder à l'esprit que cet essor de la technique, quelque favorable que soit l'Église médiévale à son égard, demeure sujet à une sorte de contrôle de l'institution ecclésiastique dans la mesure où, encore une fois, on le conçoit comme étant au service de l'édification du Royaume et non d'une cité terrestre purement humaine et profane. Or il arrive que l'évolution de la réalité urbaine aussi bien que celle du monde technique semblent précisément s'éloigner de ce «droit chemin». L'Église réagit alors violemment, ne se gênant pas pour fustiger la technique et la ville, «lieux de perdition», symboles et résumés par excellence de cet *infelix ternarius*, selon Jacques de Vitry (*Historia orientalis seu Hierosolymitana*, 1225), de ce «tiercé du malheur» constitué par l'orgueil, la cupidité et la luxure.

On ne s'étonnera sans doute pas de constater que, lorsqu'une telle réaction se manifeste, resurgit la symbolique négative que l'Église du haut Moyen Âge avait déjà précisément associée à la technique. Le schéma tri-fonctionnel qui hiérarchise la société en trois «états» — celui des clercs, celui des rois et de la noblesse guerrière, celui, enfin, des travailleurs — est alors mis à contribution, mais pour disqualifier, cette fois, l'activité technicienne et commerçante. Humbert de Romans, au 13ᵉ siècle, rappelle ainsi fort sentencieusement que le violence et le goût du lucre qui dominent soldats, bourgeois et artisans corrompent «par essence» l'activité de ceux-ci...

Dans l'imaginaire collectif qui se véhicule alors dans l'Église, un nouvel interdit émerge, qui englobera la violence, l'argent et la chair dans la même condamnation de la ville et du milieu technique, «occasions prochaines» et dangereuses de péché. Là où l'on voyait poindre l'espoir d'une nouvelle Jérusalem se profile également, de plus en plus inquiétant, le spectre de l'antique Babylone, tout à la fois arrogante rebelle et séduisante putain. Perpétuel refoulé de la conscience chrétienne, l'ombre redoutable de ce Malin — «qui parcourt le monde pour la perte des âmes» — vient de nouveau hanter le projet divin de la société nouvelle.

Asymétrie étonnante et intéressante: ce contrôle ecclésiastique de l'activité technique n'aura pas la même rigueur que celui qui commencera aussi à s'exercer, à la même époque, sur les premiers pas de la science expérimentale naissante. Il semble que ce soit cette dernière, bien plus que l'activité proprement technique elle-même, qui ait finalement incarné, aux yeux de l'Église médiévale, la tentation la plus vertigineuse. Car si, de fait, c'est bien dans l'Église que naît, entre le 10ᵉ et le 12ᵉ siècle, cet esprit à la fois curieux et analytique qui inspirera la «science nouvelle», une forte méfiance à l'endroit de ce «nouvel esprit scientifique» commence à poindre dès le 13ᵉ siècle, annonçant déjà les grands procès de tant de savants dont les découvertes paraîtront contredire le dogme chrétien. C'est dès cette époque que se campe, pourrait-on dire, le paysage de ce «duel» de l'Occident qui opposera pendant si longtemps savants et clercs, les uns et les autres prétendant au même dévoilement absolu de la vérité.

Analysant cette période, Étienne Gilson (*La philosophie au Moyen Âge,* II) souligne ce que ce retour de la méfiance doit en particulier au «coup de tonnerre» que fera résonner dans le ciel serein du Moyen Âge la découverte des manuscrits arabes d'Aristote. À l'encontre de l'optimisme du 11ᵉ siècle, en effet, pour qui *foi* et *raison* ne pouvaient qu'aller indissociablement de pair, la (re)découverte des écrits du Stagirite *par le biais de la civilisation arabo-musulmane* accule à une troublante et vertigineuse constatation: la Raison, si remarquablement incarnée par le Philosophe, semblait scandaleusement faire aussi bon ménage avec la théologie infidèle qu'avec le dogme chrétien... Du coup, c'est la confiance spontanément accordée à la raison par la Chrétienté médiévale qui se trouve sérieusement ébranlée.c'est pourquoi l'activité scientifique en sera plus touchée que l'activité proprement technicienne, jugée pour sa part moins dangereuse. Étrange paradoxe, assurément, dans la mesure où la technique s'appuie sur un fond de connaissances scientifiques qu'elle contribue en retour à enrichir, et surtout sans doute dans la mesure où cette science, on le sait, finira par acquérir une fonction essentiellement ancillaire, au service du développement des techniques. Moins méfiante envers celles-ci qu'envers celle-là, l'Église médiévale contribuera ainsi sans s'en douter à la «victoire» du système technico-scientifique qui se met alors lentement en place, confondant le serviteur (la science) et le maître futur (la technique). (Le paradoxe est encore plus frappant si l'on considère, avec Heidegger (*La question de la technique*), que la science fut, dès l'origine, en fait soumise à la technique, révélant par là-même son essence technicienne...)

L'attitude d'extrême prudence de l'Église à l'endroit de la science est à la fois caractéristique et significative. La science devient en effet le nouveau lieu par excellence du danger, et par là même le nouvel espace — sacré — de la transgression. En cherchant à connaître les ultimes lois cachées dans la nature, l'homme court non seulement le plus grand danger (celui d'*errer*, comme les Infidèles), mais il transgresse en outre l'interdit biblique de manger à l'*Arbre de la connaissance*. Nous nous retrouvons bien sûr ici aux antipodes de la Grèce classique qui, on s'en souviendra, valorisait et sacralisait la science au détriment, si l'on peut dire, d'une technique confinée pour sa part au plus humble registre du profane. Ce renversement des rôles attribués à la science et à la technique renvoie lui-même en fait à un renversement de paradigme symbolique — auquel il convient de s'arrêter.

La double modalité symbolique de la technique médiévale

Les pages qui précèdent ont tenté de dégager les trois attitudes adoptées par l'Église et la Chrétienté médiévales à l'égard de la technique. Ces trois positions (indifférence dévalorisante, encouragement, contrôle et dénonciation de ses tendances néfastes) ont l'intérêt d'avoir été formulées de manière en quelque sorte successive, diachronique, et de permettre ainsi de repérer des strates historiques relativement homogènes et distinctes. Il importe cependant d'ajouter que toutes ces attitudes ont aussi de quelque manière coexisté à chacune des époques, selon des accentuations et des concentrations variables, dont la résultante dessine précisément, chaque fois, une tendance particulière du nouveau modèle symbolique qui code la technique médiévale.

Ainsi, et tout d'abord, il est significatif que chacune de ces périodes procède à un décodage des techniques qui a pour effet de laisser celles-ci se développer de manière relativement autonome. Qu'il s'agisse de la première tendance, où l'affirmation de la transcendance renvoie la technique au pur profane, de la seconde, qui valorise au contraire celle-ci dans une perspective d'eschatologie sociale, ou même de la dernière, où le contrôle critique se fera surtout au détriment de la science, il ne semble pas en effet que la technique ait été fortement contrainte par l'institution ecclésiastique. Et ce, faut-il le préciser, même aux heures les plus répressives du Moyen Âge. Si nombreux en effet qu'aient pu être les savants victimes des foudres de l'Inquisition, aucun «inventeur» ou «technicien» ne paraît avoir nourri les flammes de ses bûchers...

Il s'agit là d'une première indication précieuse: elle aide en effet à comprendre comment il se fait que l'ensemble technique, bloqué par les systèmes symboliques d'autres civilisations contemporaines, ait continué de progresser, aussi bien quantitativement que qualitativement, dans la civilisation chrétienne de l'Europe médiévale. Force est en ce sens de reconnaître que le système symbolique chrétien, en permettant aux flux techniques de se développer sans contrainte extrême, favorisait ultimement le décodage de ces flux, c'est-à-dire, en d'autres termes, la possibilité même de leur essor purement profane et instrumental. Un tel décodage ne doit certes pas être compris comme signifiant l'absence de tout univers symbolique. La technique médiévale baigne au contraire de toutes parts dans le symbole. Se transforme en revanche le lien et le type d'ancrage de cet univers symbolique. Qu'il soit en effet ancré dans l'ailleurs d'une transcendance ou qu'il soit au contraire directement investi «dans» la technique elle-même (sous son aspect salvifique aussi bien que sous son aspect maléfique), cet univers symbolique, en tout état de cause, ne s'inscrit désormais plus dans la distance et l'écart de jadis entre la technique et le monde naturel. Il n'a plus pour fonction, comme chez les Grecs, de maintenir ouvert l'interstice au sein duquel la technique pouvait ruser avec la nature sans cependant aller jusqu'à prétendre la maîtriser.

Cela s'explique: la symbolique religieuse de la transcendance, en régime chrétien, a définitivement et absolument séparé les deux ordres de la nature et du divin qui appartiennent donc désormais à des registres ontologiques totalement différents. Le divin n'étant plus «dans» la nature mais bien plutôt dans la transcendance, la technique ne se bute dès lors plus à quelque interdit qui l'empêcherait de réorganiser l'ordre du monde. Le système symbolique assume désormais une «fonction» différente: non plus limitation, mais, plutôt, inspiration et vocation. Il doit en effet insuffler à la technique un *sens* qui la fera servir les desseins de Dieu.

*

Ce nouveau lieu dans lequel s'ancre le système symbolique médiéval implique bien sûr un nouveau référent. La technique ne renvoie plus à la nature — et au respect dû à une nature *divine* — mais bien à l'*être humain* lui-même et à la finalité de ses actions. Dès le Moyen Âge, la technique tend ainsi à s'anthropomorphiser ou plus exactement peut-être à s'anthropocentrer, oubliant ce faisant la dimension «autre» qu'humaine qu'avaient profondément ressentie par exemple les civilisations primitives de l'humanité. (On a d'ailleurs vraisemblablement là la source de cet «humanisme technique» dont notre propre civilisation demeure encore largement tributaire, et qui ne problématise jamais la technique qu'en fonction de la mythique «liberté de choix» de l'homme à son endroit...) L'être humain remplace ainsi la nature comme référent ultime de la technique. L'enjeu de cette dernière tend dès lors à se confondre avec celui de l'homme: la technique peut être source de salut comme elle peut être source de perdition, occasion de chute dans le monde purement profane (c'est-à-dire coupé de toute transcendance divine et vitale) ou au contraire moyen d'œuvrer à l'avancement, sur terre, de la Cité divine.

La technique, on le voit, est en ce sens bien loin d'échapper au registre du symbole, à l'économie du sacré. Elle est au contraire surinvestie de dimensions symboliques et spirituelles. Non seulement est-elle laissée libre de se déployer, mais, à travers ce déploiement, c'est désormais l'être humain qui joue librement son destin, pour son salut ou pour sa perte. La technique devient ainsi la lice d'un nouveau combat où l'humanité, appelée par Dieu à parachever l'œuvre créatrice, peut néanmoins se dérober à la tâche et céder de nouveau à la désobéissance d'Adam et Ève.

*

Telle est la nouvelle symbolique qui code désormais la technique à partir du destin de l'homme: outil et signe de progrès, celle-ci préfigure et prépare la manifestation de la parousie et l'avènement millénariste de la Jérusalem nouvelle. Une telle eschatologisation — et c'est crucial — semble bel et bien avoir pour effet de commencer à resacraliser la technique, de la faire dramatiquement passer du côté d'un sacré de respect de l'ordre du monde à instaurer. Tel paraît bien être l'autre changement fondamental qui se produit alors, sur le mode de l'inversion radicale, au sein de l'univers symbolique de la technique: celle-ci, jadis et si longtemps lovée au pôle transgressif et menaçant du sacré, bascule dans l'attraction du pôle inverse. Elle devient instrument de la construction de l'ordre à venir, d'un ordre divin et sacré, à l'élaboration duquel l'humanité est invitée à participer en parachevant l'œuvre divine de la création naturelle.

La ruse ontologique

Ambivalence, pourtant: si la technique se présente bien comme la possibilité offerte à l'humanité de réaliser sur terre un royaume de justice et d'égalité, comme instrument resacralisé d'une eschatologie sociale, elle n'en demeure pas moins sujette au vertige de la tentation: l'ouvrier peut se rebeller, séduit par le Malin qui rôde. Il peut se dévoyer lui-même en détournant l'outil de sa fin... Prise dans cette dramatique, la Chrétienté médiévale enclôt en fait la technique dans un nouveau paradigme symbolique de la ruse. Ruse non plus «ludique», comme chez les Grecs, mais bien plutôt dramatique et *ontologique*, mettant en jeu le destin même de l'être. Il s'agit bien d'une ruse, puisque la technique apparaît, dans un monde où tout a été créé, comme un élément laissant à l'homme la possibilité de déployer sa créativité et, partant, de changer son mode ontologique en le faisant évoluer — ou involuer. Autant la technique peut contribuer à l'avènement du Royaume et, par là, au salut de l'humanité, autant elle peut signer sa perte. Dans un cas comme dans l'autre, elle est cela même qui permet de créer un monde *autre*, c'est-à-dire autre que le monde profane et en quelque sorte inachevé de la nature. Ruse ontologique où, à travers une activité en apparence purement profane, l'humanité joue néanmoins son destin et, à travers lui, celui du monde.

On doit bien sûr remarquer que, de ce point de vue, la technique relève totalement d'une conception chrétienne qui pose l'être comme ce qui n'existe encore que virtuellement en chacun de nous et que chacun a la responsabilité de développer, en positif ou en négatif. Cette conception fondamentale de croissance et de décroissance ontologique est présente dès la réflexion d'Augustin qui définit déjà l'âme totalement à partir de cette métaphore mythique et germinative de l'être: l'âme est un «germe divin» déposé en chacun et qui, selon les actes de chacun, peut croître ou s'appauvrir. La tech-

169

nique se présente de même comme un outil qui permettra d'accroître ou au contraire d'appauvrir le poids ontologique du monde et des créatures. La technique semble en ce sens renvoyer à ce qu'on serait tenté de voir comme l'«insoutenable légèreté» d'une ruse dont dépend le sort même de l'être...

Un tel paradigme pourra dès lors se décliner de plusieurs manières différentes, voire opposées. On y verra ainsi, par exemple, une ruse satanique risquant de mener les humains à leur perte (d'où, notammment, ces critiques évoquées au passage à l'endroit d'une technique dangereusement associée à la concupiscence de l'argent, de la violence et de la chair). Mais on pourra aussi l'interpréter à l'opposé — on l'a entrevu — comme une ruse de la Providence elle-même, fondant l'espoir d'une terre nouvelle de justice et de paix (qui inspirera toutes les «croisades» du progrès sous la bannière d'une technique mise au service des desseins de Dieu et du mieux-être de l'homme). Et l'on y repérera encore ce qu'on pourrait appeler une ruse de la tentation, la technique risquant en effet d'attirer et d'engluer dans le profane, lors même que l'essentiel se situe sur un autre plan.

Ces trois attitudes médiévales (mais est-il si sûr qu'on ne puisse pas les apercevoir, *redivivæ*, dans maints débats — contemporains, malgré leur saveur souvent bien scolastique — sur les «enjeux de la technique»?) renvoient toutes, à leur manière, à un même schéma d'appréhension de la technique: c'est-à-dire, justement, cette ruse ontologique qui concerne l'homme au plus profond de son être et au plus dramatique de son rapport à l'Être. Et l'on comprend ainsi, bien au-delà du jeu de mots, le caractère révolutionnaire de ce passage du paradigme grec d'une *technique de la ruse* à la problématique médiévale d'une *ruse ontologique de la technique*. Si le premier astreint en effet la technique à un «code de conduite» qui en limite l'essor (par rapport à la nature), la seconde invite au contraire à voir la technique comme instrument de cette ruse ontologique qui permet de transformer radicalement le monde, pour le meilleur ou pour le pire du destin ultime de l'humanité et de la création tout entière.

Un tel paradigme implique bien entendu tout un nouveau rapport à la puissance et à la nature, qu'il faut spécifier afin de saisir toutes ses dimensions.

*

La ruse ontologique de la technique ne se comprend en effet que par rapport à une nouvelle attitude à l'égard de la puissance technicienne: ce qui fascine l'esprit médiéval dans la technique, c'est bien son aspect de puissance qui doit permettre de continuer la création divine et même de corriger celle-ci afin de la ramener dans le droit chemin. La recherche ontologique de la pensée chrétienne s'avoue fascinée par la puissance et ses effets, nouant inextricablement, en raison même de la métaphore germinative de l'âme sur laquelle elle se fonde, les deux notions de l'être et de la puissance. Heidegger (*Qu'est-ce que la métaphysique?*) l'a bien vu: relisant la volonté de puissance nietzschéenne, il montre que toute la métaphysique occidentale repose ultimement sur cette confusion de l'être et de la puissance qui conduit tantôt à se représenter l'être en tant qu'être (à travers l'ontologie) et tantôt comme être suprême et suprêmement puissant (dans l'entreprise théologique), enfermant par là-même la pensée occidentale dans un cercle onto-théologique sans issue. Si, pour Heidegger, l'origine de ce cercle se trouve déjà virtuellement présente dans le monde grec, c'est bel et bien au Moyen Âge chrétien qu'il s'actualisera définitivement en établissant un nouveau rapport à la puissance.

Dans le cas de la technique, qui nous intéresse plus précisément ici, ce paradigme n'est plus un paradigme de rétention et de détournement de la puissance technicienne comme c'était le cas chez les Grecs de l'âge classique. Il s'agit plutôt en fait d'un paradigme d'ontologisation de cette puissance technicienne qui invite à surinvestir celle-ci d'une nouvelle orientation sacrée, d'une nouvelle finalité religieuse, qui lui assigne la tâche de participer à l'avènement eschatologique d'une nouvelle société terrestre. On comprend en quoi ce nouveau paradigme renverse la rétention grecque de la puissance: il favorise bien plutôt son déploiement — non «pour lui-même» certes, mais dans le but de hâter l'eschatologie sociale. On comprend également que cette ontologisation de la puissance soit très différente du rapport à la puissance vécu dans les premières civilisations de l'humanité. Ces cultures visaient, par la participation à la puissance technicienne, à participer en fait à une puissance autre, divine. Ici, point de telle divinisation — du moins à l'origine — de la technique comme objet permettant d'expérimenter le sacré mais plutôt le contraire: c'est l'ontologie qui vient investir la technique et sa puissance d'un projet eschatologique social et collectif.

C'est bien pourquoi il semble tout à fait justifié de dégager ici la troisième grande strate d'articulation et de signification d'une histoire du symbolisme de la technique. Désormais, cette technique sera chargée d'un poids ontologique et d'un projet eschatologique qui favoriseront son essor profane en occultant le caractère apparemment religieux de l'entreprise. Nouvelle ruse d'une technique qui se présente comme purement profane, au moment même où elle est investie de tout un projet eschatologique...

Nouveau rapport à la puissance technicienne ontologisée et chargée d'un destin qui la dépasse et la transcende, mais aussi, bien entendu — et par là-même —, nouveau rapport à la nature: cette dernière, on n'a cessé de le voir, n'a plus grand-chose de la nature sacrée, expression même du divin pour les sociétés archaïques et primitives. Tout le christianisme s'est au contraire édifié sur une désacralisation de la nature, sur une séparation de celle-ci et du divin, sur l'affirmation d'un Dieu de plus en plus transcendant. Avant pourtant que la nature occidentale ne devienne la pure nature passive des méditations cartésiennes, elle demeure, à l'époque médiévale, encore chargée d'ambiguïté. N'est-elle pas encore divine en un certain sens, du fait qu'elle recèle en ses profondeurs les tables (cachées) des lois (divines) de l'univers? Et, d'un autre côté, l'activité scientifique qui doit lui arracher le secret de ces lois tout comme l'activité technique qui s'attache laborieusement à parachever et à corriger la création divine (en forçant celle-ci à produire plus qu'elle ne donne spontanément d'elle-même), ne témoignent-elles pas d'une véritable réticence de la nature, d'un autre mouvement de celle-ci: mouvement par lequel, en se refermant dans l'opacité de la matière, et en s'écartant ainsi du regard divin, elle avoue sa connivence avec le Mal et le Malin qui l'inspire?

L'attitude médiévale à l'égard de la technique apparaît tout entière commandée par l'ambivalence même de la ruse ontologique qui amène à considérer cette nature avec autant de suspicion que de bienveillance: comme quelque chose de divin, certes, mais également comme quelque chose de satanique. Les représentations de l'époque illustrent bien l'ambiguïté de ce statut. Si Dieu, pour la foi chrétienne du Moyen Âge, est bien transcendant «de droit», dans les faits, la nature continue d'être l'objet de cultes paganisants et de sabbats plus ou moins démoniaques. Les cartes du ciel médiévales représentent par ailleurs volontiers la nature habitée par des créatures célestes et angéliques d'autant plus pures qu'elles hantent des cieux plus éloignés de la terre. On conçoit que, dans de telles perspectives, le rapport scientifique et technique à la nature soit finalement assez trouble: il peut être bénéfique dès lors que l'on rappelle à la nature le droit chemin mais il peut aussi être source de malheur et de perdition. Épreuve envoyée à l'homme, la nature, au fond, a elle aussi besoin d'être évangélisée, rachetée et sauvée.

Cela apparaît avec une dramatique évidence quand on examine le personnage qui, dans la symbolique médiévale, guide pour ainsi dire le rapport bénéfique qui doit être entretenu avec la nature et la technique.

Le modèle inquisitorial

En apparence simple instrument profane mais, en fait, outil même d'une ruse de l'être qui permet précisément d'échapper à l'ordre purement profane et de se sauver tout en sauvant la nature elle-même (qu'on aide ainsi à rejoindre les plans de Dieu dont on parachève l'œuvre), la technique — faut-il vraiment s'en étonner? — trouvera dans la figure de l'Inquisiteur son «modèle exemplaire», à la jonction de toutes ses dimensions symboliques.

L'Inquisiteur, et lui seul sait comment faire *techniquement* (y compris bien sûr au moyen de cette technique très particulière qu'est la torture!) pour dissiper l'ambiguïté de la ruse. Aux confins du divin et du satanique, serviteur du premier mais perpétuellement confronté aux suppôts du second, il est le seul qui sache discerner la tentation démoniaque et le signe de la grâce. À cet égard, l'ambivalence continuelle de l'Église à l'endroit de la technique renvoie à — ou plus exactement peut-être se reflète dans — ce personnage lui-même ambigu de l'Inquisiteur mandaté pour discerner les esprits. Suspicion, inquiétude, espoir: les Bernard Gui, les Torquemada et leurs moins célèbres homologues oscillent constamment, si l'on ose dire, entre ces «états d'âme» — que l'Église tout entière partage lorsque, adoptant elle-même ce regard d'inquisiteur, elle *soumet à la question* la ruse de la technique.

Il y a là, en vérité, plus qu'une simple analogie. On sait en effet que la méthode scientifique elle-même a été directement associée à ce «modèle exemplaire» de l'Inquisition auquel les savants de l'époque, à leur corps certes souvent défendant, se sont trouvés bien des fois confrontés: à la fois répugnée et fascinée, la science finira par intérioriser peu à peu ce modèle. Chez Bacon, par exemple, comme chez d'autres savants de l'époque, le discours de la nouvelle «méthode expérimentale» est à cet égard révélateur: ce dont il y est question, en effet, c'est bien, textuellement, de *soumettre à la question* la nature elle-même. L'appareillage scientifique et expérimental rejoint en ce sens la panoplie de l'inquisiteur-bourreau: il faudra aussi extorquer ses secrets à la nature, lui arracher, de force, s'il le faut, les vérités qu'elle recèle, c'est-à-dire les lois que Dieu y a inscrites et que le Malin s'efforce de dissimuler. (Et l'on rejoint vraisemblablement ici Michel Foucault: la nature, tout comme la «sexualité» de l'Occident, prise en charge par la science et la technique, semble bien en effet, elle aussi, ne devoir livrer sa vérité qu'à travers les procédures de l'*aveu*...)

Cela est capital pour comprendre la spécificité de la technique et de la science occidentales non seulement au Moyen Âge mais dans leur essence la plus profonde. Avant d'être une explication rigoureuse et mathématique du monde, la science présuppose en effet une technique d'extorsion et d'écoute des aveux de la nature qu'elle entreprendra ensuite de reconstruire en un discours cohérent — et «vrai». En ce sens, elle est même, pourrait-on dire, essentiellement «puissance d'extorsion» destinée à fabriquer des aveux et à transformer la nature soumise à la question: l'ontologisation de la puissance technicienne est en même temps puissance d'extorsion des aveux ontologiques de la nature. La technique, comme l'a vu Heidegger, est bien première par rapport à la science — et non l'inverse: cette dernière dépend totalement d'une préconception technicienne d'un rapport à la nature sur le mode de l'aveu inquisitorial. Elle a, dès ses origines, une fonction et une finalité technique. «La physique moderne, précise ainsi Heidegger [QT, 29-30] , n'est pas une physique expérimentale parce qu'elle applique à la nature des appareils pour l'interroger, mais inversement: c'est parce que la physique (...) met la nature en demeure de se montrer comme un complexe calculable et prévisible (...) que l'expérimentation est commise à l'interroger, afin qu'on sache si et comment la nature ainsi mise en demeure répond à l'appel (...) Pour la chronologie de l'"histoire", la science moderne de la nature a commencé au XVIIe siècle (...) Seulement ce qui est plus tardif pour la constatation "historique", la technique moderne, est antérieur pour l'histoire, du point de vue de l'essence (...)»

Le chapitre suivant s'arrêtera longuement à cette signification de la «nouvelle science» comme application de la raison technicienne qui se met en place pour la première fois, au Moyen Âge, grâce au nouveau rapport à la technique qui s'instaure. Contentons-nous de souligner ici que, pour Bacon, «vaincre la nature» n'a pas encore le sens de la «conquérir» en vue de la transformer en recréant un monde technique parfait mais plutôt celui d'une victoire sur un adversaire que l'on forcerait à dire la vérité: l'aveu inquisitorial précède bien le projet de conquête du monde qui se dessinera pleinement avec la Renaissance.

Ce modèle inquisitorial illustre admirablement le paradigme symbolique qui a été dégagé. De même en effet que l'Inquisiteur (prêtons lui au moins la bonne foi que sa mémoire, en Occident, a souvent du mal à lui reconnaître) entend bien «sauver» et rendre à Dieu les âmes soumises à son saint office, de même la technique se présente comme outil permettant de continuer la création divine du monde qui a été compromise par le Malin et par la Chute originelle; outil, donc, d'un nouvel ordre du monde et d'une nature qu'elle rêve

LES RUSES DE LA TECHNIQUE

de réagencer et de parfaire «dans le bon sens», en la soumettant aux tortures — bien intentionnées! — de sa propre *question*...

Deux «modèles» de la technique médiévale

Ontologisation de la puissance technicienne, ruse ontologique, procédure inquisitoriale appliquée à la nature «suspecte» dont on attend les aveux pour mieux la redresser dans le bon sens: la technique médiévale demeure ambivalente, partagée. Cette ambivalence va se retrouver dans les deux modèles épistémologiques qui vont présider à l'essor des techniques au Moyen Âge: orientée «dans le bon sens», la technique va ainsi, d'une part, donner lieu au «modèle des cathédrales», où elle devient occasion d'une profusion de création et d'utilisation de symboles. La suspicion qui pèse sur la technique lorsqu'elle est utilisée à des fins d'abord «profanes» va d'autre part donner lieu, et comme à l'inverse, à un second «modèle», celui de Cîteaux qui, pour la première fois dans l'histoire, met en œuvre une technique «purement» fonctionnelle, débarrassée au maximum de tout «ajout», dépouillée de tout enrichissement symbolique. Un bref examen de ces deux modèles épistémologiques caractéristiques du Moyen Âge permettra de clore ce chapitre en illustrant cette persistante ambivalence.

La technique de l'âge des cathédrales

Le premier de ces modèles gravite autour de la construction des cathédrales. Inutile, sans doute, de s'y attarder: les techniques architecturales qui sèment l'Europe de tant de chefs-d'oeuvre ont bien sûr largement contribué à la sacralisation de la technique, celle-ci étant directement et on ne peut plus manifestement enrôlée au service de l'ordre du salut et de la gloire de Dieu. De Salisbury à Prague et de Strasbourg à Compostelle, les tympans, les rosaces et les clochers parlent d'eux-mêmes. Le modèle technique de la construction des cathédrales invite bien sûr à suivre le mouvement même de l'élancement ogival qu'il inscrit dans le paysage européen: il appelle l'âme à l'élévation, l'enjoint à la transcendance.

La justification du choix de cette technique de construction comme l'un des modèles techniques de l'époque réside non seulement dans le nombre considérable de cathédrales qui se sont élevées dans l'Europe du Moyen Âge, mais plus encore peut-être dans l'esprit et le modèle organisationnel induits par la construction de ces temples. La tâche souvent démesurée qu'une telle entreprise commande implique en effet toute une organisation spécialisée du travail, toute une nouvelle distribution des métiers en guildes et corporations savamment hiérarchisées selon leurs capacités respectives. Ces corporations serviront à leur tour à la fois de modèle à la constitution des autres métiers de la société et d'expression des aspirations de l'époque. C'est ce que fait bien voir Fulcanelli (*Le mystère des cathédrales*) pour qui il s'agit bien là d'un modèle ayant permis de regrouper et de dynamiser toutes les techniques du temps. «Sanctuaire de la tradition, de la science et de l'art», la cathédrale gothique ne doit pas être regardée comme un ouvrage uniquement dédié à la gloire du Christ et à l'honneur du christianisme mais plus largement encore comme une vaste «concrétisation» d'idées, de tendances, de croyances populaires.

De plus, c'est bien entendu en construisant ces cathédrales qui représentent, notamment à l'époque gothique, un défi aux lois de la pesanteur terrestre que se développe un nouvel esprit invitant à voir la technique comme ce qui permet précisément de s'arracher aux pesanteurs sensibles du monde profane. Avant de pouvoir se déployer sur le monde, comme un aigle, et d'y faire planer son nouvel ordre, la technique devait sans doute ainsi découvrir sa puissance en arrachant à ce monde — telle une fusée de navette spatiale! —, et en goûtant aux vertiges de ses possibilités insoupçonnées. Des modestes moulins qui se dressent sur l'horizon jusqu'aux plus audacieuses flèches de cathédrales soutenues, comme par miracle, par la puissance pourtant si gracieusement délicate des arcs-boutants, n'est-ce pas très exactement — et très *symboliquement* — ce qui se produit?

Les ruches techniciennes de Cîteaux

C'est un second modèle à maints égards fort différent qui, on l'a aussi entrevu, s'esquisse par ailleurs au creux modeste des vallées cisterciennes. Les ruches de Cîteaux n'ont en effet pas grand-chose de la transcendance gothique. Ici naît quelque chose d'autre, un modèle technique profane et instrumental, par bien des côtés déjà pré-industriel, marqué au coin de la rationalité: c'est sur elle, en effet, que l'on compte pour réagencer le monde et lui imprimer un nouvel ordre sacré.

L'importance des fermes modèles cisterciennes dans la diffusion des techniques auprès de nombreuses populations européennes justifie vraisemblablement de voir là un second modèle technique capital du Moyen Âge, modèle technique responsable de l'expansion des techniques de construction, de production artisane ou agricole, toutes marquées par une rationalité et une fonctionnalité qui annoncent bien déjà l'âge industriel encore à venir.

*

L'histoire technique du Moyen Âge oscillera entre ces deux modèles en un sens inverses et peut-être complémentaires. Tous deux réquisitionnent la technique au service du divin. Directement sacrée dans le premier cas, la technique le redevient indirectement dans l'autre: apparemment profane, elle s'y resacralise néanmoins en effet dans la mesure où c'est bien aussi un nouvel ordre sacré qu'elle vise à édifier grâce à la rationalisation qu'elle cherche à y inscrire. Une brèche semble ici s'entrouvrir — où les siècles à venir ne manqueront pas de s'engouffrer.

Chapitre 4

LES RUSES DE LA RAISON TECHNICIENNE

La raison gouverne le monde (...) Par rapport à cette raison universelle et substantielle, tout le reste est subordonné et lui sert d'instrument et de moyen (...)
G.W.F. Hegel,
La raison dans l'histoire

«*Ultima ratio regum*»
Inscription sur les canons
de Louis XIV

La vérité sera un jour la force. «Savoir c'est pouvoir» est le plus beau mot qu'on ait dit...
E. Renan,
Dialogues et fragments philosophiques, III (*Rêves*)

I

Le nouveau symbolisme de puissance
de la raison technicienne
au tournant de la Renaissance

> Je dis qu'à mon avis vous et le *signor* Galilée agiriez prudem-
> ment en vous contenant de présenter les choses de manière
> seulement hypothétique, et non catégorique...
>
> *Lettre du Cardinal Bellarmin*
> *au Père Foscarini*, 1615

Les pages qui précèdent ont tenté de mettre en lumière la spécificité
de la technique médiévale dont la puissance, codée de manière ambivalente, voire ambiguë, se trouve lestée de tout le poids d'une ruse
ontologique susceptible aussi bien d'accélérer l'avènement de la
Cité nouvelle que de servir les noirs desseins du Malin en précipitant
les humains à leur perte. Ce paradigme symbolique médiéval de la
technique, si pertinent qu'il puisse paraître, n'épuise cependant pas
la «vérité» de la technique et de la science du Moyen Âge chrétien.
N'oublions pas son ambiguïté: il invite à laisser la technique se déployer librement, certes, la valorise même à maints égards, mais par
ailleurs n'hésite pas à la contrôler, voire à restreindre son développement lorsque, par exemple, la suspicion l'emporte. Occupant, à la
jonction du divin et du démoniaque, une place analogue à celle de
l'inquisiteur, le savant et le technicien, qui soumettent le réel à la
question dans le but de lui faire avouer ses secrets, sont eux aussi
d'emblée investis de la même ambivalence d'un prestigieux et inquiétant pouvoir. Cette ambivalence du paradigme symbolique de la
puissance comme ruse ontologique explique sans doute en bonne
partie que la technique soit à la fois valorisée et contrôlée, respectée
et tenue en respect par l'Église de l'Europe médiévale.

Tout ambivalent qu'il ait été, ce paradigme a pourtant permis
l'instauration d'un modèle qui favorisait l'essor des techniques

infiniment plus que les systèmes symboliques qui l'avaient précédé dans l'histoire. On peut, en ce sens, parler d'une véritable révolution de l'univers symbolique de la technique, d'un renversement de perspective à son endroit. Si les pages qui précèdent ont tenté de montrer la spécificité du paradigme symbolique médiéval de la technique, celles qui viennent se proposent d'approfondir cette autre dimension du symbolisme technique qui, en germe dès le Moyen Âge, implique un renversement de la conception traditionnelle de la raison scientifique et technique. C'est par ce renversement que la ruse ontologique de la technique médiévale va engendrer, en Occident, une nouvelle configuration technico-scientifique.

Une révolution *dans* la raison

La transformation radicale dont il est ici question et dont on ne verra les effets que beaucoup plus tard, à l'ère de la Révolution industrielle, s'amorce néanmoins, d'un point de vue technique, dès le Moyen Âge. Les historiens de la technique, M. Daumas [HGT] et B. Gille [HT], par exemple, le font bien voir: ce qu'on a coutume d'appeler la «Révolution industrielle» n'a pas été le fruit d'une génération spontanée et abrupte mais bien plutôt le résultat d'un long processus de gestation qui va des moulins à vent aux premiers métiers à tisser mécaniques. Cette lente maturation technique — on peut le redire à la suite de M. Heidegger [QT] — s'appuie elle-même sur le nouveau socle épistémologique du Moyen Âge qui va désormais privilégier la recherche scientifique dès lors qu'elle se lie à des applications techniques concrètes dont on attend qu'elles améliorent le sort de l'être humain.

   Le chapitre précédent a déjà évoqué les dimensions plus proprement religieuses d'une telle vision des choses qui confortait en quelque sorte l'optimisme de la théologie chrétienne: un «droit usage» de la raison devait tout naturellement confirmer, au plan «scientifique», les thèses de la dogmatique chrétienne en montrant la fausseté des élucubrations païennes, l'inanité des dogmes infidèles. Cet optimisme allait subir une modification déterminante sous l'effet de la découverte de la philosophie aristotélicienne à travers les élaborations théologiques de l'islam (et, plus précisément, les travaux d'Avicenne). Même apparemment «bien» employée, la pensée rationnelle semblait en effet s'accommoder d'«autres vérités» que celles du christianisme... L'optimisme, dès lors, fait place à l'inquiétude. Sans l'éclairage de la foi, la raison théorique est condamnée à la dérive de l'erreur. Suspicion bien sûr relative: la raison, si elle peut errer, demeure après tout un don divin. Elle ne peut, de ce fait, qu'être «bonne». N'est-elle pas d'ailleurs ce qui distingue l'humain de l'animal? On entrevoit les conséquences de cette dramatique épistémologique pour ce qui nous concerne ici davantage: si la suspicion plane désormais sur la raison théorique, étant donné la capacité de celle-ci d'aboutir à des «vérités» contraires à la Révélation, la raison pratique, en revanche, paraît — si l'on ose dire — plus docilement fidèle, moins dangereuse pour le dogme; elle se laisse plus volontiers enrôler au service de l'édification messianique d'une Cité nouvelle, d'une société chrétienne. C'est même grâce à cette raison pratique que l'humanité peut collaborer au plan divin de la création, contribuer à parachever celle-ci. Pic de la Mirandole (1463-1494) en résumera magnifiquement l'esprit dans son *Discours sur la dignité de l'homme*, où il prête à Dieu ces paroles qui s'adressent à l'être humain «dans le monde»: «Je t'ai mis au centre de l'univers pour que tu voies tout ce que j'y ai mis. Je ne t'ai fait ni une créature céleste ni une créature terrestre; tu n'es ni mortel ni immortel; je t'ai fait de façon à ce que toi-même, tel un sculpteur, tu façonnes ton propre sort. Tu peux dégénérer en animal, mais tu peux aussi renaître, de par la seule volonté de ton âme, à l'image de Dieu...»

Révolution épistémologique, donc, qui consacre le primat de la raison pratique sur la raison théorique entachée de suspicion. On en repère l'indice dans le type de rapport complexe et toujours au moins virtuellement conflictuel qui lie science et religion au Moyen Âge: l'Église ne s'opposera systématiquement aux savants que dans la mesure en effet où ceux-ci prétendront s'exprimer sur le terrain de la «vérité absolue». Galilée, faut-il le rappeler, fut condamné essentiellement parce qu'il refusait d'admettre ques ses thèses pouvaient constituer des «hypothèses nécessaires» pour expliquer les phénomènes célestes, et non des «vérités absolues», «catégoriques» comme l'écrivait paternellement le cardinal Bellarmin.

Condamnation, donc, d'une raison *théorique* dans la mesure où celle-ci prétendrait dire la vérité absolue et non — la distinction est loin d'être spécieuse — d'une raison pratique dont les affirmations peuvent se révéler nécessaires pour mieux décrire le cours des astres ou l'orbe des planètes.

Si la raison, «propre de l'homme» et germe du divin en lui, apparaît bien, ainsi, toujours sacralisée dans l'Occident médiéval, un déplacement à la fois subtil et capital s'est quand même opéré: ce qui est désormais considéré comme sacré, «dans» cette raison, ce ne sont plus ses velléités spéculatives, toujours menaçantes et suspectes, mais bien plutôt sa potentialité pratique, celle qui peut faire de l'être humain un réordonnateur et un co-créateur du cosmos.

*

On ne saurait assez dire l'importance de ce glissement eu égard à une histoire du symbolisme des techniques. En germe, en effet, c'est bien à une condamnation de la raison spéculative que l'on assiste ici, à une dévalorisation de cette raison «donneuse de sens» et, donc, de toute la raison symbolique elle-même — au bénéfice d'une raison pratique surinvestie d'espoir. (Songeons notamment ici aux pénétrantes analyses de G. Durand (*L'imagination symbolique*) sur les vicissitudes de l'imaginaire symbolique à travers l'histoire de l'Occident.) La technique, jusque-là considérée comme activité de la raison à la fois pratique, et théorico-symbolique, va désormais et de plus en plus apparaître comme ne relevant plus que de la seule raison pratique, laquelle se subordonne la raison théorico-symbolique elle-même, celle-ci n'intervenant dorénavant plus que pour justifier l'aspect sacré de l'entreprise pratique qui lui est assignée.

En ce sens, et comme l'a vu Dominique Janicaud (*La puissance du rationnel*), c'est bien en ce crépuscule du Moyen Âge — il confine à l'aube des temps modernes — que se produit ce «coup d'État» lourd de conséquences au royaume de la Raison. Janicaud montre bien que cette révolution n'est pas une révolution *de* la raison qui se dévoilerait soudainement «pure», débarrassée de tout codage mythique, mais bien d'une révolution *dans* la raison, qui se définit désormais à partir de son pôle pratique en invitant à réorganiser le monde, et non plus à partir de son pôle théorique. Janicaud insiste: «La révolution dans la raison n'est pas une révolution *de* la raison. Elle est rendue possible par une "décision" qui n'est en elle-même sans doute pas irrationnelle, mais dont le degré de rationalité est extrêmement difficile à déterminer. Cette nouvelle méthode qui va fonder la science moderne et articuler efficacement la science sur la technique est-elle plus "logique" que l'"esprit" de la science médiévale ou grecque? (...) Ne pourrait-on même soutenir que le projet de maîtrise rationnelle indéfinie a un côté démentiel, comme d'aucuns le proclament en notre XXᵉ siècle finissant? La révolution dans la raison ne peut pas s'expliquer logiquement, formellement ni mathématiquement (...). [La méthode] est posée comme une exigence nouvelle que la volonté doit assumer et mener à bien» (*La puissance du rationnel*, p. 199).

C'est également ce qu'a fort bien analysé Heidegger lorsqu'il rappelle que la technique ne peut se déployer de manière purement opératoire et pratique («autonome», selon les analyses de Daumas et Gille) que parce que cette domination de la raison pratique renvoie toujours au but — métaphysique — de conquête du monde. Le primat donné à la raison pratique ne signifie donc pas que se déploie un champ purement «pratico-pratique» comme on a tendance à le croire (et pour reprendre les termes de Sartre), mais plutôt que le champ pratique et technique se déploie à partir des cadres de la raison, c'est-à-dire en étant toujours encadré et finalisé par les principes d'universalité de la raison. Ce qui change, c'est que cette universalité de la raison cherche désormais à se réaliser non plus en se servant de la raison théorique mais par le biais d'une raison technico-pratique. Ce qui, on le verra plus en détail, est indissociable d'un nouveau projet de conquête du monde.

Le libre essor de la puissance du rationnel

Le changement dont il est ici question, et qui va accélérer le libre essor de la technique, est donc bien une mutation qui se produit au sein même de la conception épistémologique et ontologique sous-jacente à l'activité technicienne. Jusque-là, la technique s'était présentée comme une activité rationnelle opérationnalisée par une raison instrumentale et codée par une raison symbolique qui lui donnait sens. Elle se déploiera désormais comme pure activité instrumentale et développement de la puissance technicienne que la raison théorique (au plan des connaissances scientifiques nécessaires à son développement) et la raison symbolique (au plan des valeurs) seront appelées à favoriser.

Ce changement aura de profondes conséquences jusque dans la démarche même employée par la raison. D. Janicaud décrit bien les conséquences de cette sorte de révolution qui, dans les laboratoires du Moyen Âge tardif, autour des Galilée et des Bacon, s'opère au sein de la raison occidentale. La première conséquence, selon lui, serait tout d'abord le fait que la mathématisation de la nature, amorcée en Grèce classique, s'y trouve de plus en plus poussée, s'imposant désormais comme paradigme incontournable. La seconde serait que ce primat donné à la raison mathématique laisse libre cours à une nouvelle méthode hypothético-déductive, par laquelle la raison cherche à mieux s'assurer de la docilité des choses, en déployant toujours plus la puissance opératoire des mathématiques. «Les mathématiques, écrit en effet Janicaud, sont essentiellement potentialisatrices: elles constituent le plus formidable "instrument" conceptuel dont l'homme puisse jamais disposer; et pourtant, elles resteraient éternellement dans leur divin repos de *kala mathemata*, si n'intervenait — pour les orienter et les appliquer — ce "supplément" qui change tout et sans quoi la modernité perdrait son dynamisme profond: la méthode, au sens (...) métaphysique (...)» [PR, 187].

De Bacon à Descartes et de Copernic à Galilée, c'est un même mouvement qui, en donnant ses lettres de créance et de noblesse à la méthode expérimentale, inverse la conception classique et traditionnelle de la raison: la méthode n'a plus à se soumettre à la nature en se contentant d'en inférer des classifications et des taxonomies; il lui incombe plutôt de se soumettre la nature, de faire parler — ou de traduire — celle-ci dans un langage mathématique beaucoup plus opératoire. Sa démarche ainsi modifiée, c'est également la finalité même de la raison qui se métamorphose en un nouveau projet: l'effectuation de la puissance technicienne de la raison est enfin rendue possible. Janicaud fait ici également bien voir comment cette puissance technicienne qui était déjà repérable, à l'état virtuel, dans l'activité rationnelle mathématique de la Grèce classique, trouve à s'actualiser, à s'effectuer pleinement lorsque se met en place la «nouvelle méthode» qui guide désormais la raison. Cette «nouvelle méthode» est bien indissociable d'un projet d'actualisation de la puissance opératoire de la raison. «Ce que Bacon fait plus qu'annoncer, note-t-il encore, ce qu'il met en œuvre en définissant la nouvelle méthode, c'est la fin de toute la théâtralité qui s'est donnée pour scientifique. L'avenir de la science méthodique? C'est la coïncidence de la science et de la puissance humaines, grâce à l'opérativité de la raison. Ce programme proposé à une raison sobre et utile, progressive et certaine, nul ne l'a mieux formulé que Bacon lui-même dans sa Préface à l'*Instauratio magna*: "La fin qui est proposée à notre science n'est plus la découverte d'arguments, mais de techniques (*artes*), non plus de concordances avec les principes, mais des principes eux-mêmes, non d'arguments probables, mais de dispositions et d'indications opératoires (...) C'est pourquoi d'une intention différente suivra un effet différent. Vaincre et contraindre: là-bas, un adversaire par la discussion, ici la nature par le travail"...» [PR, 189].

*

Engendrée par une méfiance religieuse envers la raison théorique, spéculative et symbolique, la révolution *dans* la raison qui, à la fin du Moyen Âge occidental, en vient à privilégier de plus en plus son pôle pratique, a ainsi des conséquences à maints égards déterminantes: elle implique une nouvelle méthode qui elle-même permet le déploiement de la puissance opératoire de la raison; ce qui engendre, à son tour, un nouveau projet métaphysique qui échappera, avec le temps, aux préoccupations religieuses auxquelles il doit pourtant son émergence: projet de conquête systématique et de réorganisation méthodique de la nature, qu'il s'agit de soumettre à la puissance opératoire de la raison.

Descartes, on le sait, sera l'un des premiers à expliciter ce projet lorsqu'il affirmera, notamment dans le *Discours de la méthode*, que, grâce à la science, des inventions techniques permettront d'allonger la vie, voire de faire échec à la maladie et de reculer presque indéfiniment les frontières de la mort. Grâce aux «arts mécaniques», précisera-t-il encore, grâce à ces techniques et aux savoirs sur lesquels elles se fondent, les humains pourront se rendre «comme maîtres et possesseurs de la nature»...

La fascination qu'exerce sur les esprits la découverte de la puissance de la raison explique pour une très large part le grand mythe fondateur de la modernité occidentale, savoir cette croyance en la capacité qu'aurait l'être humain de réordonner le cosmos justement grâce à la raison et à son opérativité technique. Nulle part sans doute ne voit-on mieux l'expression de ce mythe que dans toutes les utopies qui, de celle de Thomas More à la *Nouvelle Atlantide* de Bacon ou à la *Cité radieuse* de Campanella, commencent à éclore et à proliférer dès la fin du Moyen Âge. Toutes ont en commun d'offrir à l'imagination une première description — idyllique — de cette «société parfaite» qui existera dès lors que tout aura été soumis au pouvoir de la Raison. (Ce que fait bien voir R. Clark dans *La cité mécanique*, lorsqu'il analyse la cité utopique comme une cité *mécanique*, dans laquelle s'exprime le rêve d'un réagencement, lui-même mécanique, non seulement du cosmos infra-humain mais de la vie sociale elle-même.)

Ce n'est d'ailleurs pas seulement à travers ces «utopies» que se manifeste cet état d'esprit éminemment favorable à l'essor d'une rationalité technicienne, mais dans bien d'autres espaces de la société médiévale tardive et de la Renaissance. P. Thuillier (*L'aven-*

ture industrielle et ses mythes) met bien en lumière à cet égard l'évolution générale des mentalités de l'époque dans le sens d'une pensée essentiellement réaliste, au sens fort du terme. Selon lui, cette mentalité se caractérise par un souci — il ira croissant jusqu'au 17ᵉ siècle — du concret, de l'expérimentation, du quantitatif, de la mesure (celle du temps, notamment), d'un savoir «efficace» et opératoire et, plus largement, d'une rationalisation de la connaissance. Celle-ci n'en demeure pas moins dépendante du nouveau paradigme symbolique d'effectuation de la puissance conquérante de la raison, comme une comparaison même rapide avec le monde grec permet de le montrer.

Dans la conception grecque, on s'en souviendra, l'idée même d'une «domination» de la nature était proprement impensable: on pouvait certes jouer, ruser avec elle, à la rigueur tenter de la séduire, s'y adapter soi-même le plus souvent, mais en tout cas jamais prétendre la dominer, la posséder, la détourner dans le but d'en tirer profit à loisir.

Or, pour que s'inaugure un nouveau projet de conquête humaine de la nature désormais soumise, il fallait que se mette en place un nouveau paradigme, une toute nouvelle conception du monde. C'est à dégager cette dernière que s'attache Heidegger [QT] lorsqu'il remarque qu'il fallait que l'être humain soit posé comme radicalement différent de la nature, disposant de tous les droits sur celle-ci devenue mécanique soumise à sa régence; il fallait que l'homme soit posé comme ce «centre de l'univers» auquel, selon Diderot, «tout se ramène»; il fallait encore que soit affirmée et définie l'essence sacrée de l'humain, sa mission de réordonnancement du monde grâce à la technique dans le but de faire advenir un nouvel âge d'or; il fallait enfin, toujours selon le philosophe de Messkirch, que la nature en vienne à se dévoiler comme ce «fonds de ressources et de forces mis à la disposition» de l'homme, offrant à celui-ci une inépuisable réserve d'énergies: autant de présupposés métaphysiques résumés dans la figure de l'*arraisonnement*. Désormais, l'être se dévoile dans le projet «destinal» qui impose à l'homme le devoir d'*arraisonner* le monde afin de puiser dans son fonds de ressources infinies pour mettre en œuvre une opérativité qui l'inclut lui-même dans ce processus de transformation et de rationalisation sans fin. «Arraisonnement (*Ge-stell*): ainsi appelons-nous le rassemblant de cette interpellation (*Stellen*) qui requiert l'homme, c'est-à-dire qui le pro-voque à dévoiler le réel commme fonds dans le mode du "commettre". Ainsi appelons-nous le mode de dévoilement qui régit l'essence de la technique moderne et n'est lui-même rien de technique (...) La physique moderne n'est pas une physique expérimentale parce qu'elle applique à la nature des appareils pour l'interroger, mais inversement: c'est parce que la physique (...) met la nature en demeure (*stellt*) de se montrer comme un complexe calculable et prévisible de forces que l'expérimentation est commise à l'interroger (...) Le dévoilement concerne d'abord la nature comme étant le principal réservoir du fonds d'énergie (...)» (*La question de la technique*, p. 27s. *passim*).

Ainsi, à l'aube de l'époque moderne, s'élabore un nouveau projet global dont la technique se trouve investie: celui d'un arraisonnement généralisé des forces et des ressources de la nature. On le devine: ce projet de conquête et de transformation de la nature ne traduit pas une simple victoire de l'esprit rationnel désormais débarrassé de ses scories religieuses et découvrant l'éclatante puissance de sa fonctionnalité. Il est lui-même empreint d'une visée, d'une ambition qui déborde largement la seule rationalité et qui ne peut se comprendre qu'en termes symboliques et mythiques, en renvoyant au désir d'un remodelage alchimique de la nature grâce à la toute-puissance d'une raison technicienne divinisée, source ultimement d'une divinisation de l'homme.

Renaissance et laïcisation des schèmes symboliques du Moyen Âge

L'essor de la technique et son autonomisation ont bien été préparés «à l'intérieur» même de la pensée médiévale dans la mesure où celle-ci, pour des motifs théologiques, favorisa largement la raison pratique au détriment d'une raison théorique entachée, on l'a vu, de suspicion. Il en va de même pour le symbolisme de ré-agencement du monde qui investit désormais la technique — en mobilisant celle-ci aussi bien que la science d'ailleurs — en vue d'un projet de conquête et de maîtrise de la nature. Les analyses qui précèdent ont tenté de montrer la nouveauté de la figure symbolique qui semble désormais se dégager et qui prône, si l'on peut dire, une domination matérielle du monde à première vue fort éloignée des enjeux spirituels de l'âge des cathédrales.

C'est la Renaissance qui va permettre à cette figure symbolique de se déployer pleinement. La plupart des commentateurs insistent en général sur la rupture que représente cette période dans l'histoire de l'émergence du monde technico-scientifique moderne. A. Koyré (*Du monde clos à l'univers infini*), par exemple, montre ainsi fort bien comment la science et la technique opératoire modernes ne pouvaient naître que de la rupture, souvent dramatique, de la conception classique du monde médiéval clos et harmonieux. Le monde moderne émerge en effet, d'une part, d'une révolution opérée par l'astronomie qui permet désormais de penser un univers infini, sans hiérarchisation ontologique de l'espace et sans privilège accordé à une terre désormais excentrée; et, d'autre part, d'une géométrisation de l'espace rendu parfaitement homogène et maîtrisable mathématiquement. Cette transformation de la représentation de l'univers coïncide avec un éloignement toujours plus prononcé de Dieu et de son cortège d'esprits angéliques subalternes hors de cet univers (et des astres qu'ils étaient réputés habiter). Dieu se retire pour ainsi dire alors dans une pure transcendance, laissant le monde «vide de divin» et, de ce fait, disponible au projet humain de conquête scientifique et technique de l'univers.

Nous sommes bien entrés dans un univers radicalement différent de celui du Moyen Âge où l'humain et le divin se voyaient l'un et l'autre assigner une place précise dans la géographie hiérarchisée et sacrée du cosmos. La révolution copernicienne a bien éjecté Dieu hors de l'univers sans toutefois avoir pour autant désacralisé le cosmos: le sacré de la nature se voit désormais remplacé par la découverte sacrée d'une nature soumise à l'homme, d'une humanité accomplissant sa vocation divine à travers la transformation conquérante de la nature. Koyré montre bien comment l'éclatement d'un monde clos et la découverte d'un univers infini, délesté de la présence divine, fut ultimement moins la source d'une angoisse que

191

celle d'un émerveillement voire d'une ivresse face à l'immensité de la liberté apparemment ainsi gagnée par et pour l'homme.

De ce point de vue, c'est bien au sens propre qu'il convient de lire la *Seconde Préface* à la *Critique de la raison pure*. Kant, en effet, y met en parallèle la révolution astronomique de Copernic, qui décentre la Terre et sa propre «révolution copernicienne» qui réforme la connaissance à partir du «Tribunal de la Raison», en montrant comment les choses se règlent sur les facultés du sujet — et non l'inverse. Le paradoxe, ici, est fort significatif. Le congédiement copernicien de la terre comme centre sacré de l'univers est bien corollaire du mouvement inverse de recentrement sur la toute-puissance de l'homme, nouveau maître et propriétaire de l'univers.

Ce changement radical, nécessaire pour engendrer la nouvelle conception du monde moderne, scientifique et technique, a également bien été décrit par Paul Faure (*La Renaissance*) d'une manière plus sociologique. Pour celui-ci en effet l'essor — moderne — de la technique n'a pu s'effectuer qu'à la suite d'une triple révolution: économique (avec l'avènement et l'essor de la classe marchande des «bourgeois»), sociale (à travers l'essor des villes et des fabriques), plus proprement technique enfin (avec le développement des machines et l'apparition d'un nouveau schème de domination de la nature). Ces observations paraissent ainsi confirmer que l'essor des techniques et le nouveau symbolisme qui leur sera attribué introduisent bel et bien dans un monde à maints égards radicalement nouveau.

Et cependant, force est de reconnaître que ce «nouveau monde» post-médiéval demeure par bien des côtés encore très proche du symbolisme de la ruse ontologique dont on a vu la prégnance au Moyen Âge. Rappelons-nous le texte fort suggestif de Pic de la Mirandole cité au début de ce chapitre. Une telle valorisation de l'activité de remodelage humain de la nature ne se comprend que dans la mesure où l'homme sacralise sa conception de lui-même comme créateur et réordonnateur du cosmos, cette activité étant le signe de sa ressemblance avec Dieu. Un tel projet demeure incompréhensible en dehors du schème — spécifiquement chrétien — de la croissance et de la décroissance ontologique de l'âme. Schème certes «dévoyé», si l'on peut dire, de la signification purement spirituelle qu'il pouvait avoir chez Augustin (puisqu'il se manifeste désormais par un projet de conquête matérielle de la nature) mais néanmoins toujours présent dans sa structure, toujours prégnant — fût-ce de manière laïcisée. Ce projet demeure tout aussi incompréhensible en dehors de l'influence de cette eschatologie millénariste à laquelle le chapitre précédent s'est arrêté, elle aussi désormais totalement laïcisée, sécularisée, vidée de toute référence à la dogmatique religieuse traditionnelle (l'attente de la parousie, par exemple, comme retour glorieux du Christ) mais conservant néanmoins sa structure — éminemment religieuse — d'attente de l'instauration d'un âge d'or grâce à la technique conquérante.

C'est peut-être Max Weber qui, dans sa célèbre thèse sur l'éthique protestante et l'esprit du capitalisme, a le mieux montré comment l'essor des sciences et des techniques, à l'aube de la Révolution industrielle qui point à la suite de la Renaissance, n'a été rendu possible qu'en raison d'un formidable courant de croyances collectives donnant à l'accumulation, à l'épargne capitaliste sa valeur — religieuse — d'ascèse intramondaine, révélatrice de la prédestination, du salut. Si la technique et la science ne s'étaient pas liées à cet éthos puritain qui prônait une telle ascèse dans les œuvres quotidiennes, jamais en effet, selon Weber, n'aurait-on pu connaître l'essor scientifique et technique moderne. C'est du reste, et jusqu'à un certain point, ce que suggère également Merton [STS] lorsqu'il souligne par exemple que la science et la technique de l'Angleterre du 18ᵉ siècle étaient indissociables de la «reconnaissance collective de la valeur» qui leur était attribuée.

Et, de fait, ce projet technico-scientifique de conquête de la nature, ce nouveau paradigme trahit à chaque instant son essence religieuse. La démarche scientifique «moderne» elle-même repose à vrai dire tout entière sur des postulats essentiellement religieux dans leur structure, fussent-ils laïcisés dans leur forme. L'idée même qu'il existe des «lois de la nature» et que les phénomènes sont reliés entre eux par une chaîne causale déterminante présuppose bien une croyance préalable en un «ordre de la nature». Or force est de reconnaître qu'une telle conception n'est ultimement compréhensible qu'à partir d'un point de vue et même d'un sentiment religieux qui pose l'univers comme produit d'une «intelligence divine» et non de quelque aveugle hasard. Plus encore: c'est parce que Dieu s'est désormais retiré dans le ciel lointain de la pure transcendance, hors de l'univers, que l'on peut être assuré de ne pas chercher en vain ces «lois».

P. Chaunu [PSO] a fortement souligné cette spécificité occidentale de la transcendance divine absolue qui, laissant à l'homme une liberté d'action également absolue sur la création, a permis la naissance de la science et de la technique modernes. J. Needham [SCO] montre qu'à l'inverse, s'il existe bien, en Chine par exemple, une nécessité inscrite dans le cosmos, le divin qui s'exprime de manière immanente dans la nature empêche toute idée d'une maîtrise humaine (technique) de celle-ci, et même toute idée que des «lois» décryptables puissent régir cette nature indépendamment de l'activité des dieux. O. Spengler [DO], enfin, confirme ce point de vue en faisant bien voir que la notion de *cause*, comme celle de *loi*, présuppose moins une vision de Dieu comme créateur et transcendant qu'une manière de voir qui absolutise et sacralise une *nécessité* à laquelle le législateur divin lui-même, extérieur au monde, doit de quelque manière accepter de se soumettre.

On peut sans doute aller plus loin encore et montrer que non seulement les principes sur lesquels repose la science, mais jusqu'au processus expérimental dont elle s'enorgueillit révèlent des structures symboliques et religieuses à peine voilées. La science apparaît alors, dans son essence même, comme une entreprise profondément religieuse, visant à décrypter les lois — divines — inscrites (et cachées) dans l'univers par son créateur-législateur.

De même que, selon l'islam orthodoxe, c'est en arabe, et seulement en arabe, que le Coran doit être lu, puisque c'est dans cette langue qu'Allah lui-même le transmit directement au Prophète, de même pourrait-on dire que la spécificité de la science moderne naissante sera de poser que ces lois, inscrites par Dieu dans le cosmos, s'expriment, et doivent donc être déchiffrées, dans le langage de la raison et, plus précisément encore, dans l'idiome de la mathématique. «Le Livre de la Nature est écrit en langage mathématique, affirme Galilée avec orgueil, et le rôle du savant est de retrouver ce langage caché»...

Raison et langage mathématique: voilà bien les «clés initiatiques modernes» qui permettront désormais de percer les mystères de la nature. Le recours à l'expérience prend dès lors tout son sens: une fois posé le «dogme fondamental», la foi en un ordre mathématique de l'univers et la croyance en des lois universelles de la nature, il reste à articuler ce dogme — ou ce mythe fondateur — à l'expérience concrète. Tout semble à cet égard se passer comme si le recours à l'expérience jouait, par rapport aux théories et aux lois scientifiques, un rôle homologue à celui des rites par rapport aux mythes traditionnels: l'expérience devient ce qui permet d'actualiser, de vivifier sans cesse cette croyance en un ordre de la nature. Elle permet de montrer ces lois à l'œuvre, elle les force à se dévoiler de la même manière que les rites suscitaient les théophanies, forçant en quelque sorte les dieux à se manifester. On pourrait poursuivre le rapprochement et montrer que non seulement le recours à l'expérience a bien cette fonction rituelle de «preuve» par rapport à la réalité du mythe, mais qu'il donne en outre lieu à une codification, également rituelle, extrêmement précise dont dépend son efficacité: la multiplication des règles et des procédures de la méthode expérimentale — solennellement réitérées par le moindre manuel de méthodologie — paraît bien, en ce sens, homologue à la multiplicité des interdits, des injonctions et des règles requis pour le bon accomplissement des rites les plus traditionnels...

Ce recours à l'expérience comme «technique» forçant la nature à dévoiler ses secrets, permettant de concrétiser et de manifester la puissance sacrée obtenue grâce à la connaissance des lois scientifiques, paraît d'ailleurs confirmé par l'origine même du modèle expérimental, reprise et transposition sur la nature — on l'a déjà entrevu — du modèle même de l'Inquisition médiévale. De même en effet que l'inquisiteur forçait la vérité à se dire grâce à la «technique» de la torture, c'est-à-dire à des procédures opératoires sur le corps des «interrogés», de même l'expérience force la nature à parler, à s'exprimer dans le langage mathématique grâce à un système et à des instruments d'expérimentation qui, comme le signale avec beaucoup de justesse Heidegger, la somment de se dire dans ce langage. Il en va de même bien entendu pour le savant qui utilise la méthode expérimentale. Derrière le sacré apparemment lumineux dont se revêt ce personnage se profile toujours la silhouette inquiétante de l'inquisiteur...

Ainsi donc la démarche scientifique qui accompagne l'essor des techniques en préconisant une pensée mathématique, opératoire, apparaît-elle d'emblée comme une entreprise sacrée visant à dégager les lois cachées de la nature grâce à la clé initiatique du langage mathématique. Non seulement présuppose-t-elle la reconnaissance de ces «dogmes» mais elle est en outre amenée à re-jouer constamment son mythe fondateur à travers les «rituels de l'expérimentation». Rien en effet ne «prouve», après tout, que la nature soit bien écrite dans le langage de la mathématique — plus que dans celui du mythe, par exemple. Rien, sinon la force incantatoire que représente de nos jours l'apparente «évidence» fournie par le recours aux procédures mathématisées de l'expérience. On pourrait aller encore plus loin et soutenir que ce nouveau recours à l'expérience est d'autant plus contraignant que le langage mathématique dans lequel ' l'esprit humain y force la nature à se dire apparaît à maints égards bien étranger à cette dernière... Cela permettrait de comprendre que le langage mathématique devenant de plus en plus complexe de nos jours, en s'axiomatisant et en se formalisant toujours davantage, s'éloigne de ce fait même toujours plus de la réalité, impliquant ces procédures expérimentales sans cesse plus sophistiquées que nous connaissons aujourd'hui. Il serait alors tentant d'y voir une complexification croissante du système rituel de la science, non sans analogie significative, à cet égard, avec l'alourdissement du système sacrificiel (notamment dans l'Inde ancienne) lorsque, avant la crise qui entraîna son effondrement, ce système s'institua comme principe universel d'explication de toute chose. La violence faite à la nature pour la forcer à entrer dans ce cadre s'en trouve évidement exacerbée... Il semble bien qu'ici encore Heidegger ait été l'un des penseurs à insister avec le plus de lucidité sur cette violence symbolique que constitue l'entreprise technico-scientifique moderne, qu'il définit précisément comme entreprise d'arraisonnement, de sommation, de semonce...

Si le but de la science, sa structure, et jusqu'à sa démarche expérimentale elle-même sont ainsi imprégnés de symbolisme, d'interprétation mythiques et rituelles du monde centrées sur l'efficience comme critère de validité (voire de vérité: «ça fonctionne, donc c'est vrai...»), il est évidemment difficile de résister à la tentation d'interpréter les résultats de cette science comme élaboration de nouvelles constructions mythiques. Spengler [DO] lui-même n'y a d'ailleurs pas résisté lorsqu'il souligne par exemple qu'une théorie scientifique quelle qu'elle soit n'est après tout qu'une «construction du monde», qu'une «représentation imaginaire et mythique» de la nature à partir des symboles dominants d'une culture (en l'occurrence prométhéenne, pour Spengler, dans le cas de la nôtre). En tant que telles, les théories scientifiques ne sont pas autre chose que des mythes articulés de manière rationnelle, des mythes qui fonctionnent, c'est-à-dire que leur mise en scène rituelle (à travers l'expérimentation) *véri-fie* sans cesse (au sens de «faire», de «rendre» vrai).

Pour bien montrer que le «monde figuré» de la physique (moderne) reste un mythe, Spengler met par exemple en lumière le fait que les théories physiques actuelles reposent toutes sur le concept scientifique de *force* (gravitationnelle, notamment) et qu'un tel concept n'est possible, c'est-à-dire pensable, que dans une civilisation technicienne de la puissance qui fonde précisément tout sur la force. Cette civilisation ne fait ainsi somme toute que se représenter le monde physique à partir des concepts — sacralisés — autour desquels elle s'organise elle-même. Spengler montre de même, et par comparaison, que la représentation physique des atomes grecs renvoie à la conception d'un monde clos, de structure statique, visant à conserver son équilibre, tout à fait à l'image des préoccupations de la Cité grecque. Les atomes modernes, comme quanta et noyaux d'énergie, semblent pour leur part étrangement renvoyer à l'ordre conflictuel de nos États modernes, à un schème de pensée volontariste et expansionniste, à une éthique de la force et de la tension perpétuelle, toutes choses bien sûr typiques de l'Occident moderne...

Aucune de ces deux théories atomistes, quand on s'y arrête, ne peut être dite plus «vraie» que l'autre, si tant est que l'expression ait un sens. Ce sont toutes deux des représentations symboliques — et sacrées — du monde, qui ne sont finalement valables qu'à l'intérieur de la civilisation qui se représente elle-même à travers elles. La seule différence significative que l'on pourrait sans doute noter concerne le mode d'actualisation de ces mythes fondateurs de la science: alors que la science grecque, par exemple, se contente de la probabilité et du raisonnement rationnel, la science occidentale moderne prétend démontrer l'évidence universelle et indiscutable de sa théorie grâce au processus expérimental et à la prévisibilité opérationnelle que celui-ci permet.

Par ses canons aussi bien que par ses mythes, l'Occident semble décidément doué pour l'*ultima ratio*, incapable d'envisager qu'une autre science puisse se déployer à partir d'autres mythes — non conquérants. Pour la cosmologie indienne, on le sait, l'univers émane d'une vibration primordiale et se maintient comme le rythme d'une musique: Shiva ne conquiert ni ne domine le monde; sans cesse, il le danse...

*

Nous sommes, une fois de plus, renvoyés au nouveau schème symbolique de puissance opérationnelle de la raison technique et instrumentale, qui légitime l'activité scientifique en l'orientant vers un perfectionnement technique indéfini.

Le Moyen Âge a bien été le creuset dans lequel s'est fondue notre modernité. Telle semble bien avoir été sa double influence: il a permis de penser la technique sur un modèle de ruse ontologique profondément religieux à l'origine; par rapport au monde moderne, ce modèle de la ruse ontologique, qui inversait le schème des techniques grecques de la ruse, allait provoquer l'émergence d'un nouveau paradigme symbolique, centré sur le symbolisme de l'effectuation de la puissance — sacrée — de la raison technicienne transformatrice du monde. Ce nouveau paradigme s'est certes en partie forgé à partir d'une reprise et d'une transposition laïcisée du schème médiéval de la ruse ontologique (au point qu'on en retrouve vraisemblablement encore de nos jours de lointains échos dans les débats qui opposent écologistes et scientifiques «durs», par exemple, la technique étant pour les seconds à la source d'un accroissement ontologique, alors qu'elle apparaît fréquemment aux yeux des premiers comme ruse et tentation diaboliques, source d'une déperdition de l'être). Mais, en même temps, ce paradigme échappe à l'univers spirituel du Moyen Âge qui l'a engendré. Laïcisé, il servira désormais de justification idéologique au libre déploiement de la science et de la technique investies d'un projet eschatologique de transformation ontologique du monde et de l'homme, de la science et de la technique dont on attendra de plus en plus le salut et l'âge d'or.

Ainsi émerge une nouvelle figure symbolique de la puissance de la raison technicienne. Cette figure toutefois, au tournant de la Renaissance et à l'aube des Temps modernes, s'exprime beaucoup plus en termes de projet que de réalité: sa première expression se trouve dans les utopies sociales de l'époque qui, filles des grands voyages, permettent d'imaginer un monde renouvelé. C'est d'ailleurs parce que ce projet est d'abord rêvé et demeure «à l'état de projet» que l'on n'en retrouve pas immédiatement d'effets directs dans le domaine concret de la technique.

II

Le lent essor du machinisme
et sa symbolique mécanique
aux 17ᵉ et 18ᵉ siècles

Quelle belle *machine* que le Diable!
Diderot

Savez-vous pourquoi je fais encore quelque cas des hommes?
C'est que je les crois sérieusement des machines...
La Mettrie

Le criminel sera décapité; il le sera par l'effet d'une simple
mécanique.
Guillotin

Si le nouveau symbolisme de la raison technicienne est perceptible,
tout au moins en germe, dès la fin du Moyen Âge occidental, s'il y
inspire de nombreux discours qui célèbrent la nouvelle mission
sacrée de conquête et de remodelage de la nature que s'est désormais
assignée l'Occident, s'il provoque un essor indéniable de cette
«science nouvelle» inaugurée par Bacon, il faut tout de même noter,
et on pourrait sans doute s'en étonner, que c'est de manière malgré
tout bien lente et bien régulière qu'évolue l'ensemble technique de
l'époque, sans changement accentué, sans «révolution» véritable.
On aurait pu imaginer que, sur la base de ce nouveau socle épistémologique, le rythme de l'essor technique se serait accéléré significativement et aurait hâté l'explosion de cette «révolution» technique
et industrielle qui mettra pourtant longtemps encore à se produire.
Lors même en effet que se développe un nouveau schème d'esprit
favorable à la pensée opératoire, le champ technique qui lui est
contemporain continue pour sa part d'évoluer dans les cadres qui
étaient les siens au Moyen Âge, et ce, pratiquement jusqu'au 18ᵉ

siècle. Il faut s'arrêter un moment à cette longue et significative transition qui insère plusieurs siècles entre le rêve — déjà pour l'essentiel exprimé par Bacon — d'un nouvel âge d'or ouvert par la conquête humaine et la maîtrise technique de la nature, et la conviction, au 19ᵉ siècle, de voir ce rêve en passe de se matérialiser.

Maturation technique et essor du machinisme

Le 17ᵉ et le début du 18ᵉ siècle, au plan technique, ressemblent encore par bien des côtés au Moyen Âge. On y constate surtout, comme tout au long de la période médiévale, une augmentation du taux de diffusion des techniques existantes. On peut également y repérer une réelle accélération des innovations techniques qui annoncent certes, mais ne donnent toutefois pas encore naissance à une configuration technique véritablement nouvelle.

À cet égard, l'innovation technique la plus intéressante et la plus significative demeure probablement l'invention de la machine à tricoter, mise au point dans l'Angleterre du 16ᵉ siècle et répandue en France, par exemple, sous le règne de Louis XIV. Cette machine représente, pour l'époque, le modèle de la machine au sommet de son perfectionnement. C'est même à partir d'elle que seront conçues, par améliorations techniques successives, les premières machines à tisser auxquelles on a coutume d'associer le commencement de la Révolution industrielle dans le domaine du textile. Or, comme l'analyse Gérard Simon avec beaucoup de finesse (*Les machines au XVIIᵉ siècle*), cette invention, au plan technique, demeure totalement préindustrielle, toujours dominée analogiquement par le modèle du corps humain (et, dans ce cas, plus précisément encore, par celui des mouvements de la main). Cette machine à tricoter est en effet conçue à partir d'une décomposition des gestes humains du tricot et de leur recomposition grâce à des pièces mécaniques. Les ondes et platines, qui déplacent le tricot et le fil, y jouent le rôle des phalanges, tandis que les aiguilles prennent place entre les platines comme elles le feraient entre les doigts. La machine demeure bien soumise à un modèle organiciste. Elle n'est pas encore pensée selon un modèle mécanique autonome, *sui generis* ou, plus précisément peut-être, *motu proprio*.

Cette machine n'en demeure pas moins significative de l'essor, lent mais constant, du machinisme tout au long des 17e et 18e siècles ou, plus exactement encore, d'une reformulation générale du champ technique sur le modèle de la machine, de la *machination*. Ce qui provoquera d'ailleurs, non sans quelque paradoxe, une ultime manifestation des techniques de la *ruse* et, singulièrement, des machines destinées à produire du merveilleux à l'instar des antiques *thaumata* de la Grèce classique.

La machine aux 17e et 18e siècles: l'ultime jeu des *thaumata*

Qu'en est-il donc de cette *machine*, de la chose, bien sûr, mais également du mot, qui commence à envahir la réalité et le langage aux 17e et 18e siècles?

Le mot lui-même, tout d'abord: il apparaît assez tardivement dans l'Europe médiévale, vers la fin du 14e siècle, où il fut d'abord utilisé par Oresme (c. 1320-1382) — et c'est assez intéressant — pour désigner le corps humain comme «machine corporelle». Dès son apparition, le terme apparaît lié au schéma organiciste d'un corps décomposable en multiples parties elles-mêmes décomposables en divers «rouages». Aux 17e et 18e siècles, le terme a trois sens fondamentaux: il désigne tout d'abord les instruments qui servent à transformer une force naturelle (un moulin ou un barrage, par exemple); il s'applique par ailleurs à un agencement de parties fonctionnant par lui-même (désignant, sous cet aspect, aussi bien une horloge que le système planétaire ou le cosmos lui-même); il sert enfin à signifier l'inventivité, la ruse, les moyens mis en œuvre en vue d'une fin et confine ici, bien sûr, à la *machination*.

L'évolution de ces trois sens sera elle-même significative. Dans les dictionnaires de la Renaissance, c'est la troisième acception du terme qui est la plus fréquemment citée. Quelques siècles plus tard, ce sens aura passablement vielli. Ainsi par exemple Boiste, dans son *Dictionnaire universel de la langue française* (1836), indique le sens de ruse comme «figuré et familier». Littré relègue cette acceptation aux dix-septième et dix-huitième rangs des vingt et une significations reconnues qu'il retient de ce mot. Le *Petit Robert* isole pour sa part comme «archaïsme», ce sens équivalent à la *machination* que le français moderne a conservée. Dans *l'Encyclopédie* et le *Dictionnaire de l'Académie*, au 18ᵉ siècle, note C. Reichler (*Machines et machinations*), le sens de ruse est encore placé en troisième position comme «sens figuré abstrait».

Il commence pourtant à s'occulter et à se spécialiser pour désigner les «artifices» permettant d'avancer le succès d'une affaire (par exemple, dans le *French–English Dictionary* de Cotgrave, dont la première édition remonte à 1611). Les deux premiers sens, en revanche, sont de plus en plus réservés aux techniques et aux arts mécaniques, même s'ils continuent d'évoquer l'ingéniosité et l'art qui permettent d'obtenir quelque puissance au moyen d'une ruse technique. La subsistance de ce sens suggérera à J.-F. Lyotard, à la suite d'Aristote (et d'après Reichler), que la technique est la «force des faibles», la manière d'obtenir une plus grande force avec peu de moyens.

À cette époque, le noyau sémantique du mot *machine* conserve donc un sens de *ruse* qui, même s'il commence à s'atténuer et à s'illustrer figurativement, se généralise pour désigner toute activité usant d'un stratagème quelconque. C'est ainsi que les trois domaines privilégiés de la machine apparaissent comme étant, outre la sphère de la technique, le domaine de la jouissance amoureuse (et l'on songe bien sûr ici à tous ces stratagèmes amoureux du théâtre de Molière où les «machineries» et les «ressorts» de Scapin, par exemple, permettent au désir de déjouer la morale et de trangresser les interdits); celui de la conquête, du pouvoir (Racine, La Bruyère, Bossuet évoquent ainsi ces «machineries du pouvoir» et ces «machines de guerre» comme moyen de sa conquête); celui, enfin, du savoir: et il s'agit alors d'un argument, rusé et fallacieux, prêté au discours de l'adversaire. Pascal et les Jésuites — pour une fois réunis! — l'emploient ainsi pour désigner les discours des Libertins, qui s'en serviront eux-mêmes, au Siècle des lumières, pour dénoncer les «artifices de la religion».

Il n'est pas étonnant dès lors qu'avant de s'estomper dans l'archaïsme, le sens de ruse associé à la machine ait non seulement continué à imprégner le modèle des machines, mais qu'il se soit même imposé comme un modèle applicable à des domaines aussi hétérogènes que l'amour, la conquête du pouvoir ou la polémique des savoirs... Il y a là matière à réflexion. Avant, en effet, que la machine n'impose sa nouvelle mythologie technicienne toute empreinte de froideur opérationnelle, elle s'imisce dans le langage pour désigner cette ingéniosité de l'esprit qui, mis au service du désir, du pouvoir ou de la volonté de convaincre, permet de l'emporter.

Ces connotations, toujours liées à une idée de *ruse*, suggèrent bien que l'esprit du paradigme grec, qui liait la technique au merveilleux du désir, n'avait pas complètement disparu. Elles donnent à entendre en même temps que cette dimension de ruse et de jeu du désir est malgré tout investie d'une nouvelle dimension de *pouvoir*, qui n'était à cet égard que très inchoativement présente chez les Sophistes: la ruse technique, en plus d'être liée au désir, apparaît en effet désormais comme volonté de conquête et de domination. Elle a en ce sens plus d'affinités avec la ruse ontologique de la technique médiévale qu'avec la ruse grecque de l'âge classique.

C'est au reste ce que suggèrent assez bien les ·enjeux théologiques qui semblent liés à l'usage du terme. Bossuet, par exemple, dans son *Oraison funèbre de François Bourgoing*, parle de l'art du Démon qui «remue ses *machines* les plus redoutables (...)» À quoi répondra d'ailleurs Diderot, en s'exclamant de manière assez provocante: «Quelle belle *machine* que le diable!» À la suite des Libertins, Diderot investira ainsi la ruse de la *machine* de tout un sens ontologique qui transforme celle-ci en instrument critique démasquant les artifices de la religion et permettant la victoire de la Raison. (L'*Encyclopédie* retient d'ailleurs une définition plutôt polémique du terme *machine*, rappelant qu'il s'agissait à l'origine d'un moyen pour faire apparaître et intervenir — *ex machina* — un dieu au théâtre, ou d'un artifice destiné à dénouer une situation inextricable, et que, par métonymie, c'est le dieu lui-même que les Grecs désignaient comme *machine*, du nom du moyen de son apparition.)

*

Et cependant, même ainsi pensée dans un nouveau schème de ruse ontologique et de désir de pouvoir, la machine, aux 17ᵉ et 18ᵉ siècles, doit son succès aux traits qu'elle partage avec les antiques *thaumata* grecs; elle vient de nouveau provoquer le pur émerveillement d'une ruse ingénieuse de l'esprit avant de s'imposer définitivement sous l'aspect de son utilité et de sa rationnelle fonctionnalité (et de condamner par là même les «machines merveilleuses» à ne plus resurgir que sous la forme de tous ces *gadgets* qui nous inondent certes, mais qui ne constituent plus le modèle technique dominant, représentant plutôt désormais des «lignes de fuite» de nos machines rationnelles).

Tout semble s'être passé comme si, face à un essor — inéluctable? — de la technique (et même, pourrait-on dire, face à la prémonition de la nouvelle ère qui allait bientôt s'ouvrir en déployant des techniques purement rationnelles destinées à la conquête effective du monde dont ils rêvent déjà), les 17ᵉ et 18ᵉ siècles avaient encore préféré le rêve à la réalité à venir, profitant des innovations techniques pour nourrir leurs fantasmagories et fabriquer, grâce à elles, du merveilleux. Étrange retour de ces *thaumata* de la Grèce antique au cœur du Grand Siècle et à l'âge des Lumières, à la veille donc de la Révolution industrielle: machineries royales alimentant les grandes eaux de Versailles, et les représentations théâtrales spectaculaires; machine hydraulique de Marly qui permet de hausser le niveau de la Seine jusqu'à celui du château de Versailles afin d'y alimenter les pièces d'eau actionnées par plus de deux cents pompes réparties sur trois étages; ancêtres de la «machine à vapeur», qui frappent l'imagination du fait qu'elles soulèvent l'eau grâce à la puissance du feu — en symbolisant ainsi une alliance merveilleusement inédite des contraires; astucieux mécanismes qui relient directement les cuisines et la table du roi, la partie centrale de celle-ci se déplaçant

205

mécaniquement jusqu'aux offices; horloges monumentales encore (celle de la cathédrale de Strasbourg est particulièrement célèbre), décorées de manière à représenter le mouvement des astres, parées de scènes allégoriques; automates parlants et oiseaux mécaniques chantants (le célèbre canard de Vaucanson, par exemple); «théâtres de machines» destinés à susciter l'émerveillement des spectateurs (et qui, eux aussi, font bel et bien figure de glorieux ancêtres de nos «divertissants» musées des sciences, de nos excitants Disneyworlds, de nos modernes Epcott Centers...).

Toutes ces machines ont bien en commun d'être essentielle- ment destinées à provoquer l'émerveillement et à nourrir le rêve tout en étant par ailleurs socialement typées comme signes de *distinction* — pour évoquer librement P. Bourdieu — et, donc, de pouvoir. Elles associent même, fréquemment une fonction utilitaire à leur rôle de divertissement (la table mobile du roi, par exemple) encore que cette fonction soit loin d'être prédominante. Il n'empêche: si l'horloge n'a pas atteint la fonctionnalité moderne de nos chronomètres et de nos montres-bracelets, si elle continue d'être largement un *objet d'art* merveilleux — et encombrant —, elle n'en habitue pas moins à dé- couper les heures selon une rythmique rationnelle, assumant ainsi une fonction sociale nouvelle, qui échappait aux anciens *thaumata* grecs. G. Simon [MDS] résume bien la double fonction de ces machines, à la fois productrices de merveilleux et instruments d'un nouveau projet de conquête technicienne du monde et de légitima- tion sociale: «Le sentiment le plus courant qu'inspire la machine, écrit-il, est celui de l'admiration à la fois devant l'ingéniosité qu'elle présuppose et les effets surprenants qu'elle produit. Par elle-même, elle est toujours une curiosité, sinon un spectacle; et souvent elle est productrice de spectacle. Les plus coûteuses ne sont pas destinées à des usages artisanaux ou industriels. Un bon nombre sert à entretenir dans les demeures princières ou royales l'enchantement permanent du merveilleux. Non seulement elles y ont leur lieu réservé, comme la grande salle des machines du Palais des Tuileries (...), mais le palais lui-même devient théâtre de théâtre (...) [où] la Cour se donne dans l'étiquette la représentation de ses propres hiérarchies, devient dans les fééries qu'elle regarde une Société de Dieux et de Nymphes

(...) La mécanique de Versailles (...) fournit le cadre d'un jeu d'acteurs (...) où le Roi-Soleil, en incarnant son propre mythe, finit par l'imposer à l'Europe entière. L'une des fonctions de la machine la plus fréquemment relevée est de prolonger et d'imiter la nature en donnant corps aux artifices et aux simulacres. Grâce à elle, qui est déjà une ruse, se parfait la ruse redoublée de l'illusion: elle repousse toujours plus loin les frontières de la vraisemblance (...)» (*Les machines au XVII*ᵉ *siècle*, p.12-13).

Nouvel avatar des anciens *thaumata*, ces machines, destinées à provoquer l'émerveillement, aussi bien qu'à fonder une autorité, prennent place dans le cadre éminemment ambigu, mais non moins révélateur, du théâtre. Il ne s'agit plus, pourrait-on dire, de *thaumata* «naturels», mais de machines «en représentation». Elles conservent certes leur magie merveilleuse, mais c'est sur le mode de la représentation théâtrale qu'elles la font surgir, sous forme de spectacle. Ambiguïté de cette représentation théâtrale: ce qui se montre, c'est bien l'in-utile pur du merveilleux, mais c'est également tout le faste qui entoure la représentation, et dans lequel transparaît une fonction utilitaire — et sociale — nouvelle. Qu'ils soient installés dans des demeures princières ou dans d'obscurs cabinets de savants de province, tous les «théâtres de machines» qui ont précédé la Révolution industrielle et qui ont eu un impact déterminant sur l'essor de l'«esprit scientifique» (dont ils constituaient de véritables centres de diffusion), avaient en commun d'allier à la production du merveilleux la promotion d'un respect pour l'invention technique dans sa capacité de dominer la nature.

*

Pour comprendre en quoi, malgré cette résurgence de machines d'abord et avant tout merveilleuses, les techniques et le machinisme des 17ᵉ et 18ᵉ siècles annoncent déjà l'ère industrielle à venir, il faut analyser les facteurs et les contraintes techniques de l'époque et, bien sûr, tenir compte des machines proprement utilitaires qui s'y développent également, à côté des merveilleux automates.

G. Simon [MDS] montre bien à cet égard comment les machines du temps étaient toujours doublement soumises, d'une part, au modèle organiciste du corps, qu'elles se contentaient pour l'essentiel d'imiter (d'autant plus que la fabrication industrielle «en série» de machines n'existe pas encore, chacune étant dès lors toujours unique et individualisée) et, d'autre part, à la nature elle-même, qu'elles se limitaient encore largement à «détourner» sans être vraiment en mesure de la dominer véritablement.

C'est ainsi par exemple que les machines les plus répandues, celles qui sont conçues pour capter l'énergie, ne parviennent pas encore à la produire ou même à la stocker. Qu'il s'agisse de pompes, de moulins ou de voiles, toutes demeurent tributaires d'un élément naturel qu'elles utilisent et de ses caprices auxquels elles doivent se soumettre. Et cependant, on est déjà bien loin du désir grec d'adaptation à la nature. Cette nature, on rêve bel et bien de s'en rendre maître et possesseur. La nature, note Simon reprenant une métaphore de l'époque, est comme un animal sauvage qui échappe encore à l'homme. Mais... on finira bien par la dompter!

Il existe par ailleurs une seconde catégorie de machines conçues à partir de techniques permettant déjà de stocker une certaine quantité d'énergie et de restituer celle-ci sous une autre forme, programmée. On songe surtout ici bien sûr à l'horlogerie, où se manifeste particulièrement l'innovation technique au cours de cette période. L'aiguille des minutes et celle des secondes, qui s'ajoutent à l'unique aiguille des heures des antiques horloges, permettent désormais un découpage rationnel beaucoup plus raffiné du temps. Ces innovations auront des effets déterminants sur l'imaginaire social: c'est peut-être moins la régularité des horloges qui frappe les esprits de l'époque (la légende veut que les habitants de Kœnigsberg aient réglé les leurs sur l'infaillible ponctualité des promenades de Kant), que le fait qu'elles soient *programmées* à l'avance. Cette caractéristique permet en effet de rêver à des machines qui seront réellement automatiques, autonomes, qui fonctionneront *toutes seules*. Mais elle suggère également de voir l'univers lui-même comme un gigantesque mécanisme d'horlogerie, comme une immense horloge programmée par Dieu au début des temps et fonctionnant, depuis, toute seule, avec la régularité d'une pendule.

Ce nouvel imaginaire se traduit dans les deux principaux mythes de l'époque: celui du Dieu-Horloger de Leibniz et de Voltaire, tout d'abord, qui, à l'instar de ces *dii otiosi* de bien des mythologies, semble s'être retiré du monde après l'avoir créé, exilé dans quelque ciel inaccessible; celui, d'autre part, des automates au moyen desquels on s'efforce d'imiter la nature et ses «mécanismes» le plus fidèlement possible. Dans les deux cas, on y reviendra, l'univers se révèle comme correspondant à une structure mécanique — structure qui, comme dans tout mythe, rend compte de la genèse et du fonctionnement du monde.

Cette seconde «famille de machines» jouera un rôle déterminant au cours des deux siècles qui précèdent la Révolution industrielle. À travers elle se poursuit l'effort d'amélioration des techniques de calcul d'où va justement pouvoir surgir la Révolution industrielle — notamment grâce à cette décomposition mécanique et rationnelle du temps que J. Attali [HT] a bien mise en lumière. En ce sens, ces techniques témoignent bien du nouvel état d'esprit de conquête méthodique de la nature qui se glissait déjà, quoique de manière encore subreptice, dans la conception des nouveaux *thaumata*.

Les 17ᵉ et 18ᵉ siècles voient par ailleurs s'annoncer une troisième famille de techniques machiniques, qui seront incontestablement les plus innovatrices — aussi bien d'ailleurs en ce qui concerne leur impact sur l'imaginaire que leurs performances proprement techniques — quoique, comme le fait remarquer G. Simon, elles soient sans doute encore trop récentes à l'époque pour influer significativement sur les autres techniques qui demeurent, pour l'essentiel, soumises au modèle de l'horloge ou à celui du corps: il s'agit de machines dont le principe de fonctionnement échappe aussi bien à l'œil qu'à la compréhension spontanée, se parant de ce fait d'une aura de mystère. La première de ces techniques est bien sûr celle de l'arme à feu, c'est-à-dire à poudre. Mise au point dès le 14ᵉ siècle, cette arme magiquement redoutable ne se limite plus à prolonger le geste naturel du lancer, comme l'arc ou la catapulte par exemple, mais elle produit elle-même du mouvement (d'une manière autonome) à partir d'une matière à première vue inerte. Il s'agit assurément là de l'un des tout premiers «mystères techniques» modernes, qui transformera d'ailleurs les artilleurs en spécialistes d'un art subtil et redoutable dont on ne comprendra vraiment les principes qu'au 19e siècle (ce qui permettra alors notamment de domestiquer cette puissance dans le moteur à explosion — avec les conséquences que l'on sait...).

D'autres techniques encore, bien que moins spectaculaires, accroissent ce «mystère» d'une technique qui joue avec des mécanismes invisibles. La presse hydraulique, par exemple, dont le fonctionnement repose sur des principes qui contredisent en apparence une loi de la physique, ou encore le baromètre, qui mesure quelque chose de «réel» mais d'«invisible», et que l'on commence à manipuler dès le milieu du 17e siècle en créant notamment les ancêtres des machines à faire le vide. (On connaît à cet égard les capitales et célèbres «expériences cruciales» de Pascal.)

*

Ce bref parcours des techniques utilitaires et de leur influence sur l'imaginaire du temps (qui synthétise en particulier les travaux de G. Simon sur la question) confirme qu'à l'exception de la troisième «famille», encore en émergence, les techniques et les machines des 17e et 18e siècles demeurent largement limitées et soumises à la nature. La technique, dans les faits sinon dans les rêves qui la nourrissent, se manifeste toujours sous les traits d'une ruse ingénieuse, toujours tributaire de la nature, dépendante de ses caprices. La machine du Grand Siècle et celle du 18e siècle est encore fragile, peu puissante. Elle se brise facilement. Mais n'est-il pas déjà merveilleux qu'elle puisse réussir à fonctionner? Même imparfaite, elle se trouve de plus en plus investie d'une fonction de régulation sociale, devenant un instrument permettant de mesurer l'efficacité du travail au moyen de la rationalité, du calcul. Le projet de domination qu'elle entretient n'est certes encore qu'un rêve, dont témoigne la métaphore suggérée par le dressage des animaux: il n'en demeure pas moins qu'il s'agit bien de domestiquer peu à peu la nature, de la dresser, de l'humaniser grâce aux techniques qui s'inspirent des mécanismes naturels eux-mêmes.

La technique de l'époque classique semble ainsi osciller, tel le balancier d'une pendule, entre deux modèles: celui de l'horloge, et celui de la machinerie théâtrale. Le second permet de représenter la ruse ontologique et de rêver à la toute-puissance de la raison conquérante appelée à transformer le monde. Le premier, pour sa part, découpe le temps en préfigurant — et en invitant concrètement à réaliser — le nouvel ordre industriel conquérant basé, on le sait, sur le calcul des heures (le taylorisme). Hésitant ainsi entre le rêve et la conquête réelle, le domaine technique paraît «en retard» par rapport au paradigme symbolique de la puissance du rationnel. Pour pouvoir se déployer pleinement, il lui faudra donner naissance à un modèle de pensée mécaniste qui réduira le monde à un agencement de parties et justifiera de ce fait la possibilité de le transformer par réagencement de celles-ci. Telle sera précisément la contribution des 18e et 19e siècles qui, pour la première fois, traduisent le rêve de conquête du monde en un modèle mécanique de l'univers.

Le schème d'interprétation mécaniste du monde

Émerveillement devant l'ingéniosité humaine et l'efficacité de la technique: voilà bien ce qui résume le mieux la réaction des 17e et 18e siècles à l'endroit des machines. Les poètes de l'époque sont des témoins privilégiés de cette nouvelle valeur accordée à la technique mécanique. Pour la première fois en effet les engins techniques franchissent le seuil de la poésie, jusque-là chasse gardée des bergères et des myrtes... Ils y sont non seulement nommés — ce qui est déjà remarquable! — mais deviennent même l'objet d'une célébration dans un foisonnement de termes eux-mêmes techniques — qui gênerait sans doute l'avant-garde la plus *high-tech* de la poésie contemporaine... A.L. Thomas, dans son poème *Jumonville* (chant IV) de 1759 (soit quelques décennies avant le plus sobre roulement des canons d'Austerlitz), chante ainsi une batterie de canons qui vengera la mort du héros français traîtreusement tué par l'Anglais en Nouvelle-France. Son lyrisme assez particulier insiste sur la fascination exercée par la puissance — technique — de ces

> (...) fatales machines [qui],
> Aux remparts menacés, annoncent leur ruine.
> Dans le creux du cylindre, avec art entassé,
> Par le soldat poudreux le salpètre (sic) est pressé.
> Et les globes de fer, entourés de bitume,
> Attendent le moment que le soufre s'allume.
> Le signal est donné: Les feux étincelans (sic) (...)

Mais arrachons-nous tout de même à cette pièce de bravoure technicienne! (citée par É. Guitton — *La machine dans l'imaginaire des poètes français*, p. 103 — qui en rassemble une remarquable anthologie).

Si la poésie du 18e siècle ne chante pas encore tout à fait l'hymne de la conquête industrielle comme elle s'y essaiera au siècle suivant, c'est bien la *machine* qu'elle célèbre, en s'émerveillant, comme le fait remarquer Édouard Guitton [MIPF] non seulement de l'ingéniosité mise en œuvre mais également de l'utilité des découvertes techniques qui nourrissent le rêve d'une domination totale de la nature. Le poète J. Delille écrira ainsi une *Épître à l'occasion d'un bras artificiel qu'il a fait pour un soldat invalide...* (1761). Lemierre, autre rimeur illustrement inconnu de l'époque, chantera pour sa part l'art ingénieux du clavecin oculaire (1769) mais aussi l'invention du ventilateur (1756) qui déploie sa force «contre les vapeurs impures», et encore cet «appareil magique» qu'est l'électricité — elle vient tout juste d'être découverte — «[et qui,] mortels, doit être un jour la clef de la nature». Bérault-Bercastel (1755) célébrera quant à lui, avec autant d'enthousiasme que de lyrisme, ce «magique instrument» qu'est elle aussi la serinette, ce petit orgue mécanique conçu pour apprendre à chanter aux oiseaux... L'art pompier, reconnaissons-le — à moins que ce soit l'hyperréalisme contemporain? —, eut dans cette «poésie technique» de fort audacieux ancêtres!

Cette poésie témoigne à sa manière, et non sans éloquence!, d'un même intérêt pour l'objet technique qui redevient en effet un objet à maints égards sacré, dont l'utilité sociale émerveille et dont la puissance conquérante émeut. La poésie, en insistant sur la touchante utilité des inventions techniques, valorise et sacralise l'objet technique. Toute une littérature entretient et nourrit encore plus directement les rêves de machines qui permettront un jour de triompher définitivement de la nature, de maîtriser ses lois les plus incontournables, y compris celle de la pesanteur. Bien avant Jules Verne, Cyrano de Bergerac inventera plusieurs moyens pour aller sur la lune. Burattini, dès 1669, tentera avec son *Dragon Volant* (cf. R. Taton [DVB]) de matérialiser ce rêve. La littérature fera, longtemps avant le Capitaine Némo, bien des lieues sous les mers, transgressant, tout au moins par l'anticipation de l'imaginaire, les plus infranchissables limites de la nature.

Poètes, romanciers et ingénieurs témoignent en fait d'une même fascination pour la technique et pour les effets merveilleux qu'elle produit. Tous s'inscrivent au fond dans un même courant de pensée qui s'impose aux 17e et 18e siècles et qui célèbre ultimement moins telle ou telle technique spécifique que le triomphe même de cette Raison technicienne dont toutes procèdent. É. Guitton [MIPF] le montre bien: à travers toutes ces célébrations plus ou moins lyriques, le leitmotiv est le même: c'est celui du triomphe de ce qu'on appelle toujours les *Arts* mais dont la *Physique* est — significativement — désormais la reine. L'ingénieur devient le héros de cette nouvelle mythologie. La technicité prend rang parmi les canons de l'esthétique poétique et picturale.

Guitton, plus profondément encore, montre que cette idéologie, que ce lyrisme de l'homme conquérant et de la technique triomphante renvoient à un schème de pensée qui imprègne ces deux siècles: celui d'une interprétation mécaniste de l'univers. Tout semble en effet devenir interprétable dans les termes d'une machine décomposable en ses différentes parties. Les phénomènes naturels, animaux compris, deviennent désormais eux aussi des machines dont il est dès lors possible de dégager les divers mécanismes. On sait l'importance de Descartes à cet égard. Le premier, il a invité à considérer systématiquement — grâce aux règles de la méthode — l'univers et tout ce qu'il contient comme une *chose* décomposable en parties toujours plus simples pouvant par la suite être réagencées de manière à former un ensemble plus fonctionnel, plus rationnel. Descartes certes, tout en proposant des modèles explicatifs mécanistes (dans sa *Physique* et son *Traité des passions*, notamment), conservera toujours une réserve prudente — ou ambiguë? — à l'égard d'une réduction purement mécaniste de l'être humain lui-même. La Mettrie ira plus loin et, prolongeant logiquement la perspective cartésienne, osera le premier proposer un traité de l'*Homme-machine* (1748) («L'homme est une machine, et il n'y a dans l'univers qu'une seule substance diversement modifiée»). Les penseurs de l'époque n'iront certes pas tous jusque-là. Plusieurs hésiteront devant une telle réduction mécaniste de l'être humain, soit au nom d'une certaine vision de sa spécificité ou de sa dignité, soit, plus prosaïquement, pour s'épargner les foudres d'un pouvoir, ecclésiastique ou civil, épistémologiquement moins audacieux... Un fort courant se révèle néanmoins favorable à la validité du schème mécaniste et à son application à tous les domaines de la vie.

Ce modèle imprègne à ce point l'époque qu'on doit le voir non seulement comme une construction rationnelle du monde mais, plus largement encore, comme un modèle symbolique et même proprement mythique, dans la mesure où, à l'instar des mythes les plus traditionnels, c'est bien une interprétation globale, exhaustive et totalisante du monde qu'il propose. Dans cette veine, Huygens met au point, en 1682, une «représentation artificielle du système du monde»; son planétarium automate explique mécaniquement tous les mouvements du cosmos. Leibniz — on l'a évoqué — propose un système où Dieu se voit assigner le rôle de Grand Horloger d'un univers qu'il a mis en place mais dont il s'est retiré après y avoir inscrit d'immuables lois. (L'astronome Laplace, sous le Premier Empire — et à l'étonnement au moins verbal de l'empereur — n'aura pour sa part, on le sait, «plus besoin de cette hypothèse»...) Diderot (*Le rêve de d'Alembert; Éléments de physiologie*) va prôner un mécanisme plus intégral encore, tout le vivant pouvant selon lui se réduire à du «machinal scientifisable» (selon l'expression de Marc

Buffat, *Diderot, le corps et la machine,* p.190). En ce sens, il va plus loin que La Mettrie qui se contentait de poser une *analogie* entre le corps humain et la machine. Pour lui, le corps humain et l'univers sont *réellement* des machines scientifiquement et techniquement décomposables. Diderot sera par ailleurs l'un des tout premiers penseurs à proposer l'application de ce schème mécaniste au champ social: revenant de Russie, il parlera de l'État comme d'une immense machine faite d'une infinité de petits ressorts — qui fonctionnent mal, estime-t-il, du fait de leur mauvais agencement... (*Entretiens pour Catherine II* [OP, 173].)

On pourrait multiplier les exemples, ils ne feraient que confirmer l'application progressive de ce schème à tous les champs de la culture: astronomie, théologie, philosophie, physique, psychologie... Quel est donc l'enjeu du surgissement, relativement soudain, d'un tel schéma mécaniste? Pour la première fois, un modèle technique, c'est-à-dire d'abord et avant tout destiné à expliquer comment une machine fonctionne grâce à l'agencement de parties «simples», se transforme en modèle général d'interprétation du monde. Il s'agit, en ce sens, de la première manifestation de ce qu'on pourrait appeler un *techno-discours*, un discours «techno-crate» appliquant des schèmes techniques aussi bien à l'astronomie qu'à la biologie, à la physique qu'à la poésie. Cette métamorphose d'un schème technique en schéma symbolique d'interprétation du monde apparaît d'autant plus chargée mythiquement que le schème repose tout entier sur l'analogie qui traverse les trois domaines de la machine, du vivant microcosmique et du macrocosme lui-même. Les «machines du monde» et les machines concrètes, note Claude Reichler [MM], se renvoient la même image, dans un nouvel espace mécanique homogène. Or n'est-ce pas l'objectif de tout mythe que de relier — ici, au moyen de la machine — ces deux ordres, à première vue hétérogènes, du microcosme et du macrocosme?

On sait comment ce schème symbolique de pensée mécaniste exprimait bien la technique de l'époque: les machines, non encore autonomes, ne pouvaient se séparer du modèle organiciste du corps, renvoyant dès lors toujours à ce dernier dont elles étaient en quelque sorte le prolongement technique (le levier) ou le substitut (les automates). Plus encore: le modèle organiciste de la machine permettait d'espérer que la technique mise en œuvre par l'homme ne ferait que retrouver finalement les structures internes de l'univers, elles aussi réductibles à des mécanismes simples. On peut à cet égard se rappeler que l'idée même d'une réduction de toute chose à un modèle mécaniste correspond à une époque où se multiplient de manière quasi obsessionnelle, notamment dans la peinture et la littérature édifiante, les représentations du cadavre. Songeons à la célèbre *Leçon d'anatomie* de Rembrandt ou au non moins célèbre exorde du *Sermon sur la mort* de Bossuet: «Me sera-t-il permis aujourd'hui, s'enquiert gravement le grand prédicateur, d'ouvrir un tombeau devant la cour, et des yeux si délicats ne seront-ils point offensés par un objet si funèbre (...) La nature d'un composé ne se remarque jamais plus distinctement que dans la dissolution de ses parties. Comme elles s'altèrent mutuellement par le mélange, il faut les séparer pour les bien connaître (...)» Peu à peu, l'Occident s'habitue à voir le corps humain lui-même comme un simple agencement de parties.

Le modèle mécaniste n'est toutefois pas pour autant la simple survivance d'un modèle technique dépassé, prisonnier de sa métaphore organiciste. Il a eu un rôle fondamental puisque avant la conquête définitive de la nature par la technique, il a en fait permis d'annoncer cette dernière, de la rendre possible en proposant pour la première fois une représentation purement technique de l'univers, qui resurgira bien après le 18ᵉ siècle, notamment dans tous les *techno-discours* modernes qui proposent une lecture du monde à partir d'une vision techniciste. Entre le modèle symbolique de la puissance du rationnel, qui est en projet dès la fin du Moyen Âge, et la nouvelle mythologie de la Révolution industrielle, qui le déploiera dans une symbolique prométhéenne, le modèle mécaniste peut donc être vu comme ayant joué le rôle d'un modèle intermédiaire qui permit de passer de l'un à l'autre, c'est-à-dire, en somme, de passer de la théorie et du rêve de domination de la nature à sa réalisation effective.

III

L'essor technique
et la nouvelle mythologie
de la civilisation industrielle
aux 18ᵉ et 19ᵉ siècles

C'est la rationalisation des techniques qui fait oublier l'origine irrationnelle des machines...

G. Canguilhem,
La connaissance de la vie

Le mythe de la Révolution industrielle
et son articulation au mythe du Progrès technique

Les pages qui précèdent ont tenté de le montrer: il n'y a jamais eu de «Révolution industrielle» au sens du moins où une mutation subite aurait brutalement transformé, au plan de la technique, la structure de la société occidentale. La «Révolution industrielle» par laquelle on entend désigner l'ensemble des innovations techniques qui apparaissent à la fin du 18ᵉ et au début du 19ᵉ siècle ne se comprend en effet qu'en tant que résultat d'un lent processus qui travaillait le corps social — et la technique — d'une manière continue depuis la fin du Moyen Âge. Non cependant qu'il y ait lieu de faire remonter à l'infini les «causes» et les «sources» de cette révolution — comme le fait par exemple Axelos (*Horizons du monde*; *Systématique ouverte*) en remontant jusqu'au *logos* présocratique et aux premières implications techniciennes de la raison grecque. Il s'agit plutôt de reconnaître que, dès la fin du Moyen Âge, se met en place un nouveau dispositif symbolique qui va progressivement engendrer un essor technique jusque-là présent de manière seulement virtuelle et toujours freiné, notamment chez les Grecs. Ce n'est pas pour cela que les innovations techniques de la fin du 18ᵉ siècle représentent une «révolution» soudaine, venant

217

radicalement transformer la société. Ce serait là demeurer prisonnier d'une vision purement techniciste des choses, perdre de vue que la technique n'est que la cristallisation de flux sociaux à un moment donné, et qu'elle ne peut se comprendre que comme leur résultante. Ce serait en quelque sorte demeurer fasciné par l'écume des vagues et leur ressac sur le rivage, en oubliant que ces spectaculaires phénomènes sont d'abord portés par le mouvement des flots. C'est, au demeurant, la conception magnifiquement défendue par J.-C. Guédon qui invite à voir les objets techniques comme des concrétisations momentanées des rapports sociaux.

Au demeurant, les tenants d'une «révolution industrielle» révèlent assez leur embarras lorsqu'ils tentent à tout prix de dater ce pseudo événement. Ou bien en effet ils prennent en considération les événements précurseurs de cette «révolution» — et ils ont alors tendance à la situer à la fin du 18ᵉ siècle, autour des années 1780 plus précisément; mais même alors, les dates varient d'un auteur à l'autre selon qu'ils privilégient telle ou telle innovation technologique particulière comme amorce du phénomène: les grandes inventions de l'industrie textile (1760-1780), l'invention de la machine à vapeur (1769) ou ses premières applications industrielles (1782-1786), ou encore les techniques de puddlage (1780) permettant la production d'un fer de plus grande qualité, sans lequel la plupart des autres innovations auraient été impossibles.

Ou bien encore, et pour éviter un tel «embarras du choix», la majorité des commentateurs ont tendance à se mettre d'accord pour situer le début de la Révolution industrielle plus tardivement, en Angleterre, vers le milieu du 19ᵉ siècle, en la reliant alors à l'essor de la grande industrie par rapport aux *domestic systems* encore dominants. Mais c'est, du coup, reconnaître que la prétendue Révolution industrielle ne peut s'expliquer par des facteurs seulement techniques, qu'elle met en jeu des phénomènes sociaux beaucoup plus larges. Ajoutons enfin que certains auteurs soviétiques (par exemple *La révolution scientifique et technique et la société,* ouvrage collectif), repoussant encore davantage la date de naissance de cette révolution, semblent prendre à ce point au sérieux le concept de «révolution technique et scientifique» qu'ils ne la situent pas avant les années 1945-1950, les décennies précédentes n'en étant au fond qu'une «ébauche» — certes marquante aux plans épistémologique et social mais n'ayant pas produit de véritable «révolution», laquelle est bien entendu réputée coïncider avec l'essor du marxisme de l'après-guerre...

S'il y a une telle difficulté à dater cette Révolution industrielle, c'est parce qu'il est simplement impossible de dater un phénomène qui déborde largement celui des innovations techniques pour dessiner une nouvelle configuration sociale; c'est aussi bien sûr parce que la nouvelle configuration globale de la société n'a pas surgi d'une manière abrupte, par la grâce de quelque mutation technologique soudaine, telle Minerve toute armée du cerveau de son père.

Notre époque, à vrai dire, est plus héritière de ce Moyen Âge où prit forme un nouveau schème de pensée que d'une hypothétique «révolution» qui serait survenue il y a un peu plus d'un siècle. (Nietzsche, dans *La volonté de puissance* et ses *Considérations inactuelles,* avait en ce sens raison de voir les humains «modernes» comme «épigones d'une fort vieille histoire», et non comme pionniers d'une histoire inédite, contrairement à ce que notre modernité s'est tellement plu à croire...)

Les plus lucides des historiens des sciences et des techniques sont au demeurant conscients de la dimension profondément mythique de ce concept de révolution — technique ou industrielle. L'industrie britannique, suggère ainsi R. Marx («Réalité et chronologie de la Révolution industrielle», *La révolution industrielle en Grande-Bretagne,* p. 8), n'a pas connu de subite métamorphose. À l'orgueilleuse constatation de Macaulay (sur la métamorphose provoquée par la Révolution industrielle), «l'historien d'aujourd'hui apporte autant de réserves que de confirmations». Attentif à l'histoire des techniques en tant que processus endogène continu ayant ses propres lois d'évolution, M. Daumas (*Le mythe de la révolution technique,* p. 291) estime, plus radicalement encore, que «l'une des principales erreurs qui (...) fausse l'explication [de l'histoire des techniques] est cette conception couramment admise qu'il s'est produit à une certaine époque comprise en gros entre 1750 et 1850 une révolution technique». Pour Daumas, la «nouveauté» du phénomène réside moins dans le «progrès» technique concret (lequel a toujours existé) que dans l'accélération du rythme des innovations et, surtout, dans l'influence que les techniques ont désormais les unes sur les autres, tendant à créer cette interdépendance dans laquelle Ellul, on y reviendra, verra l'essence d'un «système technique».

Le mythe de la Révolution industrielle

Là où une histoire des techniques peut sans doute se contenter de critiquer la pertinence du concept de révolution industrielle, une histoire de l'imaginaire doit pour sa part interroger ce qui est en jeu dans ce «concept imaginaire». Il n'est en effet pas neutre ou insignifiant de penser que, il y a moins de deux siècles, se serait produite une «révolution» capitale pour l'histoire de l'humanité, et que cette révolution se serait opérée grâce à la technique. Dans ce double mouvement de la pensée, l'Occident moderne ne fait somme toute que sacraliser le phénomène technique en lui accordant une place centrale dans sa reconstitution d'une histoire imaginaire de l'humanité et de son évolution. Il conforte et justifie ainsi sa croyance que, depuis à peine plus d'un siècle, l'humanité est entrée dans une nouvelle phase de son histoire, que l'accès à un nouvel âge d'or est enfin envisageable. Ainsi le concept de Révolution industrielle se réfère-t-il non à la réalité d'événements techniques concrets qui auraient changé le cours des choses, mais bel et bien à la croyance, fondamentale pour notre civilisation, d'avoir accédé à une nouvelle étape de l'histoire. (Il faudra bien sûr se demander ce qu'il advient du mythe lorsque l'humanité moderne ne se contente plus de rêver à un monde renouvelé par la technique mais vit avec la conviction de l'avoir réalisé.)

La Révolution industrielle se présente ainsi comme le mythe fondateur de la civilisation technicienne qui est encore la nôtre. En ce sens, ce mythe joue comme l'exact contrepoint de celui de l'*homo faber*: si, à travers ce dernier, l'homme contemporain se représente l'aube de son humanité (c'est-à-dire ce *terminus a quo* où l'homme, s'étant à peine arraché aux griffes de l'animalité, devient humain grâce à la technique), celui de la Révolution industrielle vient en quelque sorte le compléter et l'achever, en permettant d'espérer que nous sommes, toujours grâce à la technique, entrés dans une phase nouvelle, que nous sommes bien au seuil d'un âge d'or imminent. Dans un cas comme dans l'autre, il s'agit bien d'un mythe techniciste, qui prétend définir l'*essentiel* à partir de la technique, qui tente de dater des événements non techniques (l'apparition de l'«humain», l'inauguration d'un «nouvel âge») à partir d'hypothétiques événements techniques isolés de leur contexte (qu'il s'agisse du silex taillé, de la machine à vapeur ou de la micro-informatique), lourdement investis de symbolique eschatologique. (Comme tous les mythes, bien entendu — on y reviendra aussi —, celui de la Révolution industrielle devra sans cesse se réactualiser à travers des rituels pour conserver toute sa force de persuasion.)

L'Âge d'or et le Progrès

«Derrière» ce mythe de la Révolution industrielle, on voit ainsi sans cesse resurgir une eschatologie qui, cependant — et c'est là sa nouveauté —, se prétend désormais en partie réalisée, rendue visible et tangible par la grâce de la technique et de ses progrès. Si, pour le Moyen Âge qui l'élabora, ce mythe se présentait comme un possible *à venir*, un projet spirituel *à réaliser*, celui de la Révolution industrielle se présente désormais comme un possible *en train de se réaliser* grâce à la technique. En ce sens, il renvoie bien sûr à un autre mythe fondateur de la modernité, celui du *Progrès*.

Gérard Claisse (*Transports ou télécommunications — les ambiguïtés de l'ubiquité*) propose une fort intéressante analyse de ce mythe du progrès qui résulterait, selon lui, des deux mythes opposés: celui de l'*âge d'or* et celui du *chaos primordial*. Confronté à ces deux mythes hérités du monde grec, l'Occident moderne les aurait en quelque sorte synthétisés en les situant, de manière séquentielle, historique, aux deux extrémités de son histoire linéaire et progressive: l'humanité, émergeant de l'état animal, progressant lentement vers l'âge d'or grâce au progrès de la technique... «Le mythe du progrès, écrit ainsi Claisse, relativement récent, est venu s'intercaler entre le mythe de l'ordre originel et le mythe du chaos originel. Il a affirmé la potentialité de l'homme à organiser (améliorer) son environnement et sa vie sociale, par son action sur le monde. Dès lors, l'évolution du monde est perçue selon un déterminisme progressiste et l'introduction d'une nouvelle technologie, comme résultat de l'activité humaine, est immédiatement perçue comme nouvel élément de progrès» [TOT, 141-142]. On pourrait compléter cette fort pertinente analyse en ajoutant que ce mythe du progrès, qui se fonde effectivement sur une articulation des deux anciens mythes antagonistes de l'âge d'or et du chaos originel, se constitue en reliant précisément l'un et l'autre au moyen d'un troisième mythe, intermédiaire, celui d'une eschatologie sociale assignant à la technique la mission de faire échapper l'humanité au chaos et de le guider vers l'âge d'or à venir.

L'importance de ce mythe de l'eschatologisation sociale de la technique paraît bien confirmée par l'emploi même du mot *révolution* qui nomme et sous-tend les mythes des révolutions technique, scientifique, industrielle.

Une «révolution» technique?

Étymologiquement, bien sûr, la «révolution» évoque le cercle et, donc, une conception cyclique des choses, du temps. C'est encore d'ailleurs largement le sens du mot au 18e siècle. Ce sens, pourtant, commence à évoluer dès la Renaissance, où il sert à désigner alors un désir et un effort pour «retrouver» l'ensemble culturel grec par un «retour» à son antique sagesse, au-delà de la longue «parenthèse» du Moyen Âge «gothique» (c'est-à-dire barbare!) et obscurantiste. Largement polémique, cette connotation de «retour» aux Grecs donnera du coup au terme une teinte de provocation, de subversion: c'est une forme sclérosée, superstitieuse de pensée qu'il faudra détruire pour faire advenir l'âge d'or de la Raison retrouvée. Ironie de l'histoire, ou de la sémantique: le nouveau sens ainsi imprimé au mot révolution, lors même qu'il prétend exprimer un retour au monde grec par-delà le christianisme, ne fait qu'entériner et traduire une eschatologie chrétienne laïcisée, celle-ci étant désormais à la source d'une croyance au «Progrès de la Raison» grâce à un changement soudain, abrupt, permettant un passage — mythique — d'un «âge du monde» à un autre...

Cette nouvelle conception eschatologique et progressiste de la «révolution» fut, on le sait, d'abord à l'oeuvre dans le champ politique, en 1776 et en 1789, puis dans le champ épistémologique et scientifique. Lavoisier, par exemple, décrit son travail comme opérant une «révolution dans le savoir». La philosophie l'accueillera à son tour, surtout bien sûr avec la «révolution copernicienne» de Kant. Ce n'est que plus tard qu'on l'appliquera au champ technique, pour réinterpréter *post festum* — comme aurait pu dire Marx — la transformation technique en termes de «Révolution industrielle», c'est-à-dire en intégrant cette dernière, à son tour, dans le mouvement mythique d'ensemble qui vient d'être évoqué. Chaptal, fondateur des Chambres de Commerce et de l'École d'arts et métiers française, est le premier, dans son ouvrage sur l'industrie française (1818), à employer l'expression de «révolution de l'industrie». Mantoux (*La révolution industrielle au XVIIIᵉ siècle*), au début du 20ᵉ siècle, consacrera cet emploi, lui donnant ses lettres de noblesse: c'est lui qui popularise la nouvelle thèse historique de la «Révolution industrielle» qui se serait produite au 18ᵉ siècle et qui représenterait un événement radicalement nouveau...

Ce qui est significatif, c'est bien la perdurance de ce vieux schème eschatologique qui invite à voir, dans tous les domaines, un changement déterminant annonciateur d'un nouvel âge d'or, un saut qualitatif de l'humanité guidée par le Progrès. Mais c'est aussi, et plus encore peut-être, la manière dont la technique, dernier élément intégré à ce mythe, y deviendra finalement l'élément le plus déterminant, porteur d'espoir et signe de la nouveauté, de l'âge d'or en train de se réaliser.

*

L'interprétation de l'essor technique du 19ᵉ siècle nous a ainsi conduits au mythe de la révolution technique, véritable mythe des origines de la modernité. Ce mythe, on l'a vu, renvoie lui-même à celui du Progrès auquel il tente de donner une réalité tangible et indubitable, en l'ancrant dans l'histoire technique et en «prouvant» en quelque sorte que nous sommes déjà entrés dans cette nouvelle phase de l'histoire. Si le mythe de la Révolution industrielle qui se dégage ici éclaire la nouvelle symbolique du progrès technique, il apparaîtra néanmoins opportun de décrire maintenant de manière plus précise l'ensemble technique qui, même sans «révolution» brutale, se met résolument en place.

L'ensemble technique industriel

Pas de révolution industrielle brutale et subite, donc. Ce qui n'empêche toutefois pas les mouvements épistémologique, technologique et symbolique étudiés jusqu'ici d'aboutir en fin de compte, entre le 18ᵉ et le 19ᵉ siècle, à l'éclosion d'une nouvelle configuration technique. Le nouvel ensemble technique qui se forme après la domination du schème mécaniste se constitue à la fois grâce à ce schème et contre lui: les machines modernes devront conquérir une capacité de fonctionnement autonome qui les affranchira de la métaphore organiciste.

Sa spécificité

Selon les analyses de M. Daumas et de B. Gille, la constitution de cet ensemble s'échelonne globalement du milieu du 18ᵉ siècle au milieu du siècle suivant. S'il émerge dans la seconde moitié du 18ᵉ siècle, il acquiert, entre les années 1860 et 1890, une cohésion et une stabilité remarquables, au point de former, pour la majorité des observateurs de l'époque, un ensemble technique parfaitement autorégulé, qu'on pensait définitif et non susceptible de transformations technologiques radicales.

C'est à cette cohésion qu'il faut d'ailleurs se référer pour comprendre le développement du *scientisme* de l'époque. Ses tenants sont en effet persuadés que la science et la technique ont enfin atteint un état de stabilité et de perfectionnement au-delà duquel il sera difficile d'aller: les prodromes de l'âge d'or semblent sur le point de se manifester; il suffit, pour que cet avènement se produise, de développer juste encore un peu les nouvelles techniques en pleine éclosion...

Cet ensemble technique, qui se maintiendra pour l'essentiel pratiquement jusqu'à la Deuxième Guerre mondiale, est habituellement caractérisé par l'invention de la machine à vapeur, brevetée par Watt en 1769, qui va profondément marquer le machinisme, mais, plus encore peut-être, par les applications industrielles de cette invention, en particulier dans le domaine du textile, qui se mécanise alors rapidement. C'est en effet dans ce secteur qu'on assiste au passage, à maints égards déterminant, du mode manufacturier d'organisation du travail à un mode industriel, impliquant que les ouvriers soient regroupés en un même lieu de travail de manière à répéter la même tâche mécanique, le processus de production étant dès lors segmenté en multiples opérations (division du travail) en vue d'une rationalisation et, donc, d'une rentabilité accrues. J. Attali [HT], on l'a déjà évoqué, fait remarquer à quel point cette nouvelle organisation du travail aurait été impossible en l'absence de techniques de mesure du temps et de comptabilité, mises au point au Moyen Âge, et continuellement perfectionnées depuis. La mécanisation du travail dans l'industrie textile n'a ainsi pu se produire qu'en s'appuyant sur tous ces acquis techniques, en concrétisant enfin ce qui était déjà virtuellement présent, grâce à de nouvelles organisations rationnelles du temps et de l'espace.

Déterminants, et indissociables de ce «nouveau monde industriel», les secteurs de la construction mécanique (ponts, moteurs, etc.) et des techniques sidérurgiques viennent compléter le nouvel ensemble technique qui se met en place. Mais, pour que le tableau soit encore plus complet, sans doute convient-il également de mentionner encore les techniques d'extraction du charbon qui pendant longtemps on le sait, constituera la principale source d'énergie industrielle.

Ses retombées

Une invention technique déterminante, la machine à vapeur; un nouveau type d'industrie correspondante, le textile; un secteur d'activité économique privilégié, la construction mécanique et la sidérurgie; une source d'énergie mobilisée, le charbon: tels sont les éléments structuraux qui permettent de définir le nouvel ensemble technique.

Ce dernier aura, bien sûr, de nombreuses «retombées», d'importants *impacts sociaux* (pour emprunter au vocabulaire de notre époque) que l'on peut classer selon trois grands types.

Le premier effet de ce nouvel ensemble technique sera de permettre l'essor d'une production vraiment industrielle, celle-ci étant rendue possible grâce à la manière dont la machine permet désormais de repenser le travail, de le découper en opérations simples et rationnelles (où l'on sent encore d'ailleurs l'influence du schéma mécaniste). B. Coriat (*Science, technique et capital*) met bien en lumière cette réorganisation sociale du travail qui s'accomplit alors, notamment dans le passage du stade de la *manufacture*, où l'habileté technique individuelle était encore requise, au stade de l'*usine*, où la déqualification des tâches permet désormais l'emploi de femmes et d'enfants «non qualifiés», main-d'œuvre moins coûteuse. Cet «effet» est évidemment trop connu pour qu'il soit nécessaire de s'y arrêter ici. Notons cependant que le fait de lier ainsi la division du travail aux nouvelles techniques ne revient pas à faire état d'une conséquence inéluctable de la technique elle-même, d'un destin qui y serait inscrit. Il faut plutôt comprendre qu'à l'intérieur d'un schème de pensée mécaniste, qui préconise une réorganisation rationnelle du monde destinée à rendre l'homme maître de la nature, une technique permettant la mécanisation des tâches a effectivement toutes les chances d'avoir *cet* effet de division du travail — qui ne lui est cependant pas inhérent pour autant.

Le second type d'effets qui peut être retenu, aux confins du social et du technique, concerne l'essor de la construction navale et ferroviaire. Il s'agit là des toutes premières applications de la machine à vapeur qui, donnant naissance à de nouveaux modes de transport, vont bouleverser le rythme et le volume des communications, et par là même modifier la vision du monde et de ses limites.

Mentionnons en dernier lieu un troisième type d'effets — plus technique et scientifique celui-là — relatif à l'essor des industries chimiques de plus en plus associées aux innovations technologiques. Ainsi, par exemple, la chimie minérale qui se développe dès 1775 et qui permet entre autres choses de blanchir et de décolorer les tissus; de même, à peu près à la même époque, la chimie organique, à laquelle on doit les premiers «médicaments modernes».

Le fer et le feu

Mais prenons quelque recul et considérons cet ensemble technique qui prend corps à la charnière des 18e et 19e siècles. Il s'est, sans l'ombre d'un doute, considérablement modifié par rapport à celui du Moyen Âge. Autant ce dernier, par exemple, restait sous le signe «naturel» du bois, autant le nouveau est marqué par le fer et le feu, éléments «artificiels», quoique arrachés aux entrailles de la terre. À cet égard d'ailleurs, les techniques d'extraction des métaux et de la houille prennent non seulement une importance de plus en plus grande, mais elles seront en outre lourdement investies au plan symbolique — on y reviendra —, générant un imaginaire de type héroïque et prométhéen.

Ce ne sont bien sûr pas seulement les matériaux qui ont changé, mais la conception même de la technique. La nouvelle logique d'organisation et de rentabilisation du travail est bien le signe que le projet fondamental de l'Occident — proprement «irrationnel», comme l'a bien fait voir D. Janicaud [PR], et résultant de la transposition du vieux schème eschatologique en volonté de réorganisation rationnelle du monde en vue d'un nouvel âge d'or — cherche désormais à se réaliser grâce à la technique et au travail humain. Certes, cette eschatologie avait déjà subi un premier déplacement en nourrissant la quête de nouveaux mondes (à l'époque des «grandes découvertes») et le rêve de cités parfaites (sous la forme d'utopies parfaitement rationalisées). Ce qui est toutefois nouveau, c'est que la mobilisation des moyens techniques en vue de cette fin eschatologique paraît avoir fait basculer le rêve dans la réalité: ce nouvel âge d'or, croit-on en effet, la technique est en train de le façonner. La conquête de la nature cesse d'être un pur *projet* et commence à s'effectuer vraiment, de manière rationnelle et méthodique, grâce aux nouvelles techniques, au machinisme, à l'industrie et à la rationalisation du travail.

*

Et l'imaginaire, dans tout cela? Que devient-il dès lors que le schème symbolique de la puissance du rationnel (et sa promesse de réorganisation du monde) semble précisément quitter la sphère du symbolique pour s'effectuer réellement et concrètement, grâce à la technique et aux techniques? C'est la question qu'il faut maintenant aborder. Et, tout d'abord, qu'en est-il des représentations de la science et de la technique, désormais réquisitionnées en vue de la réalisation de ce schème d'effectuation de la puissance de réorganisation du rationnel?

L'absolutisation de la science et de la technique

Fin du 18ᵉ siècle, début du 19ᵉ: Science et Technique cessent d'être chantées et célébrées comme promesses d'un «avenir radieux»; elles deviennent davantage l'objet d'une mobilisation sociale qui les transforme elles-mêmes en valeur et qui, plus encore, en fait le cœur d'un nouveau culte, le socle d'un nouvel univers symbolique. Pour assurer en effet la transformation et la domination de la nature, pour concrétiser l'effectuation technique de la puissance du rationnel, la Science et la Technique — et les majuscules, ici, rendent bien l'idée — se voient en quelque sorte appelées sous les drapeaux, promues au rang de valeurs éminemment positives que la société va mener en parade avant de les lancer au combat. D'un univers de contemplation active et rêveuse on passe à un monde volontariste qui claironne haut et fort la mobilisation de ces deux vaillants soldats, de ces deux intrépides conquérantes.

Science et technique comme valeurs

R. Merton [STS] a fort bien décrit comment, dans le cas de la science, s'opère ce glissement. Il montre comment celle-ci n'a pu se développer vraiment qu'à partir du moment où, vers la fin du 18e siècle, ses «valeurs» furent reconnues: objectivité, rationalité, universalisme, neutralité affective, scepticisme organisé, communalisme (partage communautaire des connaissances), valeurs tendant bien sûr à devenir dominantes (comme le dénoncera d'ailleurs Nietzsche dans *Ecce Homo*, *La volonté de puissance* ou les *Considérations inactuelles*). Plus profondément encore, Merton montre que la science ne put s'autonomiser et s'institutionnaliser qu'en se transformant elle-même en *valeur*, qu'en devenant elle-même une valeur et même, ultimement, *la* valeur suprême.

Ce qui va enfin lui permettre de passer du statut d'«activité dangereuse», soumise pendant des siècles au sévère contrôle de l'inquisition, à celui de valeur désormais dominante, c'est bien l'adoption d'un nouveau paradigme, en vertu duquel l'activité scientifique se trouve valorisée en raison de son utilité sociale. Un tel paradigme était certes déjà présent au moins à l'état virtuel chez des penseurs comme Bacon ou Descartes, pour qui le «but de la science» était, déjà, à la fois de prolonger la vie et de rendre celle-ci plus confortable. Il va tendre à devenir l'un des plus puissants lieux communs de l'ère industrielle, qui en appellera toujours plus à la mobilisation des savants et tendra à réquisitionner leur science en vue d'applications concrètes. «Il est de notre devoir aujourd'hui, écrivait Sainte-Claire Deville en 1871, dans un rapport à l'Académie des sciences sur la nécessité d'"encourager les sciences", d'intervenir tous activement et directement dans les affaires du pays et de contribuer de toutes nos forces à une régénération par le savoir...» (cité par P. Thuillier, *L'aventure industrielle et ses mythes*, p. 79-80).

Ainsi donc la science, qui demeure un savoir sacré dans la mesure où elle continue d'arracher à la nature ses secrets, doit-elle désormais justifier l'intérêt de sa démarche en alléguant ses «retombées sociales». (Ce qui, on peut le noter en passant, commande d'ailleurs depuis lors aux chercheurs de l'Occident un émouvant paragraphe supplémentaire, dans leurs demandes de crédits de recherche, sur la «pertinence sociale» de leurs spéculations...) Est-il à cet égard nécessaire de rappeler que, dans la logique mythologique, tout savoir sacré doit permettre d'acquérir un surplus de puissance, dorénavant interprétée en termes de retombées sociales utiles et pertinentes? Derrière nos réflexions et nos discours les plus actuels sur les «impacts sociaux» de la science et des techniques, semble bien toujours se profiler ce vieux schème symbolique en vertu duquel tout savoir sacré se doit d'avoir des effets de puissance utiles à la société. N'est-ce pas — entre autres nombreux exemples possibles — ce qu'illustre assez merveilleusement le thème d'une importante conférence organisée en 1984 par le *Conseil des sciences du Canada* sur «la régénérescence du tissu social par les nouvelles technologies»? Est-il si exagéré de retrouver là l'équivalent moderne des termes que Deville utilisait au milieu du siècle dernier dans son enthousiaste rapport à l'Académie des sciences?

La mobilisation *de la science et de la technique*

Si la science se trouve ainsi mobilisée en vue de la construction d'un nouveau monde, force est de constater qu'elle ne se déploie désormais plus à partir du pôle du sacré de transgression mais qu'elle a résolument pris place sous la bannière d'un sacré éminemment respectueux, en raison de son activité aussi bien que des fins qu'elle poursuit. D'où, on le conçoit sans peine, la double valorisation dont elle témoigne désormais: tantôt c'est dans son aspect initiatique (plus «purement» scientifique) qu'on la célèbre, en glorifiant l'*enthousiasme* (c'est-à-dire, quand on s'arrête à l'étymologie, la «possession divine») qui s'empare du savant-chercheur; et tantôt, c'est de manière plus prosaïque mais non moins émue: ce sont alors ses applications concrètes, techniques, que l'on glorifie, sa capacité de régénérer le corps social. Cette double polarité, F. Bacon déjà l'avait bien pressentie lorsqu'il affirmait que «le savoir, c'est la puissance» — arrachant ainsi, quelques siècles plus tard, l'admiration de Renan et de son époque. P. Thuillier [AIM] en retrace les multiples méandres à travers toute l'œuvre éducative des 19e et 20e siècles. On songe par exemple à ces traités de «morale civique» qui, telles les *Pages scientifiques et morales* de F. Lévy-Wogue, publiées en 1913, présentent la science comme provoquant l'enthousiasme du chercheur, et la chantent — il n'est pas d'autre terme!— comme une connaissance salvifique, porteuse de salut, grâce à laquelle l'humanité va pouvoir progresser.

Une transformation identique de la technique en valeur se manifeste dès la fin du 18ᵉ siècle, et tout au long du 19ᵉ. Bien des indices témoignent en effet d'une nouvelle attitude sociale qui non seulement reconnaît l'importance des techniques, mais qui, plus encore sans doute, en fait les véritables moteurs d'un progrès social. Non seulement assiste-t-on à une diffusion sans précédent de techniques de toutes sortes, mais aussi à un véritable foisonnement d'écoles et d'ouvrages consacrés à la technique. Thuillier multiplie ici les illustrations révélatrices de cette évolution. Si, par exemple, les esquisses et les croquis des ingénieurs étaient rarement publiés avant le 18ᵉ siècle, toute une «littérature technique» commence en revanche à circuler dès cette époque. De même, de nouvelles structures — l'*École polytechnique* de Paris, par exemple, l'*Académie des sciences,* la très importante *Royal Society* anglaise, mais aussi de plus modestes et nombreuses écoles «d'arts et métiers» — voient le jour et prennent une importance croissante dans la diffusion du savoir technique.

Cette reconnaissance des techniques se fait assurément d'une manière à première vue bien profane. La technique semble en effet être désormais l'objet d'un savoir purement rationnel et fonctionnel. Pourtant, comme dans le cas de la science, on voit l'activité technicienne s'imprégner d'une symbolique qui la code en lui assignant un nouveau sens beaucoup plus sacré qu'il n'y paraît à première vue: elle aussi se trouve dorénavant mobilisée en vue du progrès social. Cette mobilisation se manifeste à deux niveaux: d'une part, l'activité technique est elle-même liée très tôt à des valeurs qu'on a traditionnellement désignées comme «puritaines», interprétée dans le sens d'une rationalisation du monde, c'est-à-dire en somme dans le sens d'une continuation de la création austère et rationnelle de l'œuvre divine. D'autre part, la technique se voit assigner la même «vocation sociale» que la science. D'Alembert est à cet égard l'un des premiers à associer systématiquement le progrès social et la technique, à revaloriser, pour leur «utilité sociale», les ingénieurs, les inventeurs et les artisans.

Si la technique n'apparaît pas comme sacrée de par son activité même (contrairement à la science, dans sa structure initiatique), si

231

elle est bien en ce sens perçue comme une activité purement profane, en revanche, dans le déploiement de la puissance qu'elle rend possible et qu'elle opère, elle se voit largement investie d'une nouvelle fonction sacralisée d'utilité sociale qui la mobilise dans le but de dominer la nature et de régénérer la société.

Un couple sacré

Ce qui vient d'être décrit dessine à maints égards un nouveau paysage. Certes, science et technique ont bien été, dès l'émergence de la figure symbolique de la puissance du rationnel, à la fin du Moyen Âge, investies d'une mission d'utilité sociale, d'une vocation de transformation du monde. Ce qui est nouveau, par contre, c'est bien cette mobilisation systématique de l'une et de l'autre en vue d'une telle transformation, cette figure cessant d'être une simple figure symbolique, et visant à se réaliser concrètement grâce au nouveau monde de l'industrie, au 19ᵉ siècle.

Ce qui est nouveau, c'est également le statut de «couple sacré» que forment désormais la science et la technique, marchant main dans la main sur la route du Progrès qu'elles tracent, défrichent et illuminent. Transformées désormais en valeurs, science et technique sont ainsi non seulement résolument passées du côté d'un sacré de respect, mais le couple qu'elles forment dessine en outre une nouvelle complémentarité sacrée: tandis que la science dévoile les mystères de l'univers, la technique, pour sa part, s'appuyant sur la puissance quasi infinie qui se trouve ainsi déployée, transforme et régénère le monde.

Dans ce couple, c'est la science qui semblerait avoir le premier rôle, le plus valorisé en tout cas (encore qu'elle doive se plier aux exigences de la technique et de ses applications). Telle paraît bien être l'image symbolique dominant le 19ᵉ siècle, comme le rappelle Thuillier: la Science, mère de toutes les techniques. Cette image est fort significative. Elle suggère en effet que la science, en tant que détentrice des secrets de la nature, est bien perçue sous la figure de la mère, de la matrice symbolique qui contient tous les secrets de l'univers. La technique, qui apparaît en revanche comme issue de cette science sacrée, développe, à partir de celle-ci, une dimension sacrée plus active, héroïque, inspirant — toujours selon Thuillier — des représentations symboliques plus masculines, viriles: elle est, imaginairement, la puissance déployée de l'homme conquérant. (Ce couple est d'autant plus prégnant mythiquement qu'il paraît réactualiser d'antiques couples mythologiques formés de la Grande Déesse, Mère universelle, et de son fils-amant, lequel meurt souvent chaque année, pour ressusciter sans cesse revivifié et rajeuni.)

Du point de vue d'une histoire de l'imaginaire, le plus important consiste sans doute à comprendre que ce couple science-technique demeure un couple beaucoup plus mythique que réel. Thuillier signale ainsi par exemple que, dans les faits, les savants des 18ᵉ et 19ᵉ siècles se partageaient assez nettement en deux tendances, les uns valorisant la science et la recherche «pures», les autres privilégiant au contraire les effets sociaux de la science «appliquée» à travers la technique. Non seulement ces deux tendances seront-elles fréquemment en conflit, mais elles chercheront en outre souvent l'une et l'autre à s'imposer comme la seule voie véritable, à s'approprier toute la valeur: science *pure*, «contre» science *appliquée*, science désintéressée et désincarnée «contre» technique et retombées sociales...

Or ces conflits permettent en fait la réactualisation du couple mythique science-technique. Ils sont destinés à prévenir la possibilité d'une rupture, d'un divorce entre les deux réalités, en rappelant la nécessité vitale et sacrée de leur alliance, la fécondité de leur union. Ainsi par exemple voit-on, dès la fin du 18ᵉ et tout au long du 19ᵉ siècle, se multiplier les critiques du savant «emmuré dans sa tour d'ivoire», indifférent aux applications pratiques de ses recherches. Quoi qu'il en soit de leur exactitude descriptive, il faut décrypter ces discours qui, depuis deux siècles, ne cessent de dénoncer une science retranchée derrière les murs des universités, splendidement isolée dans ses laboratoires; et qui, à l'inverse, ne cessent de prôner une science ouverte sur le monde des techniques aussi bien d'ailleurs que sur celui des affaires. On s'empêche difficilement d'y entendre quelque chose d'incantatoire. En les proférant, la société semble en effet tenter de conjurer sans cesse aussi bien l'éclatement possible du couple science-technique que la tentation iconoclaste d'une science pure, ivre de son pouvoir sacré, autosuffisante, indifférente aux retombées pratiques de son savoir, méprisante même à leur endroit. «Rappels à l'ordre», pourrait-on dire; récitations continuelles du mythe fondateur, réactualisations rituelles du récit sacré qui exprime le besoin d'une mobilisation du couple science-technique en vue de la transformation salvifique du monde.

Non seulement les discours qui invitent à resserrer cette alliance assument-ils ainsi une fonction rituelle, mais ils renseignent en outre, étrangement, sur le rôle qu'ils remplissent dans la société industrielle moderne. *Mutatis mutandis*, ils présentent de remarquables analogies avec les discours religieux traditionnels qui rappellent constamment aux «spécialistes du sacré» leur devoir de partager avec la communauté, et non de conserver jalousement pur eux-mêmes, les bénéfices de la puissance qu'ils acquièrent au contact du sacré. Simples analogies? Mais ne peut-on pas y voir, plus profondément encore, une véritable homologie de structure anthropologique? De ce point de vue, la distance n'est peut-être pas si grande, qui sépare la science et la technique moderne de l'antique chamanisme: valorisées pour elles-mêmes, sacralisées, science et technique deviennent en effet les opérateurs privilégiés de la puissance du rationnel; elles substituent seulement à la magie «primitive» du chaman une structure technique toujours plus perfectionnée. Une telle homologie paraît d'autant plus justifiée que cette structure technique qui est supposée assurer la distribution sociale de la puissance du rationnel est directement l'objet de symbolisations, de constructions mythiques qui transforment le savoir scientifique en une nouvelle religion de la science, comme le savoir du chaman est à la source d'une religion des esprits. Il importe maintenant de s'arrêter à cet aspect des choses, en cherchant notamment à voir comment le sacré de respect dans lequel s'inscrivent désormais la science et la technique va donner naissance à un nouvel univers symbolique qui va s'articuler, d'une part, à une religion prométhéenne de la puissance et, d'autre part, à une eschatologie sociale régénératrice.

La première dimension de l'imaginaire technique et sa symbolique prométhéenne

Si la machine a pu apparaître, aux 17e et 18e siècles, comme une métaphore permettant de construire, par analogie, des modèles d'interprétation du monde, elle sera de plus en plus directement chantée et célébrée comme un objet sacré, signifiant tout à la fois la preuve déjà tangible du progrès (les perfectionnements techniques étant assimilés à des progrès sociaux, voire moraux et spirituels) et la proximité d'une nouvelle aube de l'humanité (ce progrès étant perçu comme le signe avant-coureur d'une transformation radicale et imminente du monde).

La technique comme objet sacré

M. Weber, dans *L'éthique protestante et l'esprit du capitalisme*, remarque en passant que la machine a tendance, dans le monde moderne, à se substituer aux anciens dieux. Elle symbolise admirablement en effet la puissance créatrice que l'homme s'est arrogée, condensant en elle les espoirs de l'humanité aussi bien d'ailleurs que ses craintes. (À cet égard, notre époque semble appartenir encore largement au 19e siècle. Il suffit sans doute, pour s'en convaincre, de penser aux frissons d'espoir qu'éprouvent tant de nos contemporains devant ces «nouvelles technologies» que tant de discours proposent aujourd'hui comme panacées, remèdes miracles à cette «crise» à laquelle elles ont pourtant contribué de manière déterminante. On y reviendra.)

La manière dont la machine occupe le cœur de la nouvelle religion technicienne, qui est loin d'avoir disparu à notre époque, illustre parfaitement la remarque de Weber. Le 19e siècle chante et célèbre chaque nouvelle invention technique. Moins cependant, désormais, pour l'ingéniosité dont elle témoignerait que pour le monde harmonieux dont elle est inéluctablement porteuse. D'innombrables utopies techniciennes sortent des cerveaux de l'époque, que chaque nouvelle invention oblige à reformuler... Leo Max (*The Machine in the Garden*), par exemple, en analysant l'essor des trains et des bateaux à vapeur, montre comment ces nouveaux moyens de déplacement créés par la technique moderne ont été investis d'un «sublime technologique», se nimbant par là même d'un sentiment de merveilleux lié à la maîtrise de la vitesse et de l'espace. L'électricité, pour sa part, nourrit le mythe d'une nouvelle démocratie. (Est-il besoin de rappeler la définition célèbre que Lénine donnait du communisme: l'électrification plus les soviets... On sait par ailleurs comment les débats autour de l'électricité et de l'électrification ont également occupé une place condidérable dans la mythologie politique d'une société comme celle du Québec, de la naissance de l'Union Nationale dans les années trente (avec le slogan de l'«électrification rurale»), à la «Phase II» du projet hydro-électrique de la baie James, en passant par toutes les nationalisations et toutes les Manics, y compris celles des chansonniers et des poètes...)

Si la machine devient si volontiers l'objet d'un nouveau culte, c'est essentiellement parce qu'elle permet de cristalliser en elle — telle une icône, pourrait-on dire — la symbolique de la puissance technicienne. La vénération de l'une renvoie très vite en ce sens au culte de l'autre. La machine apparaît ainsi comme l'objet central d'un nouveau culte technique voué à la puissance technicienne. Ce culte dépasse cependant largement l'objet du culte lui-même; il peuple tout un panthéon et donne naissance à une «nouvelle religion» de la puissance technicienne.

Le «panthéon» de la nouvelle religion technicienne

Bien des travaux — on songe notamment à ceux de P. Ginestier (*Le poète et la machine*) de M. Carrouges (*La mystique du surhomme*) et de O. Spengler (*Le déclin de l'Occident*) — ont déjà analysé cette «religion technicienne» qui prend naissance au 19ᵉ siècle. Il paraîtra utile de rappeler rapidement ici les principales conclusions de ces études. Toutes tentent de décrire cette nouvelle symbolique de la technique en faisant appel à d'antiques figures mythiques: celles des Titans, de Faust et de Prométhée.

TITANS. Ginestier analyse comment la machine met originairement en branle un univers — titanesque — qui bouleverse les conditions naturelles de l'existence humaine. S'arrêtant principalement à la poésie inspirée par la machine, il fait bien voir à quel point la nouvelle configuration de la technique change le rapport de l'être humain à son environnement et aux éléments naturels, lesquels n'apparaissent désormais plus que sous l'aspect d'éléments à dompter, à domestiquer — d'adversaires, pourrait-on dire, dans un affrontement par lequel l'homme tente de dépasser les limites que ceux-ci lui imposent. Analysons cette nouvelle symbolique à travers laquelle, selon Ginestier, les différents éléments naturels vont faire leur réapparition.

La machine industrielle est tout d'abord associée, dès ses origines, au *feu* et au monde souterrain. Elle dépend en effet du travail de la mine, de la sidérurgie, de la transformation des métaux grâce au feu. La machine reçoit par là-même une symbolique de purification et de transformation par le feu qui lui confère d'ailleurs sa puissance. Symbolique ambivalente, pourtant, comme le suggère Ginestier avec pertinence, en rappelant le cas de la mine: on célèbre assurément l'inouïe réserve potentielle d'énergie qu'elle offre à l'homme, mais on parle aussi du travail du mineur comme d'une «descente aux enfers»... Dans l'imaginaire populaire aussi bien que dans la poésie, la mine demeure à maints égards un lieu «interdit», que l'on transgresse donc en s'y introduisant: ventre d'une terre-mère dans lequel on pénètre toujours plus profondément, que l'on profane en quelque sorte, en lui imposant l'ordre des machines... Cette mythologie titanesque resurgit avec force au 19e siècle, notamment dans les écrits relatifs au travail d'extraction des minerais et de la houille.

Cette (re)mythologisation de la technique minière s'accompagne, toujours selon Ginestier, d'une transformation de la symbolique du feu: le feu cesse en effet d'être cet élément mystérieux qui nourrira encore, au siècle suivant, les rêveries bachelardiennes; il devient le feu industriel, la flamme ranimée des anciens Titans qui, violant les entrailles de la nature et mutilant ses fruits, vise à multiplier la puissance dont dépend la civilisation. Le feu industriel s'imprègne ainsi de nouveau d'une symbolique prométhéenne de transgression de la nature, source de puissance surhumaine.

En s'attaquant (la sensibilité écologique moderne entendra

d'ailleurs ce terme au sens littéral!) à la *terre*, les machines vont également modifier profondément la symbolique naturelle qui lui avait été associée jusque-là. Si les moulins du Moyen Âge avaient déjà commencé à quadriller la nature en l'enserrant dans un réseau technique, en lui imposant une nouvelle symbolique de la verticalité, les machines modernes vont maintenant y greffer un autre réseau permettant de mieux communiquer, lui surimposant par là même une autre symbolique, désormais fondée sur l'annulation des limites terrestres et, par voie de conséquence, sur l'abolition des limites géographiques auxquelles se heurtait jusque-là la condition humaine. Le chemin de fer traverse l'espace comme une flèche; il maîtrise la distance en faisant fi des contraintes et des obstacles naturels: les ponts enjambent les précipices, les tunnels percent les montagnes... La terre cesse d'être un espace que l'on *habite* — au sens heideggerien du terme — en y ayant une place précise. Elle devient le substrat uniforme d'un nouvel ordre technicien de rails qui se déploie en annulant magiquement les distances. La technique semble accroître fabuleusement la liberté du mouvement, et acquiert par là une symbolique d'annulation des limites de l'espace. À travers cette mutation des transports et des moyens de communication, l'homme cherche à se prouver à lui-même qu'il est capable de vaincre les limites géographiques que la nature lui avait — jusque-là imposées. Victoire à maints égards «magique» qui impose un nouvel espace dessiné par la voie ferrée et ce lieu mobile du wagon dans lequel on s'engouffre. Comme dans le cas de la symbolique industrielle du feu, cependant, ce nouvel espace est source d'une ambivalence: il peut aussi devenir «négatif», prison dans laquelle le voyageur se trouve enfermé, coupé de la vie qu'il est désormais condamné à regarder défiler à toute allure, tel un paysage qui se déroule et s'enfuit par la fenêtre du wagon, sans que le temps cesse pour autant d'infliger ses irréparables outrages...

S'agissant de l'*air* et de l'*eau,* c'est à une symbolique de dépassement plus radicale encore des limites de la condition humaine que, toujours selon Ginestier, les techniques renverront désormais. L'homme se met en effet à rêver de voler ou de naviguer sous les mers, grâce à des machines; il introduit par là dans l'imaginaire la possibilité d'avoir accès à des mondes jusque-là interdits. Les techniques dont on attend qu'elles puissent réaliser ce rêve sont souvent décrites comme devant permettre d'accéder à des «mondes merveilleux». Bien sûr, ce n'est pas tant l'atmosphère ou les fonds marins eux-mêmes qui sont «merveilleux» mais la possibilité d'y pénétrer enfin, au-delà de l'interdit qui en gardait l'accès. L'homme ne s'y introduira dès lors qu'en se signifiant à lui-même un dépassement de sa finitude. Cela, Ginestier le fait bien voir en donnant l'exemple du bateau à vapeur qui bouleverse l'imaginaire maritime. Il avait fallu jusque-là s'adapter aux caprices des éléments (mer, ciel, vents) avec lesquels il fallait ruser sans que l'on puisse pour autant les maîtriser. Le bateau à vapeur va désormais se moquer de cette alliance, permettre d'affronter les éléments en leur imposant la puissance mécanique de ses moteurs. Cette nouvelle symbolique est pourtant, ici encore, profondément ambivalente, et l'on voit par exemple resurgir, sous de nouvelles formes, la terrible leçon d'Icare. Le désir de conquête de la mer et des airs distillera aussi de nombreuses peurs; la mer, par exemple, ne reflète plus le mouvement des vents avec lesquels les antiques bateaux à voile devaient composer. Comme l'analyse Ginestier, elle se coupe des cieux, se transforme en milieu hostile que le bateau à vapeur doit vaincre. C'est pourquoi elle redeviendra souvent le symbole abyssal de la mort. C'est à bord de bateaux à vapeur que de plus en plus de marins et de capitaines partis joyeux pour des courses lointaines, y seront engloutis... Et le nom même du *Titanic* n'embrassera-t-il pas à lui tout seul bien des légendes? (Mais que dire, encore beaucoup plus près de nous, de celui de la navette spatiale américaine — *Challenger*, «celle qui défie» — désintégrée en direct, sous le regard de millions de téléspectateurs horrifiés...)

Les analyses de Ginestier permettent ainsi de voir comment se met en place une nouvelle perception du monde et des éléments dès lors que ceux-ci sont désormais «pris en charge» par la technique: transgression de la nature en vue de l'acquisition d'une puissance surhumaine grâce au feu sidérurgique; annulation magique des limites géographiques grâce aux nouveaux moyens de transport; dépassement de la condition humaine à travers l'exploration des mondes jusque-là interdits de l'eau et de l'air grâce aux bateaux motorisés, aux ballons et aux dirigeables, plus tard aux avions, plus tard encore aux navettes spatiales. Un nouvel univers symbolique code désormais la terre tout entière. Cet univers symbolique que déploie la technique moderne est bien d'abord et avant tout, pour Ginestier, un rêve de Titans.

FAUST. Ces archaïques figures des Titans ne sauraient toutefois suffire à décrire la symbolique du monde moderne. D'autres figures sont nécessaires. O. Spengler suggère, pour sa part, celle de *Faust*. Il montre comment la technique devient l'objet d'une religion typiquement faustienne de la puissance, spécifique à l'Occident moderne. Pour Spengler en effet le monde industriel et technique est tout entier dominé par la figure du Docteur Faust, qu'il oppose à cet égard aux figures grecques et, plus précisément, à celle d'Apollon. Le sacré ne consiste plus à s'intégrer — à sa place et respectueusement — dans un monde de mesure et de clarté. Il surgit au contraire désormais dans la conquête du monde, dans la volonté d'en faire sans cesse reculer les limites, de lui imposer l'ordre humain.

Pour Spengler, la figure de Faust illustre à merveille cet «esprit» du monde moderne. Faust, faut-il le rappeler, est assoiffé d'absolu et d'infini auquel il cherchera à tendre non à travers la quête d'une communion avec une transcendance divine, par exemple, mais en réalisant sa soif d'absolu par un désir de dépassement de la finitude humaine. Et ce, d'une double manière: d'une part, en désirant avoir accès aux structures secrètes de l'univers; d'autre part, en déployant à l'égard de la nature une attitude de puissance, de domination — quitte, pour cela, à signer un pacte avec le Diable lui-même... En Faust se marient complètement cette «volonté de savoir» scientifique et cette «volonté de puissance» technicienne qui poussent le héros à se vouloir l'égal de Dieu.

Pour Spengler [HT], cet esprit faustien se déploie en Occident sous une forme technique depuis les 18e et 19e siècles. C'est à ce moment qu'apparaît, selon lui, la «religion faustienne» qui oppose l'Occident aux autres civilisations en prenant la forme d'une volonté de conquête et de domination technique. Spengler [DO] montre par ailleurs que, s'il ne s'actualise vraiment qu'avec les Temps modernes, cet esprit faustien de conquête et de domination de la nature habite depuis longtemps déjà le monde occidental, au moins à l'état virtuel, ou à travers des manifestations ponctuelles. Cet esprit faustien, Spengler croit le retrouver dans le projet de domination technicienne du monde, mais également dans la conception d'un univers illimité, infini; dans la conception de l'âme humaine comme activité créatrice, conquérante, défiant la nature et la sommant de se soumettre à ses lois; dans l'architecture gothique, image et témoin de l'esprit s'élevant vers les cieux en transcendant — de manière également conquérante — les cultes et les paganismes locaux; dans la conception même du Dieu transcendant bien sûr, que l'on ne peut rejoindre qu'à travers un dépassement de soi; dans la vision d'une histoire vectorielle, orientée vers le futur; dans la morale normative du devoir-être qui édicte le «que-faire» et statue sur les «fins» de l'homme; dans les mathématiques elles-mêmes, manifestation d'une conception du nombre comme grandeur pure, abstraite, sans limite. Tout cela, pour Spengler, traduit bien le même esprit faustien de domination et de puissance, pour lequel l'être devient une «tension dynamique» et à travers lequel se développe le mythe de la force et de la puissance qui doivent se soumettre le monde. «Au commencement était l'action...»

L'intérêt d'une réflexion comme celle de Spengler (au moins défalquée de ses conclusions plus discutables) est qu'elle dévoile à la fois l'existence de cet esprit faustien — qui constitue une véritable religion laïque et athée — et l'importance que revêt la technique dans l'univers symbolique qui est le sien: c'est en effet largement grâce à celle-ci que la puissance s'exprime et s'effectue. Cette réflexion fait bien voir que l'être humain s'appréhende désormais, en Occident, à partir de son activité technicienne de domination de la nature, qu'il sacralise en y voyant une mission — divine et divinisante — lui permettant d'actualiser sa propre essence créatrice. Ce qui implique évidemment, comme le suggère la méditation heidegerienne, que la nature ne peut plus se révéler à l'homme que sous les traits d'un «fonds» sans âme, «faite pour» répondre aux sommations de la technique humaine et de la science moderne qui veulent ainsi l'«arraisonner».

LE SURHOMME PROMÉTHÉEN. Symbolique titanesque et faustienne, volonté de savoir, volonté de puissance: c'est bien évidemment aussi la figure du *surhomme* que l'on voit se profiler à l'horizon de cette religion laïque des temps modernes. M. Carrouges [MS] analyse à travers cette figure l'univers symbolique de puissance mis en branle par la technique moderne, en montrant qu'on le retrouve dans tous les champs de la culture. Cette mystique a-théiste du surhomme, il la retrouve en effet aussi bien dans la littérature qu'à travers le monde de la technique. Il la décrit à travers le personnage mythique de Prométhée, archétype de ce surhomme moderne. Retenons surtout de son analyse le scénario initiatique qui paraît sous-jacent à cette mystique prométhéenne moderne.

Il y a toujours recherche d'une «déification» de l'homme. Cette entreprise prométhéenne s'opère, d'après Carrouges, selon un scénario symbolique identique dans tous les domaines de la vie moderne: proclamation (Nietzsche, Marx, Freud) de la mort d'un Dieu ressenti comme menace et limite de la puissance humaine; ouverture sur un chaos, une «nuit privée d'étoiles» angoissante, certes, mais en même temps grisante et exaltante, symbole elle-même d'un retour à ce chaos primordial plein de virtualité, creuset de toute création. D'où, ensuite, une double divinisation: renaissance symbolique de l'homme métamorphosé en créateur-ordonnateur (et plus tard *ordinateur*?) du monde, successeur de Dieu; renaissance du monde, recréé et transformé, resacralisé dans un ordre nouveau, artificiel, en grande partie grâce à la technique. Ici encore, bien sûr, science et technique deviennent les instruments privilégiés de l'esprit prométhéen, ses principaux moyens d'expression: elles sont les outils concrets de sa reconstruction, artificielle et rationnelle, de l'univers et de lui-même.

Mais c'est là aborder une seconde dimension de l'univers symbolique de la technique, celle qui concerne son articulation à une eschatologie sociale régénératrice, laïcisée, elle-même liée à la mythologie déjà évoquée du Progrès.

Symbolique d'eschatologie et de régénération sociale

Qu'il soit décrit comme prométhéen, faustien ou titanesque, l'univers de la technique moderne présente toujours la caractéristique de se fonder sur une transgression, sur le désir d'un dépassement de la condition humaine. En ce sens, les auteurs qui le décrivent ainsi font tous ressortir un schème symbolique essentiellement commun de mort et de renaissance collective que la technique est appelée à réaliser. Il faut approfondir cet aspect de la symbolique, notamment en le reliant à cette *eschatologie sociale* qui, née au Moyen Âge, se trouve ici reprise d'une manière nouvelle.

Rappelons que la première formulation de ce schème avait lié l'eschatologie et la ville, cette dernière portant en son sein le germe d'une «Nouvelle Jérusalem». Jean-Jacques Wunenburger (*L'utopie ou la crise de l'imaginaire*) montre bien comment ce schème eschatologique en vient à se dépouiller de la dimension chrétienne et à se revêtir plutôt du vieux rêve hédoniste grec du «bonheur dans le cadre de la Cité». Ce faisant, il va donner naissance à une nouvelle idéologie «progressiste» de l'«homme nouveau». Selon une telle vision du monde, le «corps social» est un artefact, une création que l'homme peut modifier à son gré, de manière à le rapprocher le plus possible de la «société idéale», c'est-à-dire aussi, bien sûr, à engendrer une «nouvelle race humaine». Voilà ce qu'on retrouve à la base des premières «utopies» de la Renaissance — à commencer par celle de More — qui imaginent une «cité idéale» sous l'égide de le Raison, mais également une société qu'une idéologie de la «sécurité» cherche à protéger contre toute agression (extérieure). C'est cet aspect clos, fermé de l'utopie qui amène Wunenburger à parler d'un «syndrome de la félicité» en jeu dès lors que l'on cherche à remodeler l'univers social. En appliquant plus spécifiquement son analyse à l'univers technicien, on en arrive à doubler en quelque sorte la symbolique prométhéenne (ou faustienne) de la technique d'une autre épaisseur symbolique, celle du «remodelage» d'un «univers social de félicité» que la technique, justement, permettra de mettre en œuvre.

Cette seconde dimension symbolique apparaît d'autant plus importante qu'elle sera partagée aussi bien par le scientisme du 19e siècle, précurseur de nos modernes technocraties, que par les idéologies concurrentes du marxisme et du libéralisme: si différentes qu'elles soient les unes des autres, toutes ces idéologies proposeront un lien capital entre cette «chose» aussi purement instrumentale qu'est la technique et ce «rêve» aussi vertigineusement insaisissable de l'humanité: le bonheur. Toutes, de quelque manière, attendront fébrilement ce dernier de la technique et de ses progrès...

*

Les pages qui précèdent ont tenté de montrer comment ce nouveau but mythique assigné à la technique a permis à celle-ci de se poser et de s'imposer comme «valeur en soi» du fait de son «utilité sociale» sacrée. Il importe en outre de souligner que cet aspect de remodelage de l'univers social s'articulera très tôt à une «religion» du Progrès, de la parousie technicienne et de l'imminence triomphante d'un nouvel Âge d'or (sur laquelle il faudra d'ailleurs revenir). Auguste Comte est certainement l'un de ceux qui ont le mieux thématisé cette nouvelle symbolique qui vient surdéterminer la technique et la science en projetant sur celles-ci un schème eschatologique et messianique. Comte, on le sait, dans sa célèbre «loi des trois états», relit toute l'histoire de l'humanité à la lumière des avancées de la science et de la technique, dans lesquelles il voit la «preuve» d'un «progrès» ayant permis à l'esprit humain d'échapper peu à peu aux limbes de l'obscurantisme religieux, puis aux clairs-obscurs de l'âge métaphysique, pour déboucher enfin dans la pleine lumière de l'esprit positiviste... Celui-ci se caractérisera, au plan théorique, par la poursuite d'une connaissance scientifique «objective» et, au plan pratique, par la quête d'une métamorphose sociale fondée justement sur l'essor rationnel des techniques. Comte croit ainsi pouvoir annoncer l'imminence d'une parousie technicienne en transposant en somme sur le plan social et technique la grande parousie hégélienne de l'Esprit.

La mythologie spécifique au 19ᵉ siècle scientiste insiste sur l'imminence de cet avènement. Le caractère proprement mythique de cet espoir, auquel il fallait s'accrocher pour prôner l'essor des sciences et des techniques, apparaît d'autant plus évident que la réalité concrète de l'époque était, quand on y pense, à des années-lumière de cette radieuse promesse, comme en témoignent avec éloquence tant de pages de Marx ou de Proudhon, de Vallès ou de Zola...

De cette mythologie provient par ailleurs un autre mythe — qui semble même avoir survécu au désenchantement par rapport au triomphalisme scientiste du siècle dernier —, celui de la transparence: si la parousie technicienne doit bien permettre de réagencer le monde «dans l'ordre du bonheur», c'est à la condition indispensable que la «nouvelle société» acquiesce aux exigences de la rationalité, aux requêtes d'une transparence sociale totale. On songe bien entendu ici à l'illustration, sans doute la plus spectaculaire, qu'en a donnée le *Panoptique* de Jeremy Bentham (et bien sûr aussi à la forme paroxystique qu'il a revêtu, en notre propre siècle, dans la fiction orwellienne inspirée, on le sait, par quelques décennies concrètes de *Gestapo* et de *Guépéou*... Nos démocraties modernes, providence et programmées paraissent elles aussi souscrire — à leur manière plus «douce»! — à cette «exigence de transparence» notamment repérable dans les mythes que tisse notre époque autour de la «communication» et de l'accès illimité à l'«information». C'est bien *«cette transparence universelle*, suggère D. Janicaud [PR, 140] *qui est le mythe de la modernité. La technique atteint parfaitement son "but" immanent: l'instauration d'un espace universellement accessible où l'information s'échange à volonté (...)»*

Cet aspect symbolique qui attend du progrès de la science et de la technique l'avènement d'un «nouvel âge» s'est trouvé à la fois nourri et justifié par la nouvelle configuration technique qui venait de se mettre en place, et en particulier par son apparente «stabilité», le 19ᵉ siècle scientiste étant en effet persuadé que la science et la technique avaient atteint un seuil d'évolution «ultime». L'influence de ce schème fut telle que même des penseurs révolutionnaires, à commencer par Marx lui-même, le reprirent à leur compte avec enthousiasme à travers leur critique la plus virulente de la société. Marx, dans ses *Manuscrits de 1844* par exemple (il est vrai que c'était avant la «coupure épistémologique» établie par Althusser!), reprend la conception de l'«homme total» qu'il s'agit de mettre au monde. Mais il est surtout convaincu qu'une fois le pouvoir aux mains du prolétariat, la technique ne pourra avoir que des effets positifs, bénéfiques, hâter l'émergence de la société *communiste*. La sociologie aussi bien que l'anthropologie de Marx demeurent, à cet égard, totalement imprégnées d'une conception techniciste et progressiste qui considère l'histoire évolutive des techniques comme source de progrès humain et social.

Cet espoir du 19e siècle, qui reprend pour l'essentiel le schème de l'eschatologie sociale médiévale, en le laïcisant et en le technicisant, mais aussi en l'appauvrissant considérablement (dans la mesure où il ne dépend plus désormais que de la seule évolution technico-scientifique), a constitué une formidable force de persuasion. Force toujours vivace, du reste, si l'on en juge par l'espoir que fait surgir de nos jours encore l'apparition de chaque nouveauté technologique, toujours grosse de promesses... Mais, avant d'aborder sa perdurance à notre propre époque, il convient de préciser davantage les traits de cette «religion technicienne de la puissance» engendrée par l'imaginaire du 19e siècle scientiste.

À la source d'une nouvelle religion de la puissance

Ainsi s'est constitué un système symbolique extrêmement cohérent, donnant sens à l'ensemble technique industriel qui se met en place dès la fin du 18e siècle et tout au long du siècle suivant.

Le noyau en est bien sûr formé par la science et la technique, désormais promues au rang d'instruments sotériologiques et, de ce fait, aussi de guides initiatiques, devant permettre de remodeler le monde et de faire advenir l'*humanité nouvelle*, cette vieille hantise de l'Occident. Grâce à elles et à la complémentarité de leur alliance sacrée, le schème symbolique de la puissance du rationnel pourra enfin s'effectuer: la science éclaire, la technique met en œuvre. Toutes deux, ensemble, transforment le monde...

Ainsi sacralisées, science et technique déploient autour d'elles deux constellations ou deux dimensions symboliques majeures: une symbolique de recherche de la puissance efficiente, tout d'abord, qui doit permettre une conquête et une maîtrise réelles du monde et, par là même, une transformation ontologique de la condition humaine appelée à s'affranchir des limites que lui avait imposées jusque-là sa finitude. C'est cette dimension qui a été décrite à travers les figures de Prométhée, de Faust, des Titans, accentuant respectivement la quête de la puissance, la recherche d'un changement ontologique qui lui est liée et la transgression que, par là même, elle implique.

Cette première dimension symbolique se déploiera à travers tous ces mythes modernes centrés sur la magie de la puissance, sur les pouvoirs merveilleux de maîtrise du monde que la technique, à l'instar de l'antique chaman, permet d'obtenir, sur le caractère illimité de cette puissance technicienne qui, sans cesse, recule les bornes de son domaine. Réactualisation, mais cette fois dans le réel et non plus seulement dans le rêve, de la vieille symbolique de conquête magique du monde.

Une seconde dimension de l'univers symbolique de la technique moderne se déploie à partir du puissant schème imaginaire de l'eschatologie sociale régénératrice. Issue du Moyen Âge chrétien, mais désormais laïcisée et technicisée, celle-ci donne à penser qu'on se trouve à la veille d'une parousie technicienne imminente: c'est l'essor technique qui permettra de franchir le pas décisif. La technique se voit ainsi investie d'un espoir eschatologique de renaissance: elle promet, annonce et est à la veille d'engendrer une humanité nouvelle. Reprenant le schème médiéval de la re-création du monde par l'homme, mais le traduisant dorénavant de manière uniquement profane et technique, elle engendrera ce faisant toute une mythologie de l'avenir radieux — et imminent —, mais aussi tous les mythes centrés sur la «transparence sociale» nécessaire à cet avènement. Le remodelage technique de l'univers, ne l'oublions pas, passe par une rationalisation du monde aussi bien d'ailleurs que de l'humain: l'un et l'autre doivent en ce sens acquérir une transparence totale par rapport à la raison.

*

Maîtrise magique mais concrète du monde, eschatologie sociale régénératrice: ces deux dimensions symboliques sont étroitement liées dans le noyau que forme le couple science-technique comme opérateur de la puissance du rationnel, ainsi que l'a bien montré D. Janicaud: «Nous voyons, écrit-il en effet, confluer dans la technique et ses symboles les plus impressionnants un mythe ancestral: la Puissance et un mythe nouveau: l'Avenir. La technique est célébrée comme la Puissance qui vient à nous avec l'irrésistibilité de l'avenir» (*La puissance du rationnel*, p. 130).

Mais ce système symbolique fait plus que «donner un sens» au phénomène technique: il donne lieu à un véritable culte de la technique, la machine et sa puissance de réorganisation rationnelle du monde devenant le nouvel objet central de ce culte. Plus encore: ce système symbolique se transforme en récit mythique complet, devenant un paradigme général d'explication du monde. Il va en effet réinterpréter l'ensemble technique auquel il donne sens dans les termes d'une histoire sacrée, en y voyant l'origine fondatrice d'un nouveau monde (mythe de la Révolution industrielle); il va par ailleurs, et à partir de là, également permettre de relire toute l'histoire présente et de projeter l'histoire à venir comme histoire sacrée, finalisée par une parousie technicienne imminente (mythe du progrès technologique où se confondent le perfectionnement technique et le progrès social).

Ainsi dynamisé, pourrait-on dire, par ces deux dimensions mythiques, l'univers symbolique de la technique vient désormais coder tout objet technique, toute invention technique nouvelle, les affectant d'une double signature: hiérophanique (le divin technique se montrant à travers la puissance et l'efficacité de l'objet qui devient ainsi une manifestation de la puissance du rationnel) et prophétique (dans la mesure où chaque invention technique rapproche l'imminence de la parousie technicienne).

Force semble bien être de repérer là toutes les structures d'une *religion* nouvelle, fondée sur ces deux mythes que sont la Révolution industrielle et le Progrès et qui, l'un et l'autre, se conjuguent pour transformer l'univers symbolique de la technique en un paradigme universel livrant le sens du monde et la clé de son destin. Cette religion technicienne a son objet de culte central, la machine, comme elle a ses «modèles exemplaires» dans la personne du savant et du technicien.

Religion? Religion sans Église, dira-t-on sans doute... Certes. Diderot, déjà, avait comme pressenti le caractère paradoxal de cette nouvelle religion, en présentant déjà l'*Encyclopédie* (cf. G. Simondon, *Du mode d'existence des objets techniques*, p. 94) comme une sorte de «Fête de la Fédération des techniques qui découvrent leur solidarité pour la première fois...». Auguste Comte ne tentera-t-il pas d'ailleurs d'organiser en «Église» cette «nouvelle religion»? Le 19e siècle, dans sa mouvance, voit ainsi éclore nombre d'«Églises positivistes», vouées au culte d'une science divinisée, nouveaux temples de la raison technicienne. Églises studieuses et contemplatives, assurément, mais aussi militantes, prônant l'encouragement systématique de la science et de la technique, faisant la promotion missionnaire de leurs projets. Rappelons-nous par exemple que le canal de Panama, entre autres nombreuses réalisations techniques, dut son existence à ces «utopistes et missionnaires de la technique» qui foisonnaient à l'époque, souvent regroupés en chapelles positivistes. L'échec de ces entreprises — en tant que «structures d'Église» s'entend, et non bien sûr en tant qu'entreprises techniques — ne prouve sans doute qu'une chose: que la religion — et, en tout cas, cette nouvelle religion positiviste de la technique, de la science et du progrès — n'a pas absolument besoin de structures ecclésiales visibles pour exister... Mais n'est-ce pas d'ailleurs ce qu'invitent à comprendre aussi bien M. Weber que O. Spengler lorsqu'ils parlent de la «religion moderne» qui se cache, pour l'un, derrière l'esprit d'entreprise et son ascétisme rationnel et puritain et, pour l'autre, derrière l'esprit faustien de conquête du monde, l'un et l'autre se passant fort bien d'Église visible?...

Il revient à D. Janicaud d'avoir explicitement lié la puissance de cette nouvelle religion technicienne à son absence de structure constituée, de «forme ecclésiastique»: «L'immense transformation technico-scientifique qui se poursuit et qui accroît sans cesse sa puissance et ses effets s'exerce, en un sens, au nom de la rationalité (...) Aussi en vient-on à doter le rationnel — du moins en ses configurations technico-scientifiques — des attributs effectifs de la Puissance parce que, se substituant aux mythes, aux rites et aux cultures traditionnels, il devient le refuge, le signe ou le modèle de l'ordre universel et même du sens de la vie. Du coup, l'homme (individu, classe ou genre) s'honore d'en être l'agent et c'est à sa source qu'il vient s'enivrer des délices du pouvoir. Cette opérativité mondiale se répand désormais sans objet de culte: infiniment plus efficaces que des temples positivistes ou maçonniques, grands laboratoires et complexes industriels, bureaux d'étude et conseils d'administration coordonnent et planifient la "rationalisation" de ce monde (...)» (*La puissance du rationnel*, p. 11-12).

L'envers de l'univers symbolique de la technique

Si l'univers symbolique qui code la technique, au 19e siècle, tend à faire de celle-ci le signe d'un nouveau sacré, signe avant-coureur d'une parousie technicienne imminente et fondateur d'une religion de la puissance, il reste que cet univers symbolique repose toujours sur une transgression fondamentale, que l'on peut au demeurant deviner à travers l'actualité symbolique des figures de Prométhée, de Faust ou des antiques Titans, dont la quête de puissance, on le sait, se fondait elle-même sur une transgression génératrice de culpabilité et source de châtiment. Double transgression, ici: celle de la science, qui arrache à la nature ses secrets; celle de la technique, qui instrumentalise cette nature en lui extorquant la quintessence de sa puissance.

Ce qui explique vraisemblablement que l'optimisme de l'univers symbolique qui vient d'être décrit, c'est-à-dire en somme l'optimisme triomphant du 19e siècle scientiste et positiviste, se double d'une «part d'ombre», d'une symbolique négative qui, nourrie de transgression, de pessimisme et de culpabilité, montrera au contraire la technique sous un jour noir et maléfique. On n'aura d'ailleurs pas de mal à repérer dans cette ambivalence quelque chose de la vieille ambiguïté médiévale de la ruse ontologique. C'est ce que P. Gines-tier, après avoir décrit la «magie du monde technique», appellera la «magie noire du monde moderne».

Le monde artificiellement créé par l'homme et ses techniques n'y apparaît plus comme «nouveau monde idéal» mais bien plutôt comme résultat d'une œuvre impie dont l'humanité devient la prisonnière angoissée. Symbole de punition aussi, bien sûr, comme conséquence de la profanation du monde, de la transgression des limites naturelles de la condition humaine. L'espace — industrialisé, technicisé — y devient symbole de déchéance, aux antipodes des vertus antiques de la vie rurale. Relisons *L'Assommoir* ou les *Contes de Noël* de Dickens... La puissance industrielle se dresse comme risque et menace de se retourner contre l'homme, de s'effectuer à ses dépens.

À travers tous ces thèmes, la «magie noire» du monde moderne s'alimente à la peur: peur que le déploiement de la puissance techni-cienne ne se retourne contre ses créateurs. L'univers symbolique qui sacralise le monde et la technique se double alors d'une face obscure, nimbée de crainte: celle de la transgression châtiée. Mais rappelons-nous à cet égard, il y a quelques années à peine, la catastrophe frôlée de la centrale nucléaire américaine de Three-Mile-Island. Confron-tés à la limite de la puissance technicienne, les ingénieurs et les techniciens de la centrale se laissèrent assaillir par une peur irra-tionnelle qui les empêcha de penser sur le coup à une quelconque solution. Quant à Tchernobyl...

Ainsi le *Golem*, cette créature inventée par l'homme et qui finit par se rebeller contre lui, suit toujours Prométhée comme son ombre... Sombre rappel: de même que l'homme a voulu se diviniser en exhibant le cadavre de Dieu, son créateur, de même le monde créé artificiellement par l'homme pourrait-il — du moins dans le fantasme de ce dernier — annoncer sa mort en se substituant à lui. Relisons, cette fois, Asimov et la moitié de la science-fiction contemporaine... On y reviendra.

La critique, voire la remise en cause de l'univers technicien pourra prendre une autre voie: celle, justement, d'un retour à la nature, à la vie d'avant la technique triomphante. À côté des utopies positivistes et techniciennes des Comte, Owen, Saint-Simon, vont aussi éclore nombre d'utopies pour leur part fort méfiantes à l'égard de la technique, voire carrément hostiles à son endroit. Alors que les saint-simoniens, prosélytes de l'abondance et de l'harmonie, chercheront à y relier le monde de l'Industrie, Fourier, par exemple, plus méfiant, ne verra quant à lui de salut que dans la fuite, hors des grands centres industriels; apôtre de la décentralisation, il opposera ses communes aux larges masses industrielles alors en train de naître...

À cette symbolique d'un retour à la nature comme remède à un ordre technicien soudain aperçu sous des traits démoniaques, il y a bien sûr lieu d'associer tout le courant du romantisme, qui, de Gœthe à Novalis, et de Hölderlin à Jean-Paul, en réaction contre l'essor conquérant du monde industriel, prône le sublime retour que l'on sait aux valeurs de la nature et de l'individu, aux brumes de quelque Moyen Âge onirique. Pendant que Wagner ressuscite un moment Tristan et Parsifal, Louis II de Bavière, loin des cheminées de la Ruhr, rêve désespérément les tours de Neuschwanstein...

IV

Conclusion

L'Amour pour principe, l'Ordre pour base, et le Progrès pour but...

A. Comte,

Système de politique positive

De la fin du Moyen Âge à l'instauration d'un nouveau système technique industriel, au 19ᵉ siècle, domine un même paradigme symbolique: celui de la puissance technicienne de réorganisation du rationnel. Ce paradigme se définit comme l'invitation à déployer la pleine puissance de la technique. Pourtant, il est capital de noter qu'il ne s'agit pas là d'un déploiement de la puissance technicienne pour elle-même, en dehors de tout codage mythique et symbolique. S'il est ici question de paradigme symbolique, c'est bien pour indiquer ce caractère symbolique dont est revêtue la puissance technicienne qui se déploie dorénavant. Ce qui fascine désormais l'Occidental moderne, ce n'est pas tant la puissance pure que la puissance obtenue grâce à la raison mathématique réordonnatrice. Contrairement à ce qu'on pourrait spontanément être porté à penser, ce n'est pas une recherche de puissance pure qui guide le monde mais bien plutôt une visée de puissance de réagencement rationnel du monde. C'est la puissance du rationnel, la puissance de réorganisation de la raison grâce à la technique qui est en jeu, la puissance technicienne étant donc codée dans le symbolisme de réagencement divin du monde dans les cadres de la raison.

Un tel paradigme, on l'a vu, modifie la conception du rapport à la nature. Cette dernière apparaît en effet désormais comme fonds inépuisable d'énergie mise à la disposition de l'homme, comme matériau à réagencer et à réordonner d'une nouvelle manière — comme ouverture à l'arraisonnement, pour reprendre le terme heideggerien. Ce n'est plus la *phusis* grecque avec laquelle il s'agissait

253

de *com-poser*; mais ce n'est plus davantage la nature médiévale, suspecte d'hérésie, qu'il s'agissait de convaincre et de ramener dans le «droit chemin». C'est bien plutôt désormais le *tout autre* qu'il faut convertir en lui donnant un nouvel être, une nouvelle structure. (Les éléments naturels, on l'a vu, se trouvent eux-mêmes transfigurés dans cette perspective.) On voit ainsi resurgir le paradigme de ruse ontologique, mais profondément modifié, résolument laïcisé. Ce paradigme codait en effet la technique médiévale en la laissant se développer et en l'investissant d'un projet d'eschatologie sociale. Il ouvrait pour ainsi dire la voie au paradigme de la puissance du rationnel enfin capable de se développer concrètement en cherchant à remodeler rationnellement l'univers de manière à le faire répondre aux plans d'une raison divinisée. Pourtant, ce paradigme se déploie désormais de manière purement technique et, en ce sens, non réductible à sa figure médiévale.

Si ce nouveau paradigme se met en place à l'aube de l'ère industrielle moderne, ce n'est bien sûr pas un hasard: l'ordre totalitaire qu'il déploie sur le monde est en effet indissociable, comme l'a fort bien remarqué M. Maffesoli (*Logique de la domination; La violence totalitaire; La conquête du présent*), de l'avènement du sujet moderne comme individu et du déploiement corollaire du pouvoir de plus en plus tentaculaire de l'État. À une logique de «captation des flux sacrés» par la technique primitive, aux «stratégies de capture» des sociétés guerrières postérieures, succède désormais une «logique de la domination» cherchant — que ce soit sous la figure paroxystique de Big Brother ou sous la forme plus «douce» de nos démocraties modernes — à imposer à tous et à tout son ordre unique et rationnel.

Nous avons vu ce nouveau paradigme symbolique se déployer en empruntant successivement trois formes différentes qui lui ont permis de prendre progressivement corps et d'engendrer enfin ce libre déploiement du système technique industriel qui mit longtemps à éclore. Ces trois stades sont, rappelons-le:

— celui de la formulation du projet de la raison technicienne conquérante, grâce à une véritable «révolution dans la raison», au Moyen Âge où, pour des raisons théologiques, cette raison, tout en conservant ses prétentions d'universalité, se trouve désormais privilégiée sous son aspect pratique;

— celui, ensuite, de l'élaboration d'une nouvelle vision du monde s'exprimant à travers un mythe mécaniste qui, aux 17ᵉ et 18ᵉ siècles, invite à comprendre le monde à partir d'un modèle technique de machines simples, décomposables. Le projet cesse d'être alors un rêve pur, se donnant les moyens théoriques et le cadre conceptuel lui permettant d'appréhender le monde sur le mode d'une machine (ré)agençable;

— celui, enfin, de l'application concrète de ce projet par le déploiement d'un nouveau système technique industriel fondé sur le schème de la puissance rationnelle de la technique réordonnatrice du monde. Ce nouveau schème s'appuie sur le double mythe de la Révolution industrielle et du Progrès; il implique un développement sans précédent des techniques qui cherchent à rationaliser le monde et la vie.

À partir de ce dernier stade, c'est donc la machine utilitaire et productive qui servira désormais de modèle exemplaire au développement des techniques. La technique utilitaire se trouve privilégiée, dans la mesure où elle permet de réorganiser le monde du travail et de la production, afin d'en accroître la rationalité et la rentabilité, conformément aux principes sacralisés de la raison pratique. (On a vu qu'avant de devenir un modèle dominant, l'ancien modèle grec des *thaumata* avait, au 18ᵉ siècle, resurgi avec une étonnante vigueur.)

Science et technique occupant le cœur de ce nouvel univers symbolique, il n'est bien sûr pas étonnant que les héros exemplaires et les guides sacrés de ce nouveau monde prennent les traits de l'ingénieur technicien et du savant, c'est-à-dire, quand on y pense, de celui que le monde grec avait méprisé et de celui que l'Inquisition médiévale avait plus d'une fois menacé du bûcher...

On perçoit du point de vue d'une histoire du symbolisme des techniques, le renversement radical qui se manifeste ici. Le lent glissement évoqué au début de ces pages paraît désormais achevé. Si la technique a d'abord été vécue sur le mode éminemment dangereux d'un sacré de transgression, si le Moyen Âge chrétien lui a permis de se dévoiler comme ruse ontologique, en lui assignant la mission de parachever et de parfaire la création, celle-ci, dans sa puissance, a désormais totalement basculé au pôle d'un sacré de respect de l'ordre d'un monde qu'elle a la tâche sacrée de consolider, de réordonner et de régénérer.

Contrairement aux précédents, le nouveau système symbolique de l'ère industrielle ne refrène plus la technique. Il l'encourage au contraire — et c'est peu dire! C'est de manière systématique, enthousiaste et même religieuse qu'il le fait, puisque c'est de ce libre et constant essor que dépend justement l'avènement d'une parousie technicienne, du nouvel âge d'or qu'elle inaugurera. C'est bien d'ailleurs pour cela que l'aspect de transgression, maintenu et refoulé, resurgit sans cesse sous les traits maléfiques d'une «magie noire» du monde industriel. Double symbolisme: l'un, techniciste et triomphant, qu'anime le mythe du Progrès, et l'autre, antitechniciste et apocalyptique, que nourrit le mythe d'une technique satanique, et qu'abreuve l'utopie d'un retour à la «bonne» nature. L'un et l'autre, pourtant, se déploient à partir du même univers de puissance de la raison technicienne dont ils constituent pour ainsi dire l'avers et l'envers symbolique, comme l'a d'ailleurs bien vu D. Janicaud qui commente la réflexion de Heidegger en faisant ressortir que l'attitude écologiste contemporaine est animée par un schème de pensée techniciste «mou» et non plus «dur». C'est seulement en effet l'*excès* technique que celle-ci remet le plus souvent en cause, sans pour autant cesser de croire que l'homme est responsable de son destin dès lors qu'il agit de manière sage et mesurée. «Du point de vue de Heidegger, écrit D. Janicaud (*Face à la domination: Heidegger, le marxisme et l'écologie*), l'utilisation même modérée de l'étant n'est guère moins nihiliste que les abus qu'elle flétrit; rationalisme et vitalisme peuvent apparaître comme les "revers réactifs" du même errement mondial. Plus généralement, l'écologie débouche facilement sur un nouveau technicisme très vite récupéré par la société industrielle (...) Même quand cela n'est pas le cas, l'opposition des énergies douces aux énergies dures, l'apologie du petit contre le grand, ne mènent qu'à des réaménagements du projet global d'exploitation de l'étant.»

Soulignons enfin le problème soulevé par ce nouvel univers symbolique qui code la technique au point de créer une nouvelle religion positiviste et techniciste. Pour la première fois dans l'histoire, en effet, il semble bien que ce soit l'ensemble technique lui-même qui s'érige en valeur, qui s'impose comme terrain symbolique. Jusque-là, les techniques n'avaient été que l'objet de nombreux mythes, encodées dans un système symbolique qui leur demeurait essentiellement extérieur. Désormais c'est la technique qui a tendance à devenir, en elle-même, une valeur symbolique, synonyme de progrès: mythe elle-même...

Il faudra de ce fait se demander ce qu'il adviendra du symbole lorsque la technique industrielle, au cœur du 20ᵉ siècle, se sera développée et déployée de manière plus envahissante encore. L'univers symbolique qui vient d'être décrit s'est en effet élaboré au moment où se mettait en place un système technique vu comme devant concrétiser le vieux rêve occidental de transformation du monde grâce à la puissance de la raison capable de faire advenir enfin l'âge d'or tant attendu. Or, force est de reconnaître que, tout comme à la fin du premier siècle de l'ère chrétienne, ou comme aux alentours du crucial An Mille, le «système», bien implanté, semble continuer à progresser sans que la «parousie» promise se soit encore produite... Qu'advient-il dès lors de ce système symbolique et de ses puissants mythes industriels?

Ces questions nous conduisent au seuil du monde contemporain, désormais confronté à la réalité d'une technique qui, à force d'actualiser sa puissance, semble bien provoquer un nouveau renversement de la symbolique qui lui est associée.

Chapitre 5

ÉNIGME ET DESTIN
DE LA TECHNIQUE

Une civilisation supérieure devra (...) donner un cerveau double
à l'homme, quelque chose comme deux compartiments
cérébraux, l'un pour être sensible à la science, l'autre à ce qui
n'est pas la science: juxtaposés, sans empiètement, séparables,
étanches; c'est là ce qu'exige la santé...

F. Nietzsche,
La volonté de puissance

Il faut reconstruire une rationalité post-rationaliste, non plus
dichotomique, fondée sur le dilemme rationnel-irrationnel,
mais au contraire capable de rendre compte des pulsions non
rationnelles et au-delà du rationnel qui entrent comme
composantes décisives dans l'expérience humaine...

F. Ferrarotti,
Une théologie pour athées

I
Le développement de l'ensemble technique industriel et son évolution en «système»

> Il prit dans sa poche une pièce de vingt-cinq cents. Là aussi, en lettres minuscules et distinctes, les mêmes slogans étaient gravés. Sur l'autre face de la pièce, il y avait la tête de Big Brother dont les yeux, même là, vous poursuivaient. Sur les pièces de monnaie, sur les timbres, sur les livres, sur les bannières, sur les affiches, sur les paquets de cigarettes, partout!
>
> G. Orwell, *1984*

Mutation technique et persistance des mythes fondateurs

L'ensemble technique qui se met en place dès l'aube de l'âge industriel semble épistémologiquement et techniquement cohérent pendant plus d'un siècle; il paraît justifier par là même l'espoir des scientistes de voir bientôt poindre la parousie technicienne d'un nouvel âge d'or industriel. Et cependant, cet ensemble ne s'est jamais stabilisé ni figé en une forme définitive, comme ceux qui l'avaient historiquement précédé. Depuis son avènement, il n'a au contraire jamais cessé d'évoluer. On peut ainsi dégager trois grandes phases, ou trois grandes mutations qu'un tel ensemble, pourtant relativement récent, paraît tout de même avoir déjà traversées.

Une première structuration, tout d'abord, autour de la machine à vapeur (comme machine type), du charbon (comme énergie principale) et des textiles (comme application industrielle prédominante).

Une deuxième, selon le triptyque formé par le moteur à explosion, l'électricité et le pétrole, les industries chimiques. Pour certains auteurs (B. Gille, notamment), cette deuxième structuration, qui a par ailleurs fortement marqué les moyens de communications modernes (télégraphe, téléphone, automobile, etc.), s'est en fait déve-

261

loppée comme prolongement de la première, ce qui justifierait de parler d'un ensemble technique à la vie relativement longue: plus d'un siècle. Pour d'autres (L. Mumford [MM], entre autres) cette structuration constitue plutôt un deuxième ensemble technique distinct et spécifique, voire une deuxième «révolution industrielle». Une telle différence d'interprétation invite à la prudence. Elle suggère, plus précisément, de ne parler de *mutation technologique* que dans la mesure où l'évolution donne une nouvelle forme à la configuration technique en affectant simultanément les trois secteurs interdépendants que sont les sources d'énergie, les applications industrielles et les modes machiniques dominants.

C'est l'application de ce triple critère qui semblerait autoriser l'annonce d'une nouvelle phase, ou d'une nouvelle mutation que d'aucuns se plaisent à désigner déjà comme une «troisième révolution industrielle». Cette mutation se caractériserait par l'apparition d'une nouvelle source d'énergie ayant — si l'on peut se permettre l'image anachronique — le vent dans les voiles (énergie nucléaire et recherches d'énergies de substitution au pétrole, énergies «douces», etc.), par un nouveau mode machinique (des ordinateurs organisant désormais le machinisme sur un mode informatique d'automatisme intégrant le *feedback*), par un nouveau domaine industriel enfin (produits synthétiques, d'abord dérivés du pétrole, et de plus en plus fabriqués au moyen de nouvelles combinaisons inédites; nouvelles industries de l'information — à travers les mass média et la télématique, notamment).

Cette description, toute sommaire qu'elle soit, apparaît néanmoins assez juste d'un point de vue «phénoméno-technique», dans la mesure où elle permet en tout cas de suivre l'évolution de l'ensemble technique en place depuis l'aube de l'âge industriel. On voit cependant qu'elle met en jeu d'emblée une lecture symbolique dès lors qu'elle s'affuble d'une dimension eschatologique selon laquelle nous serions, encore une fois!, à la veille d'une ère nouvelle, au seuil d'une nouvelle «révolution» dont l'annonce paraît bien réactualiser, une fois de plus, le vieux mythe fondateur de la «révolution industrielle».

Cet aspect mythique est d'ailleurs d'autant plus manifeste

qu'une telle croyance — est-il d'autre terme? — s'appuie rarement sur une analyse rigoureuse de l'ensemble technique considéré globalement à partir de ses trois éléments structurels. On se contentera en effet le plus souvent d'annoncer l'imminence de cette «nouvelle révolution» en ne retenant comme indice qu'un seul facteur, considéré de manière isolée. Le nucléaire fait ainsi miroiter, à lui tout seul, un nouvel âge d'or énergétique ou une nouvelle apocalypse; la télématique sonne la révolution de l'information; l'informatique — dixit au moins J.-J. S.-S.! — inaugure un «nouvel ordre mondial», quand elle ne préside pas à la révolution enfin victorieuse de la «décentralisation autogestionnaire»... Qu'une nouvelle technologie se montre le bout du nez, elle devient aussitôt hiérophanie, se pare immédiatement de l'auréole du mythe. La robotique, par exemple, ne permettra-t-elle pas de construire «l'usine de demain», entièrement automatisée, au service d'une humanité qui n'aura plus guère à travailler et devant laquelle s'ouvriront toutes grandes les portes d'une nouvelle «civilisation du loisir»? Cela, on l'avait déjà dit — c'est vrai, mais qu'à cela ne tienne! — de la télévision, de l'avion, et même du taylorisme, célébré à ses débuts comme une libération pour l'homme, un allégement de son temps de travail aliénant...

L'aspect mythique de tels discours est d'autant plus frappant que, par une étrange disposition du symbole (faudrait-il y lire, inspiré par Dumézil, quelque atavisme indo-européen?), les «révolutions» annoncées se limitent en général au nombre de trois, celle au seuil de laquelle nous nous trouvons nous-mêmes étant toujours bien entendu la troisième, l'ultime. Quelle que soit en effet la technique choisie comme porteuse du sacré, annonciatrice de la parousie technicienne, l'histoire paraît avoir une nette prédilection pour les découpages en trois phases à partir de la dernière: «troisième état» d'Auguste Comte, «troisième révolution industrielle», «troisième vague» de Toffler...

Cette dimension eschatologique, qui continue d'être projetée sur l'univers technique et sur chacune de ses nouveautés, révèle un double aspect du monde moderne: d'une part, les mythes fondateurs du monde industriel s'y manifestent toujours avec autant de vigueur;

d'autre part, le continuel renouvellement des techniques ne nuit aucunement à cette persistance mythique. Il faudra se demander si cette persistance loge sous le signe de la simple *répétition* (auquel cas nous serions toujours dans le même univers symbolique — «mort», pour ainsi dire, et incapable de se renouveler) ou à l'enseigne d'une véritable *réinterprétation* (et alors nous assisterions plutôt à quelque chose comme une réactualisation classique des mythes fondateurs vivaces que les «primitifs» assurent par exemple à travers leurs fêtes, et que les «décadents civilisés» que nous sommes opèreraient en produisant sans cesse de nouveaux objets techniques, signes et preuves de leur supériorité).

Il faut cependant s'arrêter auparavant au renouvellement auquel paraît astreint l'univers technique lui-même, et réfléchir au sens de ce changement perpétuel. La persistance des mythes fondateurs de l'âge industriel paraît en effet rendre inutile, pour comprendre le monde moderne, de s'attarder à retracer l'évolution des techniques actuelles dans la mesure où, tout en se transformant sans cesse, elles semblent précisément toujours réactualiser les *mêmes* mythes fondateurs, en se contentant de les décliner d'une nouvelle manière, compte tenu à la fois de la sensibilité contemporaine et des particularités liées à la nouveauté des objets techniques eux-mêmes. Mais plus encore: une telle démarche raterait le trait le plus distinctif de la technique moderne, c'est-à-dire, justement, sa *perpétuelle mutation*. Or c'est bien ce trait qui doit d'abord et avant tout être interrogé.

De la règle de la mutation technique à la constitution d'un système technique

Telle paraît bien être la première caractéristique de l'environnement technique dans lequel nous vivons: sa tendance à se développer sans cesse, à se renouveler perpétuellement. Le *scientisme* a pu croire un moment que le mouvement de la technique allait enfin se stabiliser, atteindre sa «vitesse de croisière». Ce faisant, il ratait bien entendu ce qui distingue la technique moderne des ensembles techniques traditionnels, qui se «bloquent» à un moment donné dans une forme relativement stable et dont on attend même qu'elle contribue à la stabilité sociale et politique.

264

Diderot avait déjà perçu cette caractéristique de la technique moderne. Dans des pages presque prémonitoires, écrites à l'aube de l'ère industrielle, il prédit en effet que la technique industrielle ne peut que progresser et, ce faisant, détruire les domaines technologiques qui refuseraient de se soumettre à sa loi: «Manufacture, agriculture, mouvement circulaire où la première impulsion est venue presque conjointement de l'agriculture et de l'industrie, mais qui est accéléré non plus par l'agriculture, mais par la manufacture qui pousse sans cesse en détruisant et dont c'est là tout l'effet» (*Apologie de l'abbé Galiani* (1770) [OP, 109]). Tout est là: la tendance de la technique à se développer sans cesse; son essor lié à la soumission sinon à la destruction de ce qui lui échappe (l'agriculture, par exemple); et jusqu'à sa caractérisation en termes de réponse à une accélération de l'histoire plutôt qu'à une «révolution» proprement dite (une thèse qui sera notamment reprise par B. Gille).

Ce renouvellement constant de l'ensemble technique est certes lié à des conditions socio-économiques et politiques particulières. Précieux à cet égard, l'apport de Marx rappelle qu'il est indissociable de la forme économique du capitalisme qui ne peut progresser (c'est-à-dire favoriser une accumulation de plus en plus grande du capital) que par une «révolution» constante de ses modes de production et, donc, des techniques, mobilisées dans le but d'accroître la rentabilité, d'augmenter la plus-value. Non seulement Marx relie-t-il le renouvellement constant de l'univers technique (déjà aperçu par Diderot) à la forme économique qui le sous-tend, mais il est en outre l'un des premiers à avoir compris que les machines, en se perfectionnant, tendaient à une autonomie et à une auto-croissance toujours plus grandes. Dans *Le Capital* (Livre I, XV), Marx distingue soigneusement entre la coopération technique qui résulte de l'assemblage de plusieurs machines (la machine à tisser, par exemple, formée par l'assemblage de plusieurs métiers interreliés) et la machine proprement dite, qui est autonome, et qui peut fabriquer d'autres machines en imposant un nouvel ordre au travail humain (et non en se soumettant et en s'adaptant à ce dernier). «La grande industrie, écrit-il, fut (...) obligée d'adapter son moyen caractéristique de production, la machine elle-même, pour produire d'autres machines (...)

Le mouvement et l'activité du moyen de travail devenus machines se dressent [dès lors] indépendants devant le travailleur» (*Le Capital*, p. 279 et 291).

S'il pense ainsi la technique moderne dans son trait essentiel d'auto-accroissement et d'autonomie imposant son nouvel ordre, Marx demeure néanmoins prisonnier d'un optimisme humaniste foncier qui, selon D. Janicaud, l'ancre dans la croyance utopique «qu'une maîtrise de l'usage social permettra la ré-appropriation de la technique (...). Naïve (...) présomption que la technique (...) verra, en changeant de mains, sa nature métamorphosée (...)» [PR, 112]. Ce manque de distance critique est dû au fait que Marx restera toujours ambivalent à l'égard de l'aspect titanesque et prométhéen de la technique (comme le suggère par exemple ce passage du *Capital* où il parle des «machines cyclopéennes consacrées à la construction des premiers moteurs»).

*

Diderot et Marx furent ainsi les premiers à réfléchir au caractère perpétuel de la mutation qui anime l'ensemble technique moderne. C'est en s'appuyant sur leur réflexion (surtout sur les travaux de Marx — quoiqu'il en gomme, selon Janicaud, l'optimisme métaphysique et sotériologique) que Jacques Ellul [ST] construira sa thèse sur l'*auto-accroissement de la technique* et sa transformation en *système*. Pour Ellul, la grande nouveauté du monde moderne est en effet d'avoir permis le passage d'un stade d'*ensemble* technique à celui de *système* technique. Qu'est-ce à dire?

Le monde industriel reposait, on l'a vu, sur un ensemble de techniques qui quadrillaient la nature de manière de plus en plus serrée. Or, en se développant toujours davantage, cet ensemble technique aurait fini par prendre de plus en plus d'importance, constituant progressivement un univers dans lequel toutes les techniques seraient de plus en plus interreliées (un changement en un endroit quelconque ayant désormais des répercussions sur l'ensemble du *système*). En se complexifiant toujours davantage, en se construisant sous une forme informatique qui s'étend transversalement à tous les secteurs de la société, ce système technique deviendrait de plus en plus difficilement maîtrisable par l'homme, de moins en moins orientable dans un but «étranger» au système lui-même.

Le terminal télématique, par exemple, qui permet d'appeler à l'écran des pages successives d'information, ne peut servir à n'importe quel usage: la télématique s'inscrit en effet dans un système télécommunicationnel global, qui fait autant appel aux techniques de transmission qu'à celles de commutation, au contrôle (et au monopole) politique de l'État qu'à une régulation sociale qui atomise d'abord les individus pour mieux les relier ensuite les uns aux autres par une médiation technique. Mais on retrouve déjà ce phénomène dans le «simple» téléphone — grâce auquel, selon la publicité, «la distance n'a plus d'importance»... Bien entendu, cette distance entre individus atomisés, le téléphone la suppose tout autant qu'il la creuse: il n'est pas rare, on le sait, et pour ne prendre qu'un exemple, de voir des collègues de travail se «passer un coup de fil» alors que leurs bureaux se trouvent à dix mètres l'un de l'autre... (Le téléphone, à vrai dire, comme la télématique et l'ensemble des *télé*-communications modernes, semble bien amplifier le paradoxe que Madame de Sévigné avait déjà entrevu au 18e siècle et un jour signalé à l'un de ses correspondants: «Que j'aime à vous écrire... C'est donc dire que j'aime votre absence? Voilà qui est bien terrible...»)

La télématique ne peut se développer que dans un contexte qui en détermine largement l'usage et la fonction sociale. Rêver d'une télématique *conviviale* capable d'échapper à ce cadre et à ces contraintes paraît dans ce sens relever d'une utopie qui fait abstraction de l'environnement global du système. Et si l'usager peut entretenir l'illusion d'avoir affaire à une machine «simple» — ou à une simple machine! —, il s'intègre en fait d'emblée dans tout un système technique qui lui impose un usage à maints égards contraignant et précis. L'automobile offre ici un autre exemple éloquent. On ne peut en effet l'utiliser sans s'intégrer à tout un réseau, à tout un système: code de la route, signalisation, mais aussi postes d'essence et stations-service, règles d'immatriculation et assurances, etc. Système technique incontournable dont dépend totalement l'utilisation d'une «machine» même aussi «simple» que la voiture...

Ce qui vient d'être dit vaut également pour n'importe quel objet technique auquel nous sommes aujourd'hui confrontés. Songeons encore aux réseaux de guichets bancaires automatiques et informatisés qui permettent d'effectuer nombre de transactions (retraits, dépôts, virements, paiement de factures, etc.) à n'importe quel moment et à partir de n'importe quel point du réseau. Prodigieux système qui vous permet de retirer de l'argent un soir de week-end ou à des centaines de kilomètres de votre succursale bancaire. Mais qui, bien sûr, décide aussi (pour votre propre «protection»!) du montant limite que vous pouvez retirer chaque fois, quelle que soit la rondeur de votre compte... Et qui, lorsqu'il se combine — comme c'est fréquent — au système des cartes de crédits, peut également décider, en plein magasin — tant pis si, en plus d'être frustré, vous perdez un peu la face — que vous avez assez dépensé ce mois-là. Ou encore qui, alors que vous comptez absolument sur lui parce que vous n'avez plus un sou en poche, peut vous laisser plutôt embarrassé et démuni, ce même soir de week-end ou lors de ce même voyage, parce que l'ordinateur central a eu la fâcheuse idée de tomber en panne...

L. Mumford [MM] rappelle certes avec pertinence que de vastes ensembles techniques et bureaucratiques ont existé depuis des siècles. Les méga-machines impériales de Babylone ou de Rome, par exemple, n'avaient toutefois jamais, en revanche, cet aspect de *système* mis en lumière par Ellul. En extension d'une part, le système technique actuel, s'étendant à tous les aspects de la vie et enserrant l'homme dans un réseau technique, se substitue de plus en plus à l'environnement naturel (on y reviendra); en compréhension d'autre part, il tend à s'autonomiser et à ne plus répondre qu'à ses propres lois d'évolution, sans contrôle possible de son mouvement et de son devenir.

Ellul retient quatre caractéristiques de ce système technique. En premier lieu, celui-ci connaît une modification continuelle des éléments qui le composent et qui, en changeant, transforment par là même sans cesse la configuration de l'ensemble technique. (Ce qui suggérera à Janicaud l'impossibilité de décrire la technique moderne: «Comment [en effet] *décrire* et réduire à l'essentiel ce qui ne cesse de bouger *en se différenciant*: un état métastable qui n'a peut-être même pas l'imprévisibilité "systématisable" du mouvement brownien? (...) La réalité actuelle évolue vertigineusement vers l'*indescriptible* » [PR, 52].)

Deuxième caractéristique: cet ensemble tend à régler tous les aspects de la vie, de la production des biens à la gestion des relations humaines, notamment grâce à des techniques d'optimisation rationnelle et technique de toute activité. Une telle technicisation touche bien entendu tous les secteurs, y compris ceux qui retiennent davantage l'attention des «sciences humaines». Songeons ainsi, par exemple, à tous ces nouveaux «métiers du social» — criminologie, sexologie, récréologie, gérontologie, thanatologie, etc. — qui, nés au cours des décennies récentes, se présentent de plus ou en plus comme des techniques «douces» de contrôle social programmé (cf. G. Renaud, *Les «progrès» de la prévention*).

Troisièmement, la seule stabilité de ce système technique concernerait ses acquis: une fois touchés par la technique, les domaines les plus divers ne pourraient plus lui échapper. Mentionnons ici, dans le domaine de l'agriculture, l'exemple des champs cultivés à l'aide de fongicides chimiques qui permettent certes de doubler les rendements, mais en empêchant tout retour en arrière: le sol, ayant pris l'habitude de produire ainsi assisté par ces engrais et ces techniques, ne peut plus par la suite produire de manière à la fois «naturelle» et rentable. On pourrait multiplier les exemples dans d'autres domaines, y compris dans celui de pratiques socio-culturelles, du «conditionnement physique» à l'usage «récréatif» de drogues ou à celui de «gadgets érotiques», par exemple, — dont bien des utilisateurs, une fois qu'ils s'y sont habitués, semblent avoir autant de mal à se passer que le sol de ses fongicides chimiques...

Ce système technique, enfin, évoluerait à partir de sa seule logique interne, ne tenant compte d'aucun *feedback* ou d'aucun échec susceptible de le remettre radicalement en question. Les accidents nucléaires ou les HLM désastreux, par exemple, ne provoquent pas la disparition des centrales ou des HLM. Le système mandate plutôt des experts pour *améliorer* les techniques, jamais pour questionner la possibilité de leur nocivité intrinsèque.

De la description du système technique, Ellul remonte ensuite aux valeurs structurelles à partir desquelles ce système s'organiserait: *unité/unicité*, c'est-à-dire unité du système qui relierait entre elles toutes ses parties en formant ainsi un «être unique», une immense «unicité technique»; *universalité*: il s'étendrait à travers le monde, sans égard à la géopolitique, des États-Unis à la Chine en passant par l'Europe, le Japon et le tiers-monde, imposant partout les mêmes exigences; *totalisation*: l'ensemble technique transformé en système ne cesserait de reconstruire et de réagencer ses parties pour constituer une totalité pleine, englobant tous les aspects de l'existence; *autonomie*, enfin, repérable dans le passage d'une instrumentalité grâce à laquelle l'homme pouvait intervenir à des programmes informatiques imposant leurs choix indépendamment des facteurs humains et de leurs impondérables, de manière purement technique, déterministe et close.

Par rapport à l'univers technique de l'âge industriel, la nouveauté du monde technique moderne réside, selon Ellul, dans l'essor des techniques qui se sont désormais infiltrées et imposées dans toutes les sphères de l'existence, réorganisant partout le monde et la vie, constituant un système largement autonome, en perpétuelle expansion. Les machines et les techniques ne sont plus cantonnées dans l'usine, comme au début de la révolution industrielle; elles sont désormais partout, organisées en un gigantesque réseau qui répondrait à la seule logique de son propre essor et d'une auto-croissance aveugle.

La question se pose évidemment de savoir si Jacques Ellul, en voyant la spécificité du monde moderne dans cette configuration autonome de la technique, décrit un état de fait particulier ou s'il en propose déjà une interprétation plus ou moins consciemment tributaire du mythe techniciste qu'il a pourtant été parmi les premiers à repérer avec lucidité. Que la description d'Ellul cerne effectivement avec beaucoup d'acuité le trait dominant de la technique moderne, la chose paraîtra difficilement contestable. Ses analyses recoupent d'ailleurs, en ce sens, celles de nombreux autres penseurs provenant d'horizons intellectuels fort différents. Le phénomène d'extension planétaire de la technique a ainsi été fort bien étudié par exemple par K. Axelos (*Vers la pensée planétaire*) qui dénonce l'imposition d'un ordre technique planétaire et, ce qui lui paraît plus grave encore, celle d'un mode de pensée techniciste, purement opératoire et calculante. Constat à maints égards semblable chez Heidegger (*La question de la technique*) qui voit dans l'essor technique et le contrôle cybernétique l'élément déterminant de notre modernité et l'ultime figure de la métaphysique. À la fois très proche d'Ellul tout en étant parfois critique à son endroit, G. Hottois se réfère également à cet essor généralisé des techniques lorsqu'il parle de nouveau *technocosme* en perpétuelle transformation. Ce qui, de son point de vue, justifie que l'on parle de la technique en privilégiant ses retombées et ses innovations futures. «Puisque la technique est dynamisme, commente ainsi Janicaud [PR, 144], l'étudier *au présent* serait bien obtus. C'est la technique de demain et des temps futurs qui intéresse, menace ou fascine. Gilbert Hottois n'a-t-il donc pas raison de nous obliger à prendre en considération des conquêtes techniques qui s'annoncent, les unes en partie réalisées (la constitution d'un "technocosme" et de "technochronies" sans commune mesure avec l'environnement traditionnel et les perceptions habituelles de l'homme), les autres sur la frange imaginaire de la Recherche-Développement, à la limite de la science-fiction ((...) constitution du "Cyborg", astrogénétique, etc.).»

Mais est-ce à dire que ce «monde technique» qui s'imposerait dans tous les domaines — au point de provoquer, selon certains des plus illustres représentants de l'École de Francfort (H. Marcuse et J. Habermas, notamment), une bureaucratisation techniciste généralisée de la société — se développe effectivement de manière purement autonome et aveugle, comme le soutient Ellul? À force de vouloir se démarquer, de manière presque obsessionnelle, d'un marxisme auquel il refuse la moindre pertinence, Ellul paraît bien entretenir une confusion entre la logique du progrès technique (qui, selon B. Gille, a toujours présidé à l'histoire des techniques) et l'affirmation selon laquelle la sphère technique «est donc autonome» par rapport aux autres sphères de l'existence sociale. Le fait de relier la sphère technique aux autres sphères — sociales et épistémologiques, mais aussi imaginaires et mythiques — n'invalide certes pas pour autant l'affirmation d'Ellul sur la tendance du système technique à fonctionner de manière autonome. Plus contestable et difficile à conserver apparaît en revanche la «coupure» qu'il impose à la technique par rapport aux autres sphères, en attribuant à la première une autonomie et une importance absolues. À cet égard, la perspective de l'École de Francfort apparaît plus nuancée, dans la mesure où elle rappelle qu'il est à la fois possible de penser que la sphère technique est incompréhensible si on la coupe du système d'organisation économique du monde, et de poser que le système technique s'impose comme paradigme, tendant à régir tous les aspects de la vie moderne.

Le constat d'Ellul ne manque donc pas de justesse: ce qui caractérise le monde moderne, c'est bien la manière dont la technique se constitue en «monde technique», en un «technocosme autosuffisant» (G. Hottois), et prétend régenter tous les aspects de l'existence en imposant ses critères de rentabilisation, d'optimisation et d'instrumentalisation opérationnelle. Mais en déduire une autonomie du système technique «en soi» paraît bien relever d'un idéalisme techniciste qui surévalue le phénomène technique. L'«autonomie technique» d'Ellul demeure étrangement désincarnée, «les pieds en l'air» — si l'on peut se permettre cette allusion au reproche que Marx faisait à la dialectique hégélienne.

En fait, si le paradigme technique tend à imposer ainsi son hégémonie c'est — telle est du moins la perspective de cet essai — qu'il permet l'effectuation concrète du paradigme symbolique de la raison réorganisatrice du monde. Devenue effective, la domination du modèle technique est indissociable de l'accomplissement du projet symbolique qui sous-tendait ce modèle.

Plusieurs auteurs ont tenté de réfléchir à cet aspect plus global dans lequel s'insère la technique moderne. Pour L. Mumford [MM], par exemple, l'importance croissante de la technique est due à son articulation au politique, à l'économique, au militaire, le tout constituant un «complexe de puissance» voué à la conquête. Pour Michel Serres (*Hermès III - La traduction*), l'essor d'une technique dominatrice est inséparable de l'alliance qui s'est nouée de nos jours entre raison théorique et raison pratique (et qui, on l'a vu, était en germe dès le Moyen Âge). Pour Jean Ladrière (*Les enjeux de la rationalité*), la sphère technique dominante est un «super domaine» qui relie science et technique et vise la puissance absolue en multipliant les capacités respectives de l'une et de l'autre.

*

Il faut reprendre le fil du lien qui unit cette technique à l'univers symbolique de la raison pour comprendre le sens de la progression perpétuellement renouvelée des techniques et, donc, le sens qu'il convient de donner à leur «autonomie»; pour remettre cette autonomie «sur ses pieds», en quelque sorte...

L'inversion de la figure symbolique technicienne

Énigme pour la raison, que cette technique moderne: pendant long-temps porteuse d'une utopie de réagencement rationnel du monde, annonciatrice d'un nouvel âge d'or, elle semble à vrai dire s'être déployée tous azimuts, sans pourtant faire advenir cet âge d'or tant rêvé — sauf à vouloir le déchiffrer à tout prix, et comme déses-pérément, dans cet univers de techniques et de gadgets qui constitue notre environnement quotidien. L'eschatologie promise se fait tou-jours attendre. Le salut tant espéré se trouve encore une fois reporté à d'improbables calendes dont on s'entête pourtant à prédire la proximité...

Il faut s'interroger sur ce que devient, dans ces conditions, le puissant symbolisme dont la technique avait été jusque-là porteuse, de même que sur l'évolution du lien qui l'unit à la science et du rapport qu'elle entretient avec la raison.

D. Janicaud a bien mis en lumière le fait que, lorsqu'elle prédomine, la puissance symbolique du rationnel implique la réali-sation concrète du monde de puissance virtuellement contenu en elle. La puissance ainsi déployée devient, par là même, et de manière ambiguë, un moyen au service du projet de rationalisation technicienne du monde. Mais plus encore: en tant que moyen privilégié, elle devient en fait l'objectif et la fin, le but même de toute technique. La figure de la puissance du rationnel témoigne donc d'une tendance interne qui privilégie la puissance technicienne concrète.

Apparaît dès lors une nouvelle figure, où la technique tend moins à réaliser le projet eschatologique originaire de réagencement du monde qu'à viser sa propre effectuation. Ce qui compte, dorénavant, c'est uniquement que la technique se *réalise*, s'actualise en déployant autour d'elle un univers de puissance et d'efficacité technicienne. On pourrait dire en ce sens, et en reprenant les termes de Janicaud, que la puissance du rationnel au service duquel s'était jusque-là engagée la technique s'est largement muée en *rationalité de la puissance*, devenue but en soi.

Ce nouveau retournement de la figure symbolique de la technique se caractériserait, si l'on suit Janicaud, par une subordination parallèle de la rationalité scientifique à la puissance de la rationalité technicienne victorieuse. Et ce, sous trois aspects: subordination, tout d'abord, de la rationalité scientifique à des fins militaires (et, on le sait, le militaire subventionne la plus grande part de la recherche et offre le plus grand nombre de débouchés et d'applications aux découvertes scientifiques «pures»); subordination, par ailleurs, aux impératifs d'utilité et d'applications concrètes «civiles» auxquels doivent désormais se plier les travaux scientifiques pour obtenir quelque reconnaissance; subordination, enfin, à l'opérationalisation de la rationalité, grâce au nouveau système de *Recherche-Développement* qui vise à l'optimisation et à la canalisation des travaux scientifiques en vue d'objectifs concrets, d'applications technologiques prometteuses (la «R & D» devenant ainsi un nouveau champ tout à fait déterminant pour l'évolution de la société). À ce dernier égard, Janicaud rappelle avec beaucoup d'à propos qu'il aurait été proprement impensable pour des savants, il y un demi-siècle à peine, d'accepter que la plus grande part de leurs travaux soit planifiée, canalisée, ultimement contrôlée par des organismes de recherche et de financement relevant de l'État. La *recherche*, ce maître mot sacré des États modernes (et notamment des institutions de haut savoir qui en constituent d'importants rouages), vise bel et bien, selon lui, à organiser la science sur le modèle d'un savoir-pouvoir finalisé par la méga-machine étatique — qui trouverait là une nouvelle justification à l'omniprésence de son pouvoir.

La nouveauté que représente la recherche moderne est, selon Janicaud, ce qui favorise la technicisation de tous les domaines de l'existence. De l'infiniment petit à l'infiniment grand en passant par l'infiniment complexe, de l'atome à la galaxie en passant par l'être humain, tout, de droit, s'ouvre à ses investigations. Rien de ce qui existe ne lui est en principe étranger, inaccessible. Exploratrice légitime de tous les possibles, la Recherche n'en privilégie cependant pas moins certains d'entre eux. De ce point de vue, la technique n'est peut-être pas, en fin de compte, aussi aveugle que le suggère Ellul. Comme la justice, elle réussit souvent à jeter un œil par-dessus son bandeau... Et ce n'est pas un hasard si elle semble en fait viser prioritairement une réalisation sélective de la puissance «exploitable techniquement» — c'est-à-dire, en somme, susceptible de s'inscrire dans la rentabilité des circuits socio-économiques des sociétés occidentales actuelles. Implacable clôture du système: subventionnée, la recherche tend ainsi, bien entendu, à se restreindre concrètement à ce que le système considère comme subventionnable, c'est-à-dire comme «valant la peine de l'être», renvoyant tout le reste dans les limbes — ou les ténèbres extérieures! — de préoccupations de recherche «privées» plus ou moins «luxueuses» ou «farfelues», «insignifiantes» ou «inutiles», institutionnellement peu prestigieuses, et le plus souvent démunies.

Il semble bien qu'en ce sens la subordination de la rationalité scientifique à la puissance technicienne dessine une nouvelle articulation du «couple sacré» formé par la science et la technique. Celui-ci apparaît en effet désormais moins sous les traits d'un couple de partenaires complémentaires que sous ceux d'une union fortement hiérarchisée au profit de la puissance technicienne à laquelle tout — et d'abord la science — doit se soumettre. Cette nouvelle figure, qui subordonne l'ancien sacré de la science à celui de la puissance technicienne, confirme bien sûr les réflexions de Heidegger qui scandalisa longtemps le monde intellectuel et savant en voyant dans la science un simple outil épistémologique qui violente la nature et la force à se dire dans un langage mathématique susceptible de favoriser la maîtrise technique. Pour Heidegger, la science est bel et bien, dans son essence même, un simple outil au service de la puissance technicienne.

*

Mobilisation de la science par une technique désormais investie d'un projet d'effectuation de la puissance devenue elle-même une fin rationnelle indiscutable: on comprend que, dans ces conditions, l'ensemble technique se développe dès lors de manière nouvelle et différente, comme ensemble visant une puissance sans cesse accrue. Non sans doute, comme le suggère Ellul, du fait que le système technique serait devenu «autonome», ne faisant apparemment plus appel qu'à lui-même et à son propre développement. Mais bien plutôt parce que ce système technique est désormais revêtu d'une nouvelle symbolique de puissance, qui valorise précisément son *effectuation* pour elle-même, en se subordonnant jusqu'à la raison scientifique avec laquelle elle avait jusque-là formé un couple complémentaire.

C'est du reste ce qu'Ellul [NP] semble deviner lui-même lorsqu'il insiste, par exemple, sur l'aspect sacré que prend la technique dans le monde moderne — celle-ci étant en effet devenue, selon lui, le véritable représentant symbolique d'un sacré de respect de l'ordre du monde. Ce n'est toutefois pas d'abord et essentiellement du caractère autonome de la technique que provient cette nouvelle dimension sacrée qui lui est conférée. On pourrait même dire le contraire: l'apparente autonomie de la technique dissimule en fait une mobilisation sans précédent de la symbolique de la puissance et des moyens mis en œuvre par la science, afin de laisser libre cours à son déploiement en tant que système qui occupe désormais, si l'on ose dire, l'avant-scène du sacré. Car la technique demeure bien enserrée dans tout ce réseau symbolique qui la favorise en continuant de nourrir l'espoir, en rendant visibles et tangibles des «traces» de la puissance qu'elle effectue.

Il faut tenir compte de cette subordination de la science à la technique, et de la soumission de cette dernière au projet d'auto-effectuation de la puissance technicienne, pour comprendre l'expansion continue qui caractérise la technique moderne. C'est à vrai dire ce qui permet de remettre sur leurs pieds certaines des thèses de J. Ellul et, plus précisément, de comprendre que l'essor de la technique n'est pas dû à son autonomie mais relève bien plutôt de tous les «moyens» technico-pratiques dont dispose la raison, finalisés dans la recherche de l'accroissement du système de puissance ainsi réalisé concrètement, pour des fins symboliques. Loin donc d'être devenue autonome et d'avoir acquis son indépendance par rapport à la raison, la technique moderne est bien, tout au contraire, l'expression d'une sur-rationalité démesurée qui, imposant la forme spécifique de la raison technicienne comme «fin ultime» (en lieu et place du «Bien» platonicien, par exemple), s'impose elle-même comme valeur absolue et tend même à se substituer au culte du Progrès. La technique doit désormais être implantée, favorisée et développée parce qu'elle est inéluctable: tel semble bien être le nouveau credo de cette sur-rationalité de la techno-science qui s'offre désormais, à l'échelle de la planète, comme nouveau but sacré.

Cette perspective s'éloigne également des conclusions radicales de G. Hottois qui pousse les thèses de J. Ellul à leurs ultimes conséquences et pour qui la technique moderne n'a précisément plus rien à voir avec le projet théorétique et discursif de la raison qui l'a engendrée: devenue purement opérationnelle, elle serait ainsi devenue un *autre* de la raison; elle viserait la seule efficacité, sans égard à quelque valeur que ce soit, et sans pouvoir être assignée à un quelconque univers symbolique. Hottois — en ce sens, comme Ellul — conclut vraisemblablement un peu hâtivement: de la tendance manifestée par la technique moderne à se développer sans «répondre» à des valeurs qui pourraient la restreindre, il croit pouvoir inférer une autonomie de cette technique par rapport à la raison et à ses valeurs. Pourtant, force est de reconnaître que celle-ci ne peut se développer qu'en se valorisant et en se sacralisant elle-même, qu'en mobilisant dès lors à cette fin toutes les forces symboliques et toutes les ressources scientifiques de la raison.

*

Il est maintenant possible de reprendre le fil de l'histoire symbolique de la technique. Nous avons assurément quitté le stade industriel déjà analysé, et caractérisé par la prédominance d'un modèle symbolique encadrant l'essor technique et le favorisant grâce à une finalisation eschatologique, promesse d'une parousie technicienne imminente. Le système technique, désormais, est *déjà là*. Cherchant à accroître le complexe de puissance qu'il constitue en se subordonnant la science, il devient lui-même source du symbolique. Il n'apparaît plus comme codé «de l'extérieur» par un système symbolique visant, comme à d'autres époques, à le limiter ou au contraire à le favoriser. Il joue plutôt lui-même d'emblée un rôle symbolique pour l'homme moderne, s'institue lui-même comme milieu symbolique. Loin donc d'avoir totalement séparé technique et symbole, comme le laisse parfois entendre Hottois, le monde technique a bien plutôt assimilé et intégré — phagocyté, pourrait-on dire — le monde symbolique qui lui est dorénavant collé, *sans distance*.

Cela était d'ailleurs prévisible dès lors que le système symbolique se mettait à favoriser la technique au lieu de la restreindre et de la contenir. C'est bien pourquoi, pour des auteurs comme Janicaud, il est finalement impossible de dater avec précision l'apparition de cette nouvelle figure que prend la technique dans le monde moderne: la technique en tant que puissance visant son auto-effectuation et s'érigeant pour cela en valeur suprême n'a pas de «date de naissance». Elle procède plutôt de la formation du complexe technico-scientifique comme complexe en expansion perpétuelle depuis le Moyen Âge grâce à la mobilisation de la science et de la raison.

Il faut reconnaître à Jacques Ellul le mérite d'avoir mis en lumière le type de lien qui unit désormais technique et symbole, et qui fait que l'univers technique se constitue lui-même en univers symbolique. (Le système technicien, écrit-il à cet égard [ST,195], est un univers réel qui se constitue lui-même en système symbolique.) Mais comment, maintenant, décrire l'univers symbolique de la technique contemporaine tant au plan de ses symboles qu'à celui de ses credos et de ses rituels? Serait-il en rupture définitive par rapport aux vieux mythes eschatologiques prometteurs de parousie technicienne? ou ne voit-on pas plutôt ces derniers constamment resurgir, sous de nouvelles formes — morcelées —, justifiant toujours la nécessité d'un libre essor de la technique? Autre question, sans doute plus vertigineuse encore: en s'instituant lui-même comme milieu symbolique, l'univers technique ne tend-il pas à affecter profondément, voire à dissoudre, le monde du symbole lui-même? C'est à ces trois questions qu'il faudra répondre après avoir préalablement abordé de plain-pied l'univers symbolique des techniques modernes. Il s'agira pour cela de chercher, par une «excursion» dans les représentations symboliques et imaginaires du monde actuel, où se niche, si l'on peut dire, l'imaginaire des techniques modernes.

II

Les fonctions symboliques générales
de la technique contemporaine

> L'espace de la science fascine: ce pour quoi il se compare au temple, à la zone méticuleusement découpée par le prêtre au moyen d'un bâton rituel que nul ne doit toucher (...). Notre temps n'a pas pris encore une distance froide à l'égard de la science, non encore laïcisé par rapport à elle. L'espace de la science garde nos dernières valeurs (...). Il exerce encore (...) une attraction de l'ordre du sacré...
>
> M. Serres, *Les cinq sens*

Le système technique comme milieu symbolique

Lorsque Jacques Ellul affirme que la technique est devenue elle-même un milieu symbolique, il se réfère au changement qui, depuis quelques siècles, a profondément transformé l'univers humain. Si, pendant des millénaires, en effet, l'humanité a vécu dans un environnement *naturel* à la fois étranger et familier, amical et hostile, on sait que l'Occidental moderne peut pratiquement traverser la vie sans avoir de contact avec la nature sinon de façon tout à fait superficielle. Cette nature lui apparaît de plus en plus comme un monde exotique ou archaïque, à saveur de loisir ou de paradis perdu. L'homme moderne, tout au moins dans les régions industrialisées et développées du monde, vit dans un milieu désormais beaucoup plus «artificiel» que «naturel».

On voit déjà surgir la différence par rapport au monde industriel dont le chapitre précédent a dégagé l'émergence: la technique apparaissait alors comme ensemble de techniques industrielles qui quadrillaient la nature, l'enserrant dans un réseau de plus en plus dense, transformant peu à peu les éléments naturels en objets, voire en prétextes, pour le développement d'une mythologie technicienne. En se déployant, cet ensemble technique est devenu pour ainsi dire une «seconde nature», artificialisée, tissée de signes et de notations techniques qui nous renvoient sans cesse à des opérations techniques elles-mêmes: qu'il s'agisse d'utiliser un appareil ménager, de conduire une voiture, d'écouter de la musique ou d'appeler un ami (et de tomber à l'occasion sur son répondeur automatique!), nous sommes toujours renvoyés à un mode ou l'autre de la technique.

Ellul l'exprime bien en disant que la technique avait auparavant un simple statut instrumental d'outil de médiation par rapport à une nature qui demeurait le milieu de référence. Environnés que nous sommes désormais par un milieu technique dans lequel nous baignons de notre naissance (voire de notre conception) à notre mort (et... même un peu après!), la technique ne nous apparaît plus guère comme un «outil médiateur» permettant d'entrer en contact avec «le monde». Elle est elle-même *le* — nouveau — *monde*. Elle est devenue ce «milieu universel et uniforme» dans lequel nous sommes plongés d'emblée et qui s'est substitué à l'environnement naturel.

L'analyse d'Ellul pourrait s'illustrer de multiples manières: l'éducation moderne se donne comme principal objectif de favoriser notre insertion dans, puis notre adaptation à ce milieu technique qui régit désormais totalement le monde du travail. L'ouvrier de l'ère industrielle opérait une machine qui transformait un élément naturel. Il travaille de plus en plus aujourd'hui sur une machine qui livre le fruit partiel de son travail à une autre machine qui le complétera — comme l'évoque fort justement l'image du «travail à la chaîne», si admirablement campée dès les premières séquences des *Temps modernes*. Non seulement le cadre de référence et le milieu dans lequel nous vivons aujourd'hui sont-ils techniques et artificiels, mais de plus les éléments constitutifs de ce milieu technique sont — on l'a vu notamment avec l'automobile — interreliés au point de créer une sorte de méga-machine toujours plus complexe qui renvoie chacun de ses éléments à un ensemble de règles dans lequel s'inscrit d'emblée son utilisateur.

Ce milieu technique qui est devenu notre environnement immédiat n'est bien sûr pas plus «neutre» que ne l'était la «nature» pour l'humanité de naguère — ou même pour les peuples d'aujourd'hui qui habitent des régions du globe ayant encore échappé jusqu'ici à la mainmise du système technique. Ce milieu *signifie* d'emblée quelque chose, ne serait-ce que ce simple «fait» que l'humanité s'est largement «libérée» des contraintes de la nature en façonnant un monde à sa mesure, qui lui assure confort et sécurité en lieu et place des aléas d'une nature qui n'apparaît plus désormais que comme lointaine, inconfortable, insécurisante, exotique. Le simple fait de vivre dans un monde à peu près complètement refaçonné par la technique (pensons aux «espaces verts», aux forêts et aux lacs ensemencés, aux sapins de Noël cultivés, aux parcs «naturels» — qui ne le sont qu'en vertu d'un zonage bureaucratique et d'un aménagement technique) est lourdement chargé au niveau symbolique. En fait, nous ne vivons plus dans un monde naturel qui serait objet de symbolisation mais dans un monde technique auto-symbolique qui n'est autre que la concrétisation des rêves au nom desquels s'est poursuivi l'essor des techniques depuis les 17e et 18e siècles. Nous prenons ce monde pour une réalité «bêtement concrète», alors qu'en devenant un nouveau milieu auto-symbolisant, ce monde artificel et rassurant renvoie à la symbolique de puissance rêvée intensément par l'Occident des siècles passés. Un exemple devrait le faire voir: celui de la ville, cet univers qui nous semble si familier et dans lequel les humains sont de plus en plus appelés à vivre.

*

P. Ginestier (*Le poète et la machine*) a fort bien mis en lumière cette signification symbolique du monde technique dans lequel nous vivons, en s'intéressant notamment aux représentations de la ville dans la conscience poétique moderne (cf. également *Le mythe et l'homme*, de R. Caillois). La symbolique de la ville renvoie en effet au remodelage du monde en un univers purement humain grâce à la technique. Songeons ici, par exemple, à la spectaculaire construction de Brasilia, la nouvelle capitale brésilienne, au cœur de la forêt amazonienne, ou aux non moins grandioses travaux du baron Haussmann, au siècle dernier, qui affranchit la Ville Lumière de nombreuses contraintes «naturelles» pour la redessiner selon un nouvel ordre rationnel (dont Hippodamos de Milet avait d'ailleurs donné l'exemple, quelque vingt-cinq siècles plus tôt, en proposant de nombreux projets de villes à plans réguliers qui inspireront l'idéal de bien des «urbanistes» de la Renaissance...)

La Ville se relie à une symbolique extrêmement prégnante de ré-enfantement de l'homme dans un autre lieu que son univers naturel. Elle lui permet de renaître dans un espace neuf, totalement façonné par l'homme. (Les psychanalystes interpréteront volontiers ce réenfantement comme reconstitution symbolique du cocon maternel originel et protecteur — paradoxalement grâce à la puissance technicienne du père...) D'où, on le conçoit sans peine, l'ambivalence de cette symbolique de la ville. Elle permet de rêver d'une cité radieuse dans laquelle le retour à l'origine et la puissance technicienne seraient harmonieusement liées: on songe à ces mythologies de la «libre errance» des voitures dans la ville-spectacle, à la magie d'un réseau de lignes de métro et de galeries marchandes où l'on peut circuler en se moquant des intempéries; mais, aussi — et surtout peut-être si on y a immigré d'une profonde province —, on pense au délicieux vertige d'une permissivité presque sans limite, bénie par l'anonymat de la foule et excitée par la déambulation incessante du désir...

Mais l'espace urbain est aussi, en tant qu'espace symbolique de réenfantement, rappel du traumatisme de la naissance et, de ce fait, signe de l'isolement auquel condamne aussi la ville moderne. Symbole d'une nouvelle solitude qui évoque celle de l'enfance, mais en plus terrible puisqu'elle se vit dans un milieu *artificiel* auquel manque le refuge possible de la chaleur maternelle, de la protection parentale. D'où, alors, ces «mythologies noires» de la régression dans la foule, de ces «espaces cataphiles» que peuvent aussi devenir les couloirs de métro, les galeries marchandes souterraines, les égouts... (cf. J.-F. Glowczewski *et al., La cité des cataphiles*. On peut également penser ici aux deux adolescentes du très beau *Sonatine* de M. Lanctôt qui se suicident, dans l'indifférence d'une rame de métro bondée, adossées à la pancarte sur laquelle elles avaient pourtant hurlé la solitude de leur détresse...)

On le voit: vivre dans un univers citadin façonné par la technique n'est pas «neutre» mais renvoie d'emblée à la fois à une symbolique de réenfantement dans un monde réagencé grâce à la puissance technicienne et à une symbolique de punition, de désolation — de *déréliction* pourrait-on dire, cette *Geworfenheit* heideggérienne — résultant de la concrétisation même de ce désir.

*

Ce qui vient d'être évoqué à partir de l'exemple ponctuel de l'espace urbain, Ellul le généralise en montrant que l'univers technique dans lequel nous vivons est globalement pris comme une valeur sacrée, source et expression de toutes les attentes symboliques de l'homme moderne: dépendant désormais de ce système pour survivre, celui-ci lui attribue en effet toutes les caractéristiques du sacré. Il «croit» et «espère» en lui, compte sur lui de manière ultimement beaucoup plus symbolique que fonctionnelle. «La nouveauté de ce temps, écrit ainsi Ellul (*Les nouveaux possédés*, p. 88-89, 96-97, 100), l'expérience la plus profonde de l'homme moderne n'est plus celle de la nature. Il n'a pratiquement plus de relation avec elle. Il ne vit et ne connaît dès sa naissance qu'un monde artificiel (...). L'expérience fondamentale de l'homme aujourd'hui est celle du milieu technique (la technique ayant cessé d'être médiation pour devenir le *milieu* de l'homme) et de la société. C'est pourquoi le sacré qui est en train de s'élaborer dans l'inconscient individuel et dans l'inconscient collectif est lié à la société et à la technique, et non plus à la nature (...). L'argent n'est plus aujourd'hui le centre du sacré profond, même s'il reste désiré (...) c'est la technique qui est devenue le mystère essentiel — et cela sous des formes diverses selon les milieux et les races (...). La technique est le dieu qui sauve (...).» Le milieu technique étant le nouveau milieu symbolique dont l'homme dépend, il est logique qu'il soit investi de tout un aspect de «sacré d'ordre, d'organisation, de régulation, qui provoque chez les partenaires humains un sacré de respect».

On voit en quoi le système technique de puissance mis en place par les sociétés modernes s'érige d'emblée en nouveau milieu sacré (dans lequel s'inscrit l'être humain et auquel celui-ci remet son destin) et se dote par là même d'une dimension symbolique fondamentale. S'il est toujours possible d'y retrouver la vieille symbolique prométhéenne de la révolution industrielle (symbolique de refaçonnage du monde grâce à la puissance technicienne), la différence réside principalement désormais dans le fait que cet univers symbolique était, à l'aube de l'ère industrielle, de l'ordre du rêve, de la promesse d'avenir; il est maintenant, du moins en bonne partie, réalisé. J. Baudrillard (*Le système des objets*) le faisait remarquer avec beaucoup de justesse: le monde moderne a comme caractéristique de vouloir réaliser concrètement les utopies que les siècles passés devaient pour ainsi dire se contenter d'espérer — et qu'ils se contentaient peut-être même, le plus souvent, de rêver...

Si la technique est ainsi devenue le symbole même d'un sacré à la fois craint et vénéré, il faut chercher à décrire plus concrètement l'univers symbolique qu'elle sécrète en interrogeant notamment son rapport à l'ancien univers prométhéen des débuts de l'âge industriel.

Symboles de puissance et rituels de régénération du milieu technique

Si le système technique s'institue en tant que milieu technique *et symbolique*, quel est donc le symbolisme dont il est porteur?

La puissance

La première dimension symbolique qui s'offre à nous renvoie d'abord et avant tout au symbolisme de la puissance. De fait, notre monde semble plus que jamais souscrire à ce paradigme d'une quête de la puissance. B. de Jouvenel (*La civilisation de la puissance*) a caractérisé notre époque comme étant animée par cette volonté de puissance génialement déchiffrée par Nietzsche et si finement décryptée par Heidegger [NI] dans la technique moderne. D. Janicaud [PR], pour sa part, montre que ce culte de la puissance technicienne s'exacerbe au point de devenir irrationnel. On songe ici bien sûr, et par exemple, à la course actuelle aux armements entre les nations du globe, symbole éclatant d'une course à la puissance qui échappe à toute rationalité et même à toute opérationalité — puisqu'il ne serait guère possible de la mettre en application sans faire éclater la planète (et qui rejoint peut-être par là même ces «stratégies fatales» à la fois si audacieusement et si paradoxalement analysées par Jean Baudrillard [SF]). L'essentiel paraît bien être d'accumuler une puissance d'autant plus sacrée qu'elle n'est utilisable qu'au risque de se retourner contre son utilisateur lui-même.

Mais cet exemple fait aussi voir que la puissance à laquelle renvoie la technique moderne n'est plus tout à fait cette «religion de la puissance» qui caractérisait le monde industriel en gestation et pour laquelle on ne voyait aucune limite de cette sorte, l'investissant par là même d'un espoir d'autant plus fort. Sauf dans certains cas assez exceptionnels en effet — le domaine de la conquête spatiale par exemple —, le monde actuel ne nourrit plus de grandes mythologies de la conquête future d'une puissance surhumaine. La raison en est au fond fort simple: la conquête de la nature est, pour l'essentiel, *déjà réalisée*. La puissance est *là*, capable de faire sauter la planète... Notre époque ne rêve plus tellement de puissance *à venir*. Elle contemple plutôt dans la technique moderne, avec autant de respect que de crainte — émue de se voir si forte en ce miroir! —, la puissance aujourd'hui disponible. Ainsi peut se comprendre un des nouveaux rôles symboliques du système technique: rôle spéculaire, qui renvoie à l'humanité moderne l'image de sa propre puissance. Il lui tend un miroir dans lequel celle-ci peut se mirer — et admirer cette puissance magique qui est la sienne, puissance de ce statut de surhomme qu'elle s'est attribué...

En ce sens, la civilisation technicienne du presse-bouton qui met tout à la disposition de l'homme ne fait somme toute qu'actualiser l'antique rêve chamanique (ou védique) d'un monde magiquement soumis à la volonté humaine. Là où le chaman ou le prêtre védique cherchait les formules et les techniques sacrées qui lui permettaient de réaliser magiquement ses désirs, l'Occidental n'a bien souvent aujourd'hui qu'à appuyer sur un bouton pour réaliser, tout aussi magiquement, une bonne partie des siens... Si la technique moderne est quasi unanimement acceptée partout comme une nécessité, c'est bien en raison des «pouvoirs magiques» (ils ne sont pas sans faire penser aux *siddhis* des *yogins* indiens) qu'elle confère et qui la justifient dans la moindre de ses concrétisations. De la voiture au magnétoscope, du robot culinaire au jouet à piles, de la carte de crédit au guichet automatique, les objets techniques les plus quotidiens *rassurent* dès la plus tendre enfance l'individu moderne sur la puissance offerte à son admiration, disponible à son désir. La technique, à cet égard, tel un parti politique fortement établi au pouvoir, n'a plus à faire de promesses: il lui suffit d'être le miroir qui nous renvoie constamment l'illusion sacrée (cf. J. Baudrillard, *De la séduction*) illuminant l'horizon de notre propre puissance...

Rituels de régénération

Tout milieu sacré, on le sait, tend à s'épuiser. Il nécessite, de ce fait, une revivification périodique. On peut encore rappeler par exemple que, dans les cosmologies védiques les plus anciennes, le corps sacré du cosmos est assimilé au dieu Prajapati. Tout sacré et divin qu'il soit, ce corps cosmique s'épuise, menacé de démembrement. Le sacrifice et les rituels ont précisément pour but de le régénérer, de le revigorer, en d'autres termes, de donner au sacré une nouvelle jeunesse. L'histoire des religions offre à cet égard d'innombrables illustrations.

Lorsque le système technique devient un milieu qui se substitue au milieu naturel, lorsqu'il devient auto-symbolisateur de sa propre puissance, il s'inscrit dans la même économie du sacré. Le fait d'entretenir l'univers technique, de l'améliorer en y introduisant sans cesse de nouveaux perfectionnements, permet d'en entretenir symboliquement la jeunesse sacrée. Celle-ci, sans cela, s'épuiserait d'autant plus rapidement qu'à la différence du milieu naturel qui demeure toujours de quelque manière l'*autre* de l'homme, le milieu technique lui est inéluctablement consubstantiel. Il s'use, se rouille, vieillit aussi — et même souvent plus — rapidement que lui...

Dans la mesure où il symbolise pour l'homme moderne un nouvel ordre du monde, le système technique ne peut conserver son caractère sacré que si des gestes rituels — et sacrificiels — viennent périodiquement régénérer le «corps technique» qu'il constitue et la puissance qu'il porte en son sein. Or il semble bien que ce soit là le rôle dévolu aux innovations techniques et en particulier, pour employer le vocabulaire de notre époque, aux «nouvelles technologies», qui viennent précisément revivifier ce corps technique sacré, en remplaçant les objets techniques frappés d'obsolescence par de nouveaux, toujours plus performants, qui donnent chaque fois à croire qu'un nouveau pas a été franchi sur la route du Progrès. De nos jours, tout se passe comme si le corps cosmique de Prajapati, que le sacrifice remembrait périodiquement, était remplacé par un gigantesque «corps technique» qui ne peut survivre et conserver sa valeur sacrée qu'à la condition de sacrifier constamment les objets techniques et d'en engendrer de nouveaux qui lui permettront de se régénérer, de conserver sa jeunesse éternelle.

Rien, quand on y pense, ne saurait expliquer rationnellement, fonctionnellement, le besoin qu'éprouvent les consommateurs de se débarrasser d'un objet technique — voiture, machine à écrire, téléviseur, ordinateur ou appareil-photo — qui fonctionne encore très bien, pour en acheter un autre plus perfectionné. Sauf à se contenter d'en rendre responsables les injonctions dépensières du «capitalisme marchand» ou d'invoquer un «principe de distinction» qui devrait de toute façon être lui-même interrogé, il faut bien admettre que du point de vue symbolique, le premier a perdu sa valeur de puissance magique que le nouveau cristallise au contraire, *du fait même* de sa nouveauté. De même, rien ne permet de rendre compte de manière satisfaisante de l'évolution souvent extrêmement rapide des objets techniques — sauf à les considérer justement comme porteurs hiérophaniques d'un sacré nécessitant une constante revivification: radio, télé, télé couleurs, puis système stéréophonique, vidéo, demain vidéodisque... À l'inverse, la prise en compte de cette dimension de régénération symbolique du corps technique sacré permet de mieux saisir pourquoi l'apparition de chaque nouvelle technologie est immanquablement l'occasion de célébrations et d'homélies sur la «régénération de la société», de grand-messes où un nouveau clergé — à moitié ingénieur et à moitié sociologue —, des trémolos dans la voix, chante et célèbre la nouveauté tout en s'interrogeant gravement, c'est-à-dire à la fois avec espoir et avec crainte, sur ses «impacts sociaux»...

La *symbolique de puissance* qu'exprime désormais directement le système technique et qui nous permet de participer magiquement à sa puissance induit ainsi de nouveaux rituels de régénération du corps technique. Elle projette une symbolique et un sens sacrés sur le mouvement d'auto-reproduction perpétuelle de la technique. Prisonnier d'un préjugé qui lui fait attribuer ce phénomène aux seules couches défavorisées de la société, Ellul ne semble pas avoir vu que les objets techniques «usés» et «désacralisés» laissent constamment place à de nouveaux chargés de symbolique sacrée (chargés — comme on le dit d'une pile ou, de manière sans doute encore plus moderne, de ces nouvelles «cartes à puces» qui peuvent être chargées d'informations, d'argent...). Ellul a bien aperçu, en revanche, l'aspect sacré de ces objets techniques qui, de manière ponctuelle, catalysent le sacré de puissance avant que leur usage prolongé — que l'usure — ne les en déleste. «Le symbole s'use, écrit-il en effet (...) [NP, 92, 96] Le poste de télé présente un mystère inexplicable, un miracle évident qui se renouvelle: il n'est pas moins surprenant que les plus hautes manifestations magiques, et on l'adore comme on eût pu le faire d'une idole, avec autant de simplicité et de crainte. Mais l'habitude, la répétition du miracle finissent par lasser cette adoration primitive (...)»

Le schème technique s'imposant — on l'a évoqué — à toutes les autres sphères de la vie sociale, il n'est pas étonnant de constater que les rituels de régénération du corps technique (par remplacement continuel des objets porteurs et course *non stop* à la nouveauté) se repèrent également dans bien d'autres domaines de l'activité et de l'existence humaine. Ne pourrait-on par exemple y voir une clé d'interprétation précieuse — elle en vaudrait en tout cas bien d'autres — pour rendre compte de phénomènes aussi divers que l'éphémère longévité des stars (artistiques, politiques ou sportives), ou cette «errance sexuelle et affective» apparemment si caractéristique de notre époque, de son infatigable labilité dans le choix de nouveaux partenaires sexuels ou amoureux? Serait-il si exagéré d'y voir une influence de ce schème technique sur le rapport interpersonnel, c'est-à-dire, encore une fois, d'un schème qui investit la *nouveauté* de l'objet d'une puissance salvifique de régénération?

Si l'hypothèse d'une telle généralisation des rituels de régénération du corps technique présente quelque pertinence et quelque plausibilité, c'est bien parce que notre rapport à tous ces objets techniques qui envahissent notre environnement quotidien dissémine une sorte d'*éthos* — pour employer le concept de Max Weber —, un schème symbolique de comportement, un modèle d'action universellement prégnant. On voit sans peine l'immense domaine de recherches qui se laisse ici entrevoir, dans tous les champs de l'existence humaine individuelle et sociale.

*

Pour bien comprendre à quel point le fait d'être quotidiennement immergé dans un milieu technique hautement chargé de symbole, qui conditionne l'ensemble de nos comportements et de nos attitudes, il y a lieu de compléter d'une double manière cette première approche de la fonction symbolique de la technique: d'une part, en interrogeant les micro-cristallisations symboliques contemporaines qui se produisent «autour» des objets techniques; d'autre part, en analysant d'un point de vue plus général la manière dont l'évolution même de l'ensemble technique actuel (représenté de façon privilégiée par ce qu'il est convenu d'appeler les «nouvelles technologies») manifeste une prégnance analogue, à un niveau pour ainsi dire macro-symbolique. Cette double exploration se justifie d'autant plus qu'elle permettra par ailleurs — telle est du moins son intention — de familiariser rapidement le lecteur non spécialiste avec les principaux traits de la technique actuelle.

III

Les micro-cristallisations du sacré: analyse des objets techniques

Objets inanimés, avez-vous donc une âme?
Lamartine,
Milly ou *La terre natale*

Les rituels collectifs de régénération du sacré qui ponctuent le renouvellement constant du milieu technique se doublent de micro-rituels associés à chaque nouvel objet technique qui, de par sa nouveauté même, devient une hiérophanie potentielle du sacré technique. Se cristallisant sur un objet technique particulier, ces micro-rituels investissent celui-ci de toute une épaisseur symbolique à l'origine de ce qu'on pourrait appeler des «micro-mythologies» des objets techniques modernes. C'est en effet à travers sa relation aux objets techniques que l'Occidental contemporain vit et actualise ce qu'on pourrait par ailleurs voir, avec G. Durand [SAI] par exemple, comme de grands «schèmes archétypaux». C'est à travers sa fréquentation le plus souvent quotidienne de ces objets qu'il se reconstruit pour ainsi dire un monde imaginaire — et rassurant — de puissance, qu'il s'oriente dans la vie, qu'il goûte même, parfois, aux émotions fortes d'une initiation désormais technicienne.

On imagine sans peine l'ampleur d'une étude micro-symbologique qui tenterait de décrypter les rituels et les mythologies ainsi portés par des objets techniques: rituels et mythologies permettant à nos contemporains de se réinventer un monde à la fois signifiant et magique concret et non plus seulement rêvé, à la puissance duquel ils participent, et dont ils sont bien entendu le centre sacré. Il faudra cependant se contenter de livrer, dans les pages qui viennent, et de manière évidemment plus indicative qu'exhaustive, un certain nombre d'illustrations de dimensions symboliques constituant autant de

291

pistes en vue de possibles recherches ultérieures. (Dans cette veine, et dans la mouvance des inspirantes *Mythologies* de R. Barthes, voir l'intéressant essai de P. Poivre d'Arvor, *Les dieux du jour*.)

Symbolique du «centre du monde»

Pourrait tout d'abord être isolé, parmi la masse d'objets techniques qui nous entourent, un premier ensemble dont l'usage permet pour ainsi dire de se resacraliser mythiquement soi-même. Ces objets renverraient en fait au symbolisme de l'*axis mundi* (bien étudié par Eliade [SP; THR]), centre du monde, support et pôle organisateur de l'univers, porteur, de ce fait, d'une quintessence de la puissance sacrée. En les utilisant, l'être humain d'aujourd'hui non seulement participe à cette puissance supérieure (qu'il ne connaîtrait pas autrement) mais il s'associe en outre, par là même, symboliquement et magiquement, à cet axe du monde.

Cette double symbolique s'illustre de manière assez fascinante dans l'histoire de l'automobile. Si, à ses débuts, la voiture donnait d'abord lieu à une symbolique de «maîtrise du monstre», qu'il s'agissait de dompter en participant ainsi à une puissance sacrée aussi fascinante que terrifiante, du fait notamment de la vitesse conquise, l'évolution technologique (les accidents de la route et la «crise du pétrole» aidant...) privilégie désormais l'environnement du conducteur plutôt que les seules performances de la vitesse. L'automobiliste, aujourd'hui, s'installe dans une cabine — elle ressemble de plus en plus à un cockpit! — où une panoplie de signes et de symboles le branchent sur son véhicule, lui en donnant une remarquable *maîtrise*. Des voyants de contrôle lui offrent de vérifier sans bouger l'état de la mécanique; un bouton lui permet d'allumer sa cigarette, de nettoyer ses vitres, d'ouvrir la radio (quadraphonique!) ou de glisser une cassette dans un lecteur spécialement conçu pour la route, de chauffer ou d'aérer, de verrouiller les portières ou d'ouvrir les fenêtres. La relation à l'habitacle se transforme. Il ne s'agit plus, en fait, d'une voiture mais d'un module de contrôle et de commandement... Tout est à la hauteur des yeux, à la portée de la main. Tout se concentre autour du conducteur, se conjugue en vue de son désir. L'automobiliste devient le cœur d'un nouvel espace sacré. Plus que jamais, il se trouve — et s'éprouve — valorisé. Non plus seulement parce qu'il maîtrise une puissance de la vitesse mais, plus subtilement sans doute, parce qu'il occupe — magiquement — un centre extrêmement perfectionné du monde. La puissance titanesque est en un sens démodée, remplacée par le *feeling* — beaucoup plus olympien! — d'occuper en maître le centre du monde. L'automobiliste-roi (cf. C. Miquel [VC; AA]) multiplie les gestes aussi inutiles que significatifs: il «joue», souvent sans aucune nécessité, avec le mécanisme électrique de la vitre, avec la ventilation, avec le synthoniseur de la radio; il donne des coups de fil, s'il a poussé la coquetterie jusqu'à s'y faire installer le téléphone... Pour rien. Ou, plus exactement — car ce n'est pas rien! —, pour le plaisir du geste — magique — et du contrôle. Plaisir pourtant encore bien «primitif» et à partir duquel les prospectivistes et les futurologues se mettent à rêver: des écrans intégrés au tableau de bord signaleront à l'automobiliste de demain les détails de l'itinéraire, la présence d'autres véhicules. L'espace extérieur lui-même se trouvera par là-même capté, contrôlé. Le pilotage *vraiment* automatique permettra — enfin! — au conducteur de fermer les yeux et de se verser un scotch... Ni Dieu ni César ni Tribun? Allons donc! Dans ce temple mobile, des serviteurs tout dévoués seront à son service. Des voix synthétiques contrôleront pour lui l'état du véhicule. Des oracles programmés lui signaleront le danger et lui indiqueront le meilleur itinéraire à suivre. La *voiture parlante* — elle existe déjà au stade expérimental — représente peut-être la phase ultime de la rationalisation de la parole, émise pour la seule nécessité. Mais n'est-ce pas aussi le stade ultime de la parole magique, attentive aux moindres désirs du maître? L'*homo technicus* contemporain ne pousserait-il les innovations technologiques à un tel point que pour retrouver, plus ou moins consciemment, les lampes d'Aladin de son enfance?...

Cette symbolique qui transforme l'automobiliste en centre du monde se manifeste également à travers bien d'autres objets. (On reviendra plus loin sur l'univers des robots domestiques, ces esclaves électro-ménagers qui font eux aussi miroiter une maîtrise symbolique absolue de l'environnement, et transforment leur usager en maître tout puissant.)

Cette dimension d'*axis mundi*, on la retrouve aussi dans des objets à première vue aussi banals et aussi peu mythiques, aussi insignifiants que la radio-cassette. Pensons à ces énormes transistors (leur dimension démesurée a sans doute de quoi intriguer les psychanalystes...) portés à la main ou en bandoulière, qui hurlent en pleine rue toute la puissance de leurs décibels. Ils entourent leur porteur d'un espace de bruit sacré et mobile. L'individu qui le transporte, véritable centre/source du monde, se déplace magiquement en se frayant un chemin sonore à travers la foule et l'environnement extérieur. Il serait évidemment absurde de demander, exaspéré, de baisser le volume: ces radios *doivent* manifester leur puissance, si tant est que leur fonction soit précisément de recréer magiquement — et totémiquement! — un autre monde de puissance, au coeur même du monde et du bruit modernes.

On a noté, bien sûr, que la mode de ces énormes machines à bruit ambulantes marquait particulièrement certaines couches socioethniques du monde occidental (d'où, d'ailleurs, leur surnom populaire américain de *ghetto-blasters*). Souvent moyen d'expression des groupes de jeunes Noirs défavorisés, elles permettent de souder le groupe autour de l'appareil totémique, de recréer un espace commun, d'extérioriser et d'affirmer bruyamment son identité contre d'autres groupes ou d'autres générations.

Chez les populations blanches, qui semblent l'avoir davantage adopté, le *walkman* (ce «baladeur» des tentatives de francisation) représente une manière différente d'induire autour de la radio-cassette une semblable symbolique de puissance magique, capable de recentrer le monde autour de son utilisateur: manière plus intériorisée, plus introvertie. Le monde extérieur n'est plus repoussé agressivement dans une lutte à finir du bruit. Il est plutôt magiquement gommé, annulé, au profit du monde intérieur de l'usager branché sur ses mini-écouteurs. La foule, le métro, la rue, la salle d'attente — parfois la salle de cours!: le monde ambiant s'évanouit comme par enchantement... Un autre, intérieur, plus «important» et plus «vrai», s'y superpose. N'est-ce pas là la marque même du sacré que de faire surgir, au sein de l'univers banal, profane et quotidien qu'il annule, un espace-temps d'une toute autre nature?

Les modalités socio-culturelles peuvent certes différer: bruit et fureur des ghettos révoltés de tiers-mondes intérieurs, impérialisme silencieux — ou narcissisme exacerbé! (cf. G. Lipovetsky [EV]) — qui fait taire, en les anihilant, les bruits de l'extérieur... Dans un cas comme dans l'autre, le même objet technique — la radio-cassette — donne lieu à une symbolique foncièrement analogue: la constitution, autour de soi, d'un espace sacré qui permet d'affronter le monde extérieur, d'y inscrire son infinitésimale royauté.

Symboliques de l'extase et de la sortie du monde

Le *walkman*-baladeur se trouve de quelque manière à cheval, si l'on ose dire, entre une série d'objets techniques porteurs d'une symbolique de puissance et de centre du monde et une autre série d'objets qui symbolisent plutôt une sortie de l'espace-temps — dans laquelle M. Eliade a vu l'une des dimensions symboliques les plus fondamentales de la *psychè* humaine. Songeons, à ce dernier égard, au monde de la haute technologie du son. Des 78-tours grinçants aux disques numériques et aux chaînes-laser, en passant par les micro-sillons stéréo et les cassettes dolby, celle-ci a constamment évolué en poursuivant une *quête* (au-delà d'un certain seuil elle devient beaucoup plus symbolique que réellement perceptible) d'accès au «monde pur» du son. «Distinction» bourdieusienne mise à part, d'où tirent donc leur passion tous ces maniaques de la hi-fi, sinon du sentiment d'accéder à un monde du son techniquement parfait, techniquement pur, et d'échapper par là aux contingences d'un monde de l'approximatif et de l'impur (cf. C. Miquel, *L'univers de la hi-fi stéréo*)?

Et la *télé*... Combien de fois ne l'ouvre-t-on pas sans la regarder, juste pour introduire magiquement le monde au cœur du foyer... Plus que ce qui s'y dit, plus que ce qui s'y montre, plus que le contenu et plus sans doute que le médium lui-même, c'est sa fonction symbolique qui semble bien souvent, si l'on peut dire, remplir l'écran: celle qui permet de s'offrir chez soi, sans bouger, au gré d'une télé-commande, la présence du monde — d'un *autre* monde. La télévision n'est-elle pas à maints égard devenue notre lampe du sanctuaire, notre autel domestique aux dieux lares protecteurs du foyer? C'est bien, en fait, la présence de l'*autre* qu'elle signifie. Plus:

elle l'invoque, le convoque, l'invite, transformant l'habitat fragilement profane en sanctuaire rassurant. Son babillage audio-visuel *non stop* — surtout quand on n'y prête guère attention, vaquant à autre chose — n'évoque-t-il pas en outre ces discours du chef indien de Clastres qui, chaque matin, lors même que personne n'écoute, n'en reconsolide pas moins le monde en le *récitant*? Peu importe, en effet, que l'on écoute attentivement ou non ce que baratine le chef, ou la speakerine. (Même dans *1984*, il suffisait au fond de faire «comme si»...) L'important est que «ça parle», que ça rassure, en causant, sur la présence symbolique de l'autre, que ça permette de sortir magiquement de l'espace-temps profane du foyer, de brancher celui-ci sur les flux sacrés du monde.

Cette dimension fondamentale de l'expérience du sacré comme *ek-stase*, sortie hors de l'espace-temps profane, se retrouve également dans de nombreux aspects de la *publicité* moderne. On songe en particulier bien sûr à celle des agences de voyages qui tapisse les murs de la ville profane d'icônes ouvertes sur le rêve exotique de l'ailleurs: l'aventure au Club Med; le soleil, à deux heures de Boeing. L'ailleurs, dans la ville transie de froid, qui réchauffe au moins un peu même ceux qui n'entrent pas à l'agence...

Symboliques de transgression

Une troisième catégorie d'objets techniques décline elle aussi une symbolique de puissance à laquelle leur usage fait participer, mais en articulant celle-ci, cette fois, à une symbolique de la *transgression*. L'objet technique devient alors l'occasion de jouer avec une puissance qui permet de transgresser l'ordre des choses. Songeons ici encore à la voiture et aux possibles excès de vitesse qu'elle permet. Plusieurs de nos contemporains — par ailleurs au-dessus de tout soupçon civique! — ne s'offrent-ils pas ainsi, de temps en temps, en transgressant la limite et en jouant avec le danger, quelque frisson sacré? Cela est encore plus évident dans le cas de la *moto* et de son univers symbolique tissé à la fois de domination (d'ailleurs souvent fortement érotisée) de la Bête et de sa puissance, de transgression de l'ordre bourgeois-profane, d'appartenance initiatique à la tribu restreinte d'un petit cercle d'élus/maudits. Il existe ainsi, selon certaines études (C. Miquel et N. Lang, *Les motos et les rituels des motards*), dans certains milieux de motards, des rituels d'initiation qui soulignent le passage d'une 125 à une 500 puis à une 1000 cc, passage progressif, au rythme de la domestication de la puissance du monstre; étapes qui, à chaque stade franchi, intrônisent plus solennellement encore dans la confrérie des motards, octroyant un statut plus enviable, un pouvoir plus grand. Ici encore, comme dans n'importe quel rituel initiatique, celui qui «triche» et ne se soumet pas à un lent apprentissage ou qui brûle les étapes en achetant, par exemple, directement sa 1000 cc sans avoir d'abord domestiqué les versions moins puissantes — celui-là sera implacablement rejeté du clan et traité de frimeur...

Les *jeux vidéo* électroniques, enfin, semblent pour leur part permettre un défoulement collectif, ritualisé et euphémisé, de la violence. Ils donnent lieu à des transgressions individuelles (chez soi) ou collectives (dans des espaces publics spécialisés) fascinantes. Les «jeux d'arcades» remplacent ainsi à maints égards les jeux du cirque, combats de coqs et autres corridas. Ils partagent certes ce rôle avec d'autres phénomènes, le sport-spectacle, par exemple. Mais alors que ce dernier est un phénomène encore largement collectif, les jeux d'arcades regroupent en un même lieu des individus fortement atomisés, qui ne communiquent le plus souvent à aucun moment. Non seulement le jeu s'y déroule-t-il de manière à la fois essentiellement individuelle et atomisée mais, en outre, il ne propose plus qu'une transgression symbolique qui permet de ne jamais affronter directement le réel. On n'a en définitive affaire qu'à des *simulacres*; la violence des destructions qu'on déclenche n'entraîne aucune destruction réelle, aucune blessure concrète. Ces jeux offrent ainsi des espaces purement symboliques de transgression, dans lesquels les divers acteurs sont tout autant des simulacres que le danger auquel ils s'affrontent ou la violence qu'ils libèrent. On est fort loin du risque somme toute bien réel que représentent un match de football ou une corrida, et même la voiture ou la moto, comme en témoignent avec éloquence les tristes statistiques des accidents de la route.

Symbolique chamanique de l'abolition de la distance

Signalons une dernière catégorie d'objets techniques autour desquels la symbolique de la puissance semble se déployer sur l'axe de ce qu'on pourrait voir comme une maîtrise — chamanique — de la distance. La puissance conférée par la technique permet ici de sortir magiquement de son corps et de son espace ordinaire pour se transporter ailleurs. Les médias déjà classiques comme la radio, le cinéma ou la télévision permettaient déjà à cette symbolique de s'exprimer quoique de manière plus «passive». Les télécommunications modernes — téléphone, CB, télex, et surtout télématique (il faudra y revenir) — la déploient de manière infiniment plus active encore, *interactive*, comme on dit plus volontiers dans le domaine. Passifs ou actifs, ces médias ont en commun de proposer à l'homme moderne de communiquer magiquement avec ses semblables et avec le monde, en «circulant le long des ondes», comme les antiques chamans. Mais on peut dire qu'ils forcent aussi à rendre hommage à l'intuition de McLuhan: la puissante présence symbolique du médium, ici, l'emporte vraisemblablement souvent sur les contenus effectifs du message...

*

Mais arrêtons ici cette excursion dans le paysage de l'imaginaire symbolique des objets techniques modernes. Rapide, superficielle et impressionniste, elle n'avait somme toute d'autre but que de suggérer qu'à travers l'utilisation de ces objets, l'homme contemporain est appelé à communiquer avec des symboles qui surinvestissent cet objet de toute une dimension sacrée et mythique. C'est par leur manipulation quotidienne qu'il est de plus en plus incité à décliner techniquement les dimensions micro-symboliques de centre du monde, de sortie de l'espace-temps profane, de transgression, d'abolition chamanique de la distance. Cette expérience ne revêt cependant une telle importance que parce que la culture actuelle, à un niveau plus macro-symbolique cette fois, ne cesse par ailleurs de sacraliser collectivement la technique, en particulier à travers ces «nouvelles technologies» auxquelles il faut maintenant s'arrêter.

IV

Les représentations macro-symboliques du sacré technique: analyse des «nouvelles technologies»

Ce qui est le meilleur dans le *nouveau* est ce qui répond à un désir *ancien*...

P. Valéry, *Littérature*

Ce n'est pas uniquement pris un à un que les objets techniques deviennent des objets de culte grâce auxquels l'Occidental contemporain acquiert le sentiment de participer à une puissance rassurante et sacrée. Ces objets s'inscrivent en outre dans un ensemble technique qui peut être, à son tour, globalement sacralisé. C'est alors tout un domaine qui, sur un plan macro-technique et macro-symbolique, se trouve cette fois porteur du sacré, des attentes, des espoirs et des appréhensions qui lui sont liés. On ne s'étonnera donc pas de voir s'y esquisser de nombreux mythes qui, pour être plus ou moins explicitement articulés, n'en revêtent pas moins ces ensembles techniques d'une dimension symbolique fondamentale.

Le discours sur les «nouvelles technologies»

Quatre de ces nouvelles technologies qui défraient bruyamment notre actualité (ainsi qu'une cinquième qui demeure assez «nouvelle» pour leur être associée) serviront ici de terrain à cette exploration: l'informatique et les recherches dans le domaine de l'intelligence artificielle, la robotique, la télématique et les nouvelles technologies de la communication, les biotechnologies, et, enfin, le nucléaire. Mais notons avant de les aborder, que si ces «nouvelles technologies» sont à ce point «d'actualité», c'est en bonne partie parce qu'elles sont supposées, à l'instar de celles qui les ont précédées, nous mener au seuil d'une «nouvelle révolution industrielle».

Traduisons: parce qu'elles sont, bien sûr, d'emblée investies de toute une dimension mythique. Sans cette dernière, en effet, ces «nouvelles technologies» n'inspireraient pas tant de discours exaltés. Elles se contenteraient plus modestement de plus sobres articles dans les pages spécialisées des revues techniques. Or ce n'est pas le cas. Non seulement elles font souvent la une des grands médias, mais elles sont à maints égards devenues une «affaire d'État», pour ne pas dire de *propagande* d'État... Pensons ici par exemple au gouvernement français qui, avec le «tournant» de 1983, s'est mis à parler de «modernisation de l'appareil productif» dans le but de sortir de la «crise»; pensons également au gouvernement du Québec [VT] qui, aux mêmes fins, brandit depuis quelques années maintenant la bannière du «virage technologique». Cette dernière expression est elle-même d'ailleurs déjà fort significative: le «virage» évoque en effet la tracé sinueux d'une route. Un virage, en général, se contente de virer: il est tout — sauf technologique... Quant aux technologies, même nouvelles, si elles semblent pouvoir accomplir bien des merveilles, on n'en a tout de même encore jamais vu «virer» — bien qu'elles semblent parfois faire chavirer la retenue de plusieurs de leurs modernes adulateurs! Reconnaissons-le: l'expression ne se comprend que dans un sens symbolique. Ce que l'on attend de — c'est-à-dire grâce à — ces technologies, c'est bien un changement social radical, un *virage*, révolution ou conversion. Si les nouvelles technologies ont occupé tant de place dans le discours de bien des gouvernements occidentaux depuis quelques années, c'est bien parce que ces derniers se sont plu à y chercher une panacée à tous leurs maux, ont voulu s'en servir pour réactualiser le vieux mythe de la régénération sociale par la technique.

Chaque fois que ce mythe réapparaît, resurgit le lien magique entre la puissance technicienne et l'«amélioration sociale» qui *doit* en résulter. La réflexion même sur les «impacts sociaux» des nouvelles technologies — et l'on sait combien de praticiens des sciences sociales se sont confié cette noble mission! — n'est à cet égard pas à l'abri des pièges. Elle présuppose en effet qu'une nouvelle technologie va inéluctablement entraîner une mutation sociale, et que l'on tient dès lors à questionner de près, afin de mieux la maîtriser.

«On accepte a priori l'idée d'un déterminisme», écrit ainsi A. Touraine [CMV,167] (qui paraît toutefois sous-estimer l'importance du facteur technologique). «Un changement technologique, une technologie nouvelle entraîne des conséquences sociales et on discute pour savoir si elles seront bonnes ou mauvaises» — en jouant, pourrait-on ajouter, aux audacieux devins ou aux modernes augures... «Le mythe du robot, écrit C. Halary en conclusion d'une réflexion pourtant critique sur la "mythologie de la robotique" [RMI, 90], (...) s'il n'a aucune chance de se matérialiser dans un proche avenir, aura cependant encouragé la recherche scientifique et permis de supprimer quelques tâches industrielles source d'accidents irréparables ou de décès. Son utilité sociale serait donc évidente quels qu'en soient les justificatifs ou la motivation.»

Toujours, à travers ces interrogations et ces réflexions, semble bien être en jeu l'espoir — mythique — de l'homme créateur qui pense que la création technique à laquelle il s'adonne va en quelque sorte magiquement se retourner sur, ou contre lui, le remodeler et le transformer à son tour, pour le meilleur ou pour le pire.

*

Il paraissait nécessaire, avant d'aborder un à un les nouveaux champs technologiques, d'insister sur cette façon que notre époque a d'en parler: c'est d'abord cette «façon de parler» en effet qui leur confère de l'intérêt. Ce que révèlent les discours tenus à leur endroit, c'est bien qu'elles sont globalement l'objet, en tant que «nouvelles» technologies, de craintes et d'espoirs qui permettent de réactualiser les attentes eschatologiques de l'instauration d'un nouveau monde, ainsi que les schèmes mythiques d'une régénération sociale grâce à la puissance technicienne issue de l'homme, mais capable de le transformer à son tour. De ce point de vue, les débats périodiques sur l'impact des nouvelles technologies (hier sur la télévision et les médias de masse, aujourd'hui sur ces nouveaux domaines) prennent à maints égards eux aussi les allures de grand-messes, de rituels incantatoires de canonisation ou d'exorcisme.

Ces précisions préalables étant faites, on peut maintenant aborder ces quatre nouveaux champs technologiques en mettant l'accent sur la symbolique réactualisée par chacun d'entre eux.

L'informatique et l'intelligence artificielle

En ce qui a trait à l'informatique, on s'en tiendra pour l'essentiel aux principales recherches qui lui donnent sa vitalité actuelle. Rappelons néanmoins brièvement que la «première génération» de ce qu'on appelait alors des «calculateurs électroniques» (et qui semblait concrétiser le vieux rêve de Leibniz de créer un langage universel) apparaît en 1944, avec la création du *Mark I* de l'ingénieur Aitren, mis au point pour faciliter les calculs balistiques de l'armée américaine à la fin de la Seconde Guerre mondiale. Cette machine connaît, pendant une dizaine d'années, un développement assez limité, dans quelques laboratoires universitaires et militaires. Elle commence à se commercialiser réellement vers 1953 avec l'*UNIVAC* de la General Electric. Il faut attendre 1958 pour qu'apparaisse le géant IBM en lançant une «deuxième génération» d'ordinateurs plus performants. (Le terme lui-même d'*ordinateur*, rappelons-le, est dû à l'ingénieur français Jacques Perret, qui le propose en 1956.) De 1970 à 1980 entre en scène une «troisième génération» d'ordinateurs, qui se caractérise par l'invention du *circuit intégré* destiné à remplacer le transistor, et par un développement toujours plus important des capacités de mémoire. Le langage change également: on assiste en effet à l'arrivée de langages conversationnels (le *Basic*, entre autres) qui permettent de concevoir des programmes spécialisés selon les besoins (donc de manière plus interactive, *conversationnelle* justement). C'est au cours de cette décennie que l'on voit exploser les besoins professionnels en informatique, cette dernière évoluant vers des formes toujours plus complexes et puissantes.

Les études d'«impact social» qui voient le jour alors insistent toutes sur l'effet centralisateur qui semble attaché de manière inéluctable à l'informatique. L'ordinateur entre dans l'univers de la science-fiction et des grand-peurs de notre monde, tantôt symbole d'un nouvel ordre concentrationnaire, et tantôt symbole d'une création toute-puissante qui risque de se retourner contre son créateur...

Comme pour rappeler aux spécialistes qu'une technologie n'est jamais figée et n'a jamais d'effets intrinsèques, les microprocesseurs associés aux circuits intégrés viennent bouleverser le champ de l'informatique en permettant la création de *mini* puis de *micro* ordinateurs pour lesquels nos infatigables spécialistes en technologie s'emballent tout aussitôt, prédisant à l'inverse, cette fois, une révolution décentralisatrice inhérente à cette nouvelle technologie. *Small is once again beautiful*... Une nouvelle mythologie apparaît, où miroite un «nouvel ordre auto-gestionnaire» qui permettra à chacun de se brancher à volonté sur le reste du monde. Merveille de la miniaturisation, l'«ordinateur pour tous» devient très vite le synonyme de «culture pour tous» et de décentralisation...

C'est de cette période, c'est-à-dire des années quatre-vingt, que date la «quatrième génération», qui a vu l'explosion de l'informatique *domestique*; celle-ci paraît pourtant déjà en pleine phase de décélération et de crise: en la lançant dans le grand public, les producteurs avaient simplement oublié de prévoir des programmes adaptés au grand public, c'est-à-dire de rendre cette technique non seulement utile mais aussi agréable et ludique, facile d'accès, «amicale»... Le fait d'être «petit» ne semble donc pas avoir été une condition suffisante pour réussir et entraîner une révolution décentralisatrice. Au contraire: si, comme le suggérait Monod, le rêve de toute cellule est de devenir deux cellules, les micro-ordinateurs ne semblent avoir qu'une hâte, celle de devenir *plus gros* le plus vite possible, de se brancher sur de plus gros, et d'accéder par là au réseau qui détient la puissance de la performance, voire le secret du plaisir...

Tout au long de son évolution, l'informatique a été confrontée — de manière assez manichéenne, il faut en convenir — à deux grands types de mythologie: l'une plutôt édénique et décentralisatrice, l'autre davantage satanique et concentrationnaire. Elle a été puissamment investie symboliquement. Il n'est pas étonnant qu'aujourd'hui, où nous sommes requis d'attendre incessamment la venue d'une «cinquième génération» qui devrait voir l'avènement de l'intelligence artificielle, les mythes prennent encore plus d'ampleur.

Cette cinquième génération n'est rien moins que le projet de créer des ordinateurs qui soient non seulement capables de traiter des informations mais aussi de prendre eux-mêmes des décisions fondées sur leur analyse préalable des informations. Suivant la métaphore significative qui sert à désigner ce nouveau domaine technologique, il s'agirait donc, après avoir donné aux ordinateurs un corps et une mémoire toujours plus perfectionnés, de les doter en plus d'une intelligence.

Ici encore, les perspectives militaires furent déterminantes. L'une des applications de l'informatique dans le domaine militaire fut en effet la simulation d'attaques. En confiant à l'ordinateur les données d'un champ de bataille, on cherchait en somme à le faire réagir afin de dégager les meilleures stratégies possibles. Le rêve d'un ordinateur capable de prendre rapidement les décisions les plus adéquates se révèle d'autant plus motivant que l'extrême complexité des guerres modernes interdit désormais au «point de vue» humain toute saisie d'ensemble des données pertinentes.

Ces efforts tendent donc à donner à l'ordinateur une capacité de raisonner, de juger et de prendre des décisions. Les systèmes experts que nous connaissons aujourd'hui (et qui ne sont pas à proprement parler une «intelligence artificielle», celle-ci demeurant encore de l'ordre du rêve) arrivent ainsi tout de même à simuler jusqu'à un certain point l'intelligence. En mettant par exemple en mémoire les quelques centaines d'indices possibles d'une maladie de la tomate, l'ordinateur parvient à reconnaître et à rejeter les fruits malsains. Dans une veine analogue, un petit ordinateur de poche a été mis au point pour aider des «infirmiers de brousse» à diagnostiquer diverses maladies à partir de symptômes repérés. Une véritable intelligence artificielle — ironiquement peut-être, il semble que ce soit les militaires qui l'appellent avec le plus d'enthousiasme — consisterait, pour reprendre l'exemple évoqué plus haut, à rendre un ordinateur capable d'adopter, sur un champ de bataille, une stratégie optimale compte tenu de toutes les données susceptibles d'être recueillies sur le théâtre d'opérations. Des sommes fabuleuses sont aujourd'hui englouties dans ces recherches. Le *MITI*, le ministère japonais de l'Industrie, a ainsi lancé, sur dix ans, un projet de plusieurs centaines de millions de dollars dans le but de provoquer une «mutation brutale» qui permettrait enfin aux machines de franchir ce pas. La justification officielle de tels investissements insiste bien entendu sur l'opportunité de doter l'homme d'appareils capables de l'assister dans toutes ses tâches, de le conseiller rationnnellement dans toutes ses entreprises...

Ces projets dans le domaine de l'intelligence artificielle représentent, on le conçoit sans peine, une victoire (pour ne pas dire une apothéose) de la rationalité technicienne qui, après avoir normalisé le monde en l'organisant de manière logique, semble en passe de s'auto-rationaliser elle-même, si l'on peut dire, en se programmant, en se corrigeant sans cesse de manière tout aussi logique. L'intelligence, et sa démarche logique, devient ainsi une «marchandise» aussi quantifiable, et aussi commercialisable, bien sûr, que n'importe quelle autre.

Il faut être bien myope pour ne pas apercevoir le mythe sousjacent à un projet de ce genre. Comme agacée par le fait de ne pas être la seule à intervenir dans les décisions humaines, la «raison calculante» ne rêve-t-elle pas ainsi d'étendre la sphère de son influence, en éliminant tous les autres facteurs et en devenant le seul critère de la décision — le seul *Tribunal*, pour reprendre le mot de Kant? D'où toute une série de mythes qui racontent déjà comment l'homme se trouvera secondé par des machines intelligentes symbolisant — incarnant même, si l'on ose dire — une raison parfaitement logique, sans failles humaines. Cette divinisation de l'ordinateur intelligent ne s'arrête bien entendu pas là. Doté d'un esprit supérieur, purifié, l'ordinateur ne se verra-t-il pas en effet accorder d'autres caractéristiques humaines? La vie, la conscience et pourquoi pas le sentiment? Vertigineuse «communication de privilèges»: «Il y aura des intelligences artificielles de plus en plus perfectionnées, écrit Drescher disciple et collaborateur de S. Turkle (*The Second Self: Computers and the Human Spirit*), qui se développeront jusqu'à un seuil de conscience où il n'y aura pas de doute sur le fait qu'elles soient vivantes (...)»

Nageant en plein lyrisme mythologique, les nouveaux bardes de l'intelligence artificielle annoncent d'ailleurs que cette dernière «est la prochaine étape de l'évolution» (Fredkin), ou qu'elle dépassera même l'intelligence humaine (Turkle). Ces deux auteurs notamment s'accordent sur le fait que l'intelligence artificielle permettra de «continuer l'évolution» qui s'est en quelque sorte arrêtée avec l'homme. Avec l'homme *naturel*, s'entend... Selon eux, l'intelligence s'est ainsi de plus en plus développée à travers l'évolution: absente dans les règnes minéral et végétal, rudimentaire chez les mammifères, atteignant son apogée chez l'humain. Seuls cependant les ordinateurs lui permettront encore d'évoluer, c'est-à-dire de donner lieu à d'autres sauts qualitatifs du genre de celui qui s'est produit avec l'hominisation. On voit sans peine la charge mythique d'une telle croyance, d'un tel espoir: nouveau dieu, l'homme est bien celui qui poursuit, parachève, perfectionne la création. L'expression même de *génération* d'ordinateurs devient encore plus transparente: c'est bien l'évolution et ses grands stades que l'être humain tente à son tour de reproduire, dans le laps de vie cependant bien court qui lui est imparti...

On voit à quel point le champ informatique et le domaine de l'intelligence artificielle sont symboliquement investis: après avoir donné à l'ordinateur un corps et une mémoire fabuleuse — même un nom propre, à l'occasion —, il s'agit désormais ni plus ni moins que de lui attribuer une intelligence (voire un esprit) supérieure à la nôtre. Présents dès les débuts de l'ère informatique (notamment chez nombre d'adeptes des échecs électroniques), ce rêve paraît bien renvoyer en fait à l'antique quête alchimique qui cherchait à isoler la quintessence de l'esprit. Dès lors en effet que la raison se trouve sacralisée, comme cette essence cachée des lois dont la connaissance permet de maîtriser les choses, il importe suprêmement d'isoler ce cœur même du sacré, de le raffiner et de le purifier bien au-delà des capacités spontanées de l'«homme naturel» et fruste qui n'en possède somme toute que des étincelles ou des fragments impurs. L'intelligence artificielle doit être non seulement plus puissante que l'intelligence humaine normale (en termes de capacité de mémoire ou de rapidité d'opération, par exemple) mais aussi infiniment plus pure, dans la mesure où elle sera à l'abri de la contamination irrationnelle des sentiments et des passions, du corps.

Ce projet d'intelligence artificielle et la symbolique alchimique qui lui est associée correspondent bien au rêve de la raison pure kantienne: tout se passe en effet comme si, «oubliant» qu'elle est une faculté qui n'existe qu'en relation à la sensibilité, la raison rêvait de pouvoir exister en s'abstrayant de ce qui la conditionne et la produit. Non limitée par les cadres de la sensibilité, non entachée du trouble — ou de la «confusion» — des sentiments, cette raison pourrait enfin réaliser le vieux rêve de Lucrèce, accomplir la grandiose ambition des Stoïciens: connaître l'essence — rationnelle — des choses, et par là permettre à l'être humain d'agir de manière purement conforme à la raison. La loi morale au fond du cœur, la voûte étoilée au-dessus de la tête, l'une et l'autre enfin réconciliées par la grâce de l'intelligence artificielle nichée dans les circuits intégrés de l'ordinateur...

Investie de ce symbolisme alchimique, l'informatique, dans son développement concret, devient elle-même le réseau informel au sein duquel prend corps, pour ainsi dire, cette intelligence supérieure mythique. Entrer en communication avec — ou, plus exactement peut-être *se brancher sur* — le réseau informatique prend dès lors une connotation de participation — magique — à cette puissance qui nous dépasse. Ce qui fascine en effet, dans l'informatique, c'est précisément cette possibilité offerte à l'être humain d'abandonner sa raison particulière pour se fondre dans une *raison commune*, et participer ainsi à une puissance — de traitement, de circulation ou de calcul — infiniment plus grande que celle de n'importe quelle intelligence particulière et isolée. Les mordus de l'informatique ne dissimulent d'ailleurs pas leur sentiment initiatique voire élitiste de participation à une raison pure et transcendante, parfaite ou, en tout cas, bien plus parfaite que la raison «profane». Ils trouvent, écrit E.A. Feigenbaum (*The Fifth Generation: Artificial Intelligence*), «une âme dans la machine, ils se perdent eux-mêmes dans l'idée de l'esprit construisant l'esprit et dans l'impression de fondre leur esprit dans un système universel». Or n'est-ce pas là le schème même de la participation de l'homme à la transcendance du sacré?

Déjà cependant se laisse entrevoir ce qu'on pourrait considérer comme un «effet pervers» de cette survalorisation d'une raison calculante hypostasiée et arbitrairement coupée des éléments physiques et sensibles. Apparaissant ainsi comme pôle d'une raison transcendante et éminemment vénérable, l'informatique, note par exemple J. Ellul [NP], ne peut, du coup, que renvoyer l'être humain à sa propre irrationalité. Si l'ordinateur impose de plus en plus à l'homme un mode de pensée abstraite, logique, formelle, il signifie en outre à celui-ci sa propre supériorité à cet égard: l'homme aura de plus en plus besoin de compter avec et sur l'informatique pour penser de manière *vraiment* rationnelle. (Déjà, on le sait, se multiplient les logiciels destinés à rationaliser la construction des textes ou l'élaboration des projets...) Ce qui amène Ellul à suggérer que le seul véritable problème philosophique de notre époque réside peut-être dans cette sacralisation d'une raison abstraite qui, renvoyant sans cesse l'être humain à sa propre irrationalité foncière, risque finalement d'accentuer la coupure entre le rationnel et l'irrationnel, en faisant ultimement de l'être humain l'*autre* impuissant de la raison.

L'informatique, paradoxalement, est ainsi à la source tout à la fois d'un sentiment de participation à un système supérieur, par fusion dans la Raison pure, et d'une réactualisation de l'irrationnel comme valeur, dans la mesure où celui-ci tend à se manifester comme le nouveau, l'ultime — et peut-être même le seul — «propre» de l'homme... On y reviendra.

Mais passons maintenant du réseau à l'outil lui-même. Dans cet univers symbolique extrêmement prégnant qui dédouble le champ purement technique de l'informatique, l'ordinateur, en tant que *terminal*, occupe aussi une place privilégiée. Il devient le médium qui, à la jonction de l'humain et de la rationalité informatique, permet d'entrer en communication avec le réseau de la Raison pure elle-même. En ce sens, il apparaît bien comme ce qui permet de sortir du monde profane pour accéder à un monde différent, aux codes et aux langages d'ailleurs particuliers. L'utilisation du système informatique par le biais d'un terminal d'ordinateur induit de ce fait tout un scénario initiatique: on n'accède pas n'importe comment au monde de la raison pure; on n'y entre pas comme dans un moulin! Cet univers exige que l'on s'approprie d'abord le plus ou moins mystérieux langage qui permettra de converser avec la machine-pythie et, bien sûr, de déchiffrer ses réponses qui, pour un profane, ou avant d'être décodées, paraîtront de fait aussi obscures que celles du dieu dont l'oracle était à Delphes...

Ce rituel initiatique objectif d'apprentissage se double par ailleurs d'un rituel individuel plus subjectif. Comme toute initiation, il comporte des étapes et des épreuves, n'exclut pas les phases de découragement voire les échecs et les abandons sur l'âpre chemin d'un apprentissage qui, même dans le cas des nouveaux ordinateurs plus «amicaux», n'en ressemble pas moins souvent à une pénible *descente aux enfers*; ou, alors, à une ascétique *montée* qui permettra enfin d'atteindre la maîtrise magique de l'outil et de l'information à laquelle il donne accès. On sait l'importance de ces rituels d'initiation informatique notamment pour des milliers de jeunes aujourd'hui. Ne correspondent-ils pas, à maints égards, à bien des *rites de passage* de l'adolescence dans nombre de sociétés «traditionnelles»? N'ont-ils pas, somme toute, la même fonction fondamentale d'adapter le jeune au monde — en l'occurrence ici dominé par la technique — dans lequel il sera appelé à vivre? N'induisent-ils pas le même enthousiasme et les mêmes appréhensions, les mêmes risques aussi, en cas d'échec, de marginalisation socio-professionnelle?

Ce phénomène ne concerne cependant pas uniquement les «jeunes». D'autres groupes entretiennent eux aussi, à leur manière, des rapports à l'informatique qui relèvent à la fois de l'initiation et de la vénération rituelle, sollicitant eux aussi les oracles de la pythie électronique: gens d'affaires qui lui demandent chiffres, tableaux et statistiques; intellectuels qui lui confient leur mémoire; écrivains qui l'enjoignent de traiter leurs textes... Mais aussi, bien sûr, fervents de l'astrologie pour qui l'horoscope aura d'autant plus de poids qu'il sera proféré par un ordinateur infaillible, chercheurs d'âmes sœurs que rassureront des agences de rencontre informatisées...

*

L'informatique et le projet d'intelligence artificielle, on le voit bien, sont loin d'occuper un *no man's land* du symbole. Ils secrètent au contraire une puissante symbolique qui renoue avec le rêve alchimique de l'intelligence pure et fait aborder leur domaine avec un sentiment de participation à une puissance rationnelle transcendante. Les rituels initiatiques auxquels ils astreignent ne font par ailleurs qu'accroître cette sacralisation de la Raison pure qui devient le nouveau pôle sacré de l'ordre du monde, par opposition à l'irrationalité de l'être humain. Par là même, c'est le vieux dualisme occidental de la chair et de l'esprit, de l'âme et du corps qui resurgit, réactualisé. De là, d'ailleurs, les trois types de mythes qui, dans la science-fiction notamment, soulignent la différence ou, au contraire, la ressemblance qui existe entre l'ordinateur et l'être humain:

1. ordinateur semblable à l'homme, doté de raison, et un jour, qui sait, peut-être même de sentiment; mais, alors, éventuel concurrent de l'homme, capable de l'évincer, de prendre sa place... (Ce thème, on le sait, a nourri bien des récits de science-fiction. On songe par exemple à CARL, le robot de *2001 — L'Odyssée de l'Espace*, de S. Kubrick);

2. machine au contraire radicalement autre que l'humain, symbole positif d'une rationalité pure et parfaite — mais, de ce fait, également dangereuse pour l'homme, susceptible de l'asservir (et c'est ici l'atmosphère du *1984* d'Orwell qui vient sans doute le plus spontanément à l'esprit);

3. enfin, ordinateur modèle et bénéfique, symbole de ce stade supérieur et idéal de la raison pure à laquelle l'être humain peut tendre, l'informatique assumant alors en quelque sorte le rôle d'une «idée régulatrice» de la raison kantienne. Scénario moins dramatique, et de ce fait peut-être plus rare, que pour-

raient peut-être illustrer les sympathiques robots de George Lucas ou, plus encore peut-être, le si attachant Daneel d'Asimov?

L'informatique est probablement la meilleure illustration de la manière dont un champ technique extrêmement large peut tout à la fois être sous-tendu et investi par des valeurs symboliques qui, ici, lui font viser le projet mythique d'une raison pure et abstraite, et concrétiser ce mythe dans des objets aussi tangibles que des ordinateurs individuels lesquels sont alors sacralisés, devenant à leur tour objets de rituels initiatiques et de véritables cultes.

Dans la mesure où elle se développe par ailleurs de manière transversale, à travers tous les réseaux techniques qu'elle contribue à automatiser et à rationaliser (guichets automatiques, fichiers de recherches bibliographiques, projections de résultats d'élections, agences matrimoniales, diététique, choix «scientifique» des teintures de cheveux, etc.), l'informatique apparaît de nos jours comme la pièce maîtresse, ou comme la clé d'une réorganisation rationnelle du monde qui se fait désormais à partir de la nouvelle figure de la rationalité de la puissance. Son essor, qui touche et transforme à peu près tous les domaines de l'existence, ne vise toutefois plus seulement une rationalisation méliorative du monde: on s'en aperçoit bien en voyant les investissements fabuleux qu'elle exige aussi bien que les mises à pied dramatiques dont elle est responsable... Son essor est bien plutôt l'évolution inéluctable d'un système qui vise avant tout à accroître son influence et sa puissance d'action, cette puissance étant supposée d'emblée rationnelle et positive: ce qui, selon Janicaud, correspond au nouveau stade de la rationalité de la puissance visant son auto-accroissement aveugle. La diffusion massive de l'informatique est donc indissociable de l'essor d'une raison logico-mathématique mise au service de la puissance technicienne, celle-ci étant valorisée pour elle-même, pour son efficacité et pour sa vitesse d'exécution (et non plus pour la seule rationalisation qu'elle permet). De plus en plus omniprésente, l'informatique traduit bien cette volonté de conquête d'une pensée calculante qui vise à tout régenter en vertu de sa nouvelle puissance technico-rationnelle rendue de plus en plus indispensable.

311

Cela, des penseurs contemporains l'ont bien aperçu. M. Heidegger, par exemple, qui signalait que nous étions entrés dans un âge cybernétique marqué par le triomphe d'une pensée calculante visant la seule puissance technicienne. Et bien d'autres encore, pour qui l'informatique apparaît somme toute comme l'une des «variantes du rêve prométhéen». À la différence que ce rêve se déploie désormais sous le signe de la domination de la rationalité (informatique, et donc logique) de la puissance, l'efficacité de ce dernier système, en tant que nouveau système de pouvoir et de puissance, primant désormais sur son contenu et sur sa fonction de rationalisation du monde.

La robotique

La robotique constitue le deuxième secteur clé des innovations technologiques actuelles qui retiendra ici notre attention.

Le robot hante l'imaginaire occidental depuis longtemps déjà et son arbre généalogique, si l'on ose dire, a de fort anciennes racines: on songe bien sûr à tous ces automates qui l'ont en quelque sorte précédé, des *thaumata* grecs aux «machines merveilleuses» de Falcon ou de Vaucanson, au Siècle des lumières. Mais on songe également à ces mythes de l'*homoncule* et du *Golem*, créatures sorties de l'imagination du Moyen Âge tardif qui, assignées au service de l'homme, ont toujours eu fâcheusement tendance à se rebeller contre lui... Le *robot* proprement dit — le mot et la chose — fait son apparition en 1921, dans une pièce du dramaturge tchèque Karel Çapek, *Les Robots universels de Rossum* — qui forge le terme lui-même à partir de la racine slave du mot «travail» (*robota*, en tchèque: «corvée», «travail forcé»). Le *Métropolis* de Fritz Lang donnera aux *robots* leurs premières lettres de noblesse cinématographiques. La science-fiction y trouvera une mine d'or et imaginera des millions de robots de toutes sortes longtemps avant que le premier ait réellement été mis techniquement au point. Il fallut de fait l'avènement, somme toute fort récent, de l'informatique pour faire passer la robotique de l'imaginaire à la réalité concrète. Malgré son essor actuel indéniable, cette technologie demeure en pleine émergence et elle est loin d'avoir accompli tous les rêves qui l'ont précédée et en partie engendrée.

La robotique, à l'heure actuelle, est essentiellement cantonnée au monde de l'usine et de la production, où on lui confie le plus souvent les tâches les plus répétitives et fastidieuses, qui requièrent en outre une force ou une précision considérable. C'est ainsi par exemple que l'on trouve bon nombre de robots dans l'industrie automobile, où ils exécutent des travaux de soudure ou de peinture, notamment, sur la chaîne de montage. Il s'agit moins là, notons-le, de robots mobiles (correspondant à l'image qu'on s'en fait le plus souvent) que de puissants bras articulés, commandés par ordinateur et assignés à des tâches très précises. Ces robots, dits de la première et de la deuxième génération, sont encore les plus largement répandus. Ce qui demeure cependant bien relatif: leur extrême spécialisation explique en bonne partie en effet qu'ils soient pendant longtemps demeurés plutôt rares et très précisément ciblés. En 1983, on n'en dénombrait en tout et pour tout que 31 000 dans le monde, et pour la plus grande part dans le secteur automobile (13 000 au Japon, 6000 aux États-Unis, 3500 en R.F.A., un peu moins de mille en France). La centaine de robots canadiens était alors massivement concentrée en Ontario (où se trouve largement concentrée l'industrie automobile du pays, à proximité du centre américain de cette industrie (Detroit)).

Déjà cependant point une «troisième génération» de robots, caractérisée par une plus grande flexibilité et une meilleure adaptabilité à une plus grande diversité de situations. Lors du colloque *Robots 9*, la plus grande manifestation mondiale de robotique (Detroit, 1985), le représentant de l'importante *Association américaine de robotique*, M. Munson, confirmait dans une interview (C. Miquel [RN]) que les robots commençaient résolument à sortir du monde des tâches simples et répétitives pour se voir confier des tâches plus complexes. Ils sont devenus plus flexibles, plus mobiles et, surtout, ils sont maintenant dotés d'appareils de vision plus performants, ce qui leur permet d'intervenir pour accomplir des tâches plus «intelligentes» dans l'usine.

La recherche actuelle en robotique s'intéresse effectivement en priorité à la mobilité et à la vision artificielle, l'une et l'autre étant d'ailleurs reliées: afin de pouvoir se déplacer, un robot a en effet

313

besoin de «voir» son environnement, de reconnaître les images qu'il peut capter. Des solutions simples existent déjà — comme le fait de guider le robot en lui faisant suivre des lignes qui lui tracent un chemin préétabli. Ce type de solution se heurte cependant assez rapidement à des limites — le robot devenant par exemple démuni et paralysé dès lors qu'un imprévu obstrue ou modifie son parcours (obstacle, objet sur sa ligne, etc.). D'où plusieurs recherches qui tentent de le doter d'un système de vision à la fois plus performant (en trois dimensions, par exemple), plus autonome (qui lui permettrait de reconnaître son environnement malgré les obstacles et, ainsi, de faire face à des situations imprévues), bref, plus «intelligent». La robotique confine alors à l'intelligence artificielle: elle tente ainsi par exemple de doter le robot d'une mémoire de ses erreurs et des imprévus rencontrés, de façon que celui-ci puisse apprendre progressivement et en venir à pouvoir se débrouiller seul et convenablement lorsqu'un nouvel obstacle ou un nouvel imprévu du genre se produira. (Si la technologie est nouvelle, la pédagogie du *trial and error* n'a pour sa part guère changé...)

Si la vision artificielle apparaît comme l'un des domaines les plus prometteurs de la robotique actuelle, il existe bien d'autres champs de recherche: le traitement de la parole et du texte qui peuvent lui être adjoints, par exemple, ou encore les mécanismes de contrôle et d'adaptation à la tâche (qui, par exemple, peuvent permettre à un robot de manipuler plus ou moins doucement un fruit selon son degré de maturation, de fragilité: de s'adapter, en somme, à l'objet manipulé).

Pleine de promesses, la robotique n'en est tout de même encore qu'à ses débuts. Encore plus que dans le cas de la recherche en intelligence artificielle, les recherches actuelles dans ce domaine sont, notamment aux États-Unis, directement soutenues par l'appareil militaire qui y perçoit d'indéniables intérêts. Ainsi, par exemple (cf. Miquel [RN]), le projet ALV, qui a livré en 1985 ses premiers résultats: permettre à un véhicule entièrement robotisé de se déplacer de manière autonome sur une distance de quelque sept kilomètres. Le Pentagone caresse bien d'autres projets du genre: chars-robots pouvant se suivre en colonne, armées téléopérées, déclenchement automatique des systèmes de défense, etc. D'après une déclaration de l'un de ses représentants, M. Hogge, le département américain de la Défense met un grand espoir dans la robotique du fait notamment de facteurs d'ordre démographique (C. Miquel [RN]). Les statistiques prévoient en effet que, dès le début des années 1990, les jeunes de 17 à 25 ans, c'est-à-dire ceux qui forment le contingent des forces armées, seront 25% moins nombreux qu'aujourd'hui. Les robots devront donc accomplir eux aussi leur service militaire. La tôle devra en partie remplacer la chair à canons...

*

Ce bref bilan de l'état actuel du développement de la robotique permet déjà d'y voir un domaine technologique *porteur*, c'est-à-dire sur lequel viennent très rapidement se poser et se greffer nombre d'espoirs et de rêves, auxquels il convient d'ailleurs de s'arrêter un moment.

L'imagination, déjà, se met par exemple à dessiner l'«usine de demain», entièrement robotisée, où l'homme se cantonnera à des fonctions de contrôle assurant la bonne marche de l'ensemble. Mais elle ne manque pas d'entrevoir non plus le foyer envahi par une armée docile de robots domestiques qui feront plus que râper les carottes! Cuisiniers, valets de pied, serviteurs et bonnes à tout faire, pourvoyeurs et comptables qui se massent depuis longtemps déjà dans d'innombrables récits de science-fiction. Déjà, des robots domestiques destinés à réaliser toutes les tâches techniques qu'une personne handicapée ne peut effectuer sont en expérimentation à l'université Stanford, en Californie.

Engouement? Le terme n'est certes pas trop fort, surtout si l'on mesure la disproportion entre la réalité somme toute encore fort limitée des robots et la quantité de discours, essais ou fiction, qui ne cessent de proliférer à leur sujet. L'enthousiasme pour la robotique ne se confine d'ailleurs pas aux anticipations de van Vogt ou d'Asimov. Il envahit le cinéma, la bande dessinée pour les jeunes (de 7 à 77 ans, comme toujours), les catalogues de jouets (qu'on pense à tous ces robots et autres «transformers» qui peuplent les rêves des enfants du monde occidental), et inspire jusqu'aux contorsions de ce *break dancing* si populaire parmi les jeunes générations, qui anticipe en la mimant l'intrusion des robots dans notre monde — ses adeptes dansant peut-être ainsi avec une joie naïve l'arrivée de concurrents qui les voueront au chômage chronique...

À travers toutes ces manifestations, il est aisé de déceler la même charge symbolique et mythique qui fut à l'origine du mythe du Golem, cette créature que l'homme cherchait à créer magiquement, dans les contes fantastiques de l'Europe, du Moyen Âge au 18e siècle, et qui finissait, comme le monstre du docteur Frankenstein, par se retourner contre lui. Si l'*homo sapiens* semble avoir établi son hégémonie sur la terre en éliminant d'autres phylums archaïques de la race humaine, le *silico sapiens* (J. Deken [SS]) ne risque-t-il pas de lui faire un jour subir le même sort?

L'essor de la robotique industrielle nous replonge à vrai dire dans la symbolique de la divinisation de l'être humain et de son activité créatrice: plus que jamais, l'homme semble chercher à prouver qu'il est, lui aussi, créateur et démiurge, capable de façonner des créatures à son image et à sa ressemblance. Enfin... dociles et obéissantes, toutes vouées à son service! Transgression de l'antique injonction du travail à la sueur de son front? Il est en tout cas frappant de constater le caractère idyllique de cette robotique dans maints secteurs de l'imaginaire contemporain: des robots, en effet, on imagine, on attend et on espère qu'ils libéreront enfin l'homme de toutes ses tâches fastidieuses, dangereuses et ingrates, lui permettant d'accéder, pour de vrai cette fois, au grand soir de l'oisiveté, au paradis de la civilisation du loisir.

Certes, toute tentative humaine de divinisation implique une transgression — et, partant, une logique de la punition (que l'on retrouve effectivement dès le vieux mythe du Golem): il s'agit bien là de l'autre face, beaucoup plus sombre et menaçante, de la mythologie robotique. Songeons ici, par exemple, à tant de réactions (elles proviennent notamment d'horizons syndicaux) qui traduisent une

très réelle appréhension devant ces robots qui non seulement viennent voler le travail aux humains et les condamner à la misère du
chômage — en attendant l'idyllique société des loisirs — mais qui,
en outre, risquent de se retourner carrément contre eux. Cette
symbolique ou ce fantasme (pour reprendre le terme de L.-V. Thomas [FQ]) du danger et de la menace fut d'ailleurs, on le sait, la
première à s'accoler, chez Çapek qui eut la bonne fortune de
l'inventer, au terme même de robot.

*

Si, en résumé, l'essor de la robotique fait tant de bruit, il semble bien
que ce soit en bonne partie du fait que celle-ci nourrit l'imaginaire
symbolique d'une divinisation de l'homme capable de s'instituer
lui-même créateur. Dans le sillage de cette symbolique resurgit à
nouveau le vieux projet de recréation artificielle d'un monde
totalement soumis à la régence de l'homme — et de ses serviteurs
mécaniques —, comme, également, le vieux rêve d'une société
d'abondance et de loisir sans limites. Mais ce rêve de divinisation
implique ici encore une transgression de la condition humaine et,
donc, une punition qui en résulte: d'où, comme dans toute symbolique de divinisation, le caractère éminemment ambivalent de la
symbolique des robots, créatures tour à tour bénéfiques et maléfiques, créateurs d'oisiveté et voleurs d'emplois. Crainte également
que, imitant son créateur, le robot en vienne lui aussi à se rebeller
contre lui.
    Comme serviteur mécanique nourri de la puissance de l'infor-
matique, le robot apparaît par ailleurs comme le pendant pratique de
l'intelligence artificielle abstraite, l'objet technique qui concrétise la
puissance et le savoir auxquels ouvre celle-ci. Il participe donc
encore plus concrètement que l'informatique à un univers tout entier
centré sur la puissance. Ici encore, avec quelque audace, on aurait
envie de dire que le robot *incarne* cet univers symbolique encore plus

concrètement que ne le font l'informatique et l'intelligence artificielle. L'audace de l'image, toutefois, est peut-être bien relative si l'on considère les vertigineux horizons entrouverts aujourd'hui par les biotechnologies, qui pourraient bien, au sens strict, finir par *incarner* les robots...

Les biotechnologies

Biotechnologies: le terme est déjà révélateur. Il suggère en effet que nous avons bien quitté la sphère de la simple connaissance biologique pour entrer dans un domaine investi par la technique. Et ce, d'une double manière: d'une part, ce domaine se sert de techniques pour étudier les phénomènes biologiques. Mais d'autre part, et surtout peut-être, il s'agit de la mise en place de technologies qui permettent de manipuler, de réorganiser la vie elle-même. Le champ couvert par ces nouvelles biotechnologies est donc, on le conçoit, fort vaste.

Au sens large, les biotechnologies réfèrent à toutes les techniques médicales et biologiques qui visent à remodeler le corps humain, à intervenir sur les structures du vivant. Une telle définition englobe donc aussi bien les techniques de greffe d'organes que les bio-industries qui manipulent les phénomènes biologiques dans le but de produire industriellement des substances particulières. (La *fermentation*, utilisée depuis des siècles dans la fabrication du vin, de la bière, du pain ou du fromage, peut être considérée comme la plus ancienne de ces techniques.) C'est un chimiste célèbre, Chaïm Weizmann qui, le premier, en 1917, développa au Canada, pour le compte des forces alliées, un procédé de production industrielle de l'acétone (requise pour la fabrication d'explosifs) par voie bactérienne. (On peut noter, pour l'anecdote, que l'histoire semble lui en avoir été plutôt reconnaissante: «Grâce aux contacts établis avec les dirigeants anglais et américains, écrit J. de Rosnay (*Les chemins de la vie*, p. 44), et en échange — dit-on — de son procédé de production de l'acétone, Weizmann obtient en 1917 la rédaction de la fameuse déclaration Balfour, qui devait conduire, trente ans plus tard, à la création de l'État d'Israël» — dont Weizmann lui-même devint le premier président...) Les industries, depuis lors, se livrent une concurrence farouche pour réussir à produire toutes sortes de substances — l'interféron ou l'insuline, par exemple — en manipulant artificiellement des gènes.

À côté de cette définition large des biotechnologies, une définition plus restreinte se limite à n'y inclure que ce que J. de Rosnay [CV] appelle la *biotique*, soulignant par là le croisement qui s'opère entre biologie et informatique. Ce nouveau domaine technologique concerne aussi bien les machines informatiques traitant l'information génétique (par exemple, programmations informatiques du langage de la vie, constitution de banques de gènes informatisées) que les appareils permettant d'analyser et de synthétiser les gènes et les protéines (compteurs de cellules, trieurs de molécules, etc.) ou encore les nouvelles machines informatiques qui intègrent des microcircuits à base de semi-conducteurs biologiques — l'objectif étant de construire un ordinateur biologique qui intégrerait des molécules et des groupements chimiques et dépasserait par là les limites technologiques inhérentes à la miniaturisation même la plus perfectionnée des microprocesseurs actuels. (C'est en 1985, à Washington, que le premier ultra microcircuit moléculaire fait à partir de couches de protéines synthétiques a ainsi été mis au point.)

On n'a pas de mal à imaginer les applications possibles de telles recherches. Elles sont en fait aussi nombreuses que vertigineuses. On rêve ainsi déjà d'implanter des circuits logiques dans le système nerveux de certaines espèces animales de manière à leur communiquer rien moins que la faculté de juger! On anticipe par ailleurs de greffer des prothèses extrêmement complexes dans le but de rétablir des circuits (nerveux) défectueux, par exemple, ou de redonner la vue aux aveugles (cf., à cet égard, l'anticipation romanesque très «new tech» de Guy Hocquenghem, *L'amour en relief*). Des chercheurs sont déjà parvenus, en se reliant à un ordinateur au moyen d'électrodes, à déplacer des taches visuelles sur un écran cathodique «par la seule pensée» — c'est-à-dire, plus exactement, par enregistrement et traduction des oscillations électriques du cerveau. Rien, donc, ne semblerait empêcher le rêve de pouvoir un jour communiquer *directement* avec les ordinateurs, en tête à tête, pour ainsi dire, et en temps réel, c'est-à-dire en se passant de toute autre médiation (clavier, souris ou microphone) pour donner ses ordres à la machine. Pour donner — ou pour recevoir...

*

Si chacun de ces domaines d'application peut induire ses propres mythologies, toutes concernent bien sûr directement le *corps* (en particulier le corps humain) et sa *structure génétique*, cette «clé du secret de la vie». Toutes ces biotechnologies visent en fait, à partir d'une connaissance des phénomènes biologiques fondamentaux, à manipuler la vie de manière à en changer le cours «naturel». Un tel changement, qu'il s'agisse d'une greffe d'organe, de l'installation d'une prothèse mécanique ou d'une manipulation génétique, vise évidemment entre autres choses à donner à l'être humain un corps plus parfait et plus puissant, dont les imperfections seraient éliminées (i.e. «corrigées») au maximum; dont les limites mêmes — c'est-à-dire, bien sûr, d'abord et avant tout celles de la mort — seraient vertigineusement reculées, voire abolies...

Le projet symbolique qui anime les biotechnologies traduit bel et bien une fascination pour le remodelage du corps humain dans le but de l'affranchir de ses limites. Dans ce sens, il ne fait que réactualiser toutes les anciennes quêtes mythiques de l'immortalité et du corps glorieux, parfait, que la science et la technique modernes semblent promettre. On voit sans trop de mal se profiler ici, sous des dehors totalement laïcisés, la dimension mythique, voire proprement religieuse, du projet biotechnologique. Si, pour J. Monod (*Le hasard et la nécessité*), la mort n'est en quelque sorte qu'un «accident de parcours» dû à des erreurs de transmission des informations par l'ADN, il devient assurément fort tentant de penser que l'homme pourra un jour réparer ces accidents, corriger ces parcours et qu'il est donc vraiment *de jure* sinon encore tout à fait *de facto* — immortel... Edgar Morin lui-même (dans *L'homme et la mort*) n'hésitait pas pour sa part à prédire que l'être humain pourrait, un jour, grâce aux progrès de la science, mettre fin à ces «erreurs» et, qui sait, peut-être même faire disparaître la mort. De telles déclarations de savants — qui sont loin d'être des rêveurs farfelus et qui comptent même parmi les plus respectés de notre époque — confirment à leur manière la tenace quête d'immortalité, l'incoercible désir d'un refoulement de la mort auxquels se vouent les biotechnologies modernes. Quête désormais plus que symbolique: plusieurs n'espèrent-ils pas en voir le terme... de leur propre vivant?

Ce remodelage anticipé par les nouvelles technologies s'étend plus largement, et souvent plus prosaïquement, à l'ensemble du vivant: d'une accélération de la maturation des fruits à la sélection génétique du bétail, c'est, ultimement, à un remodelage humain de la biosphère qu'elles font déjà rêver: la vie, revue et corrigée par l'homme...

La télématique

Elle aussi fille de l'informatique, la télématique s'inscrit par ailleurs dans la plus longue histoire des communications modernes et en particulier bien sûr de celle du téléphone. Ce n'est toutefois vraiment qu'à partir des années 1970 que l'invention de Graham Bell devient un véritable outil de transmission automatisée des informations, grâce à la commutation électronique et aux microprocesseurs qui informatisent désormais un système jusque-là largement artisanal, symbolisé par l'image classique, et déjà révolue, de la téléphoniste assise à son standard manuel... C'est également de ces années que date la conception de ce nouveau moyen de communication qui semble promis à un si brillant avenir sous le nom de *télématique*. Celle-ci, comme son nom le suggère, résulte d'un «couplage» entre la télévision et une ou plusieurs banques de données informatisées, ces dernières étant désormais accessibles grâce à un terminal (il peut s'agir d'un moniteur spécial ou d'un raccordement à un appareil de télévision normal) lui-même branché sur le réseau téléphonique. Ce système s'est rapidement développé selon des normes et sous des appellations différentes selon les pays: *Prestel* en Grande-Bretagne (1978), *Télétel* en France (1980), *Télidon* au Canada (également au début des années 1980).

321

La télématique est essentiellement un outil de communication qui déroule devant un usager des «pages-écran» d'information. Son grand avantage est de pouvoir être utilisée facilement par à peu près tout le monde, en langage «naturel» (par comparaison avec les langages spécialisés de l'informatique, si ésotériques et rébarbatifs pour les non-initiés). Ses applications sont déjà fort nombreuses. On peut en distinguer trois types principaux.

Il existe tout d'abord ce qu'on pourrait appeler une télématique «grand public» qui permet aux usagers d'appeler, de chez eux, les informations qu'ils désirent et qui pourraient être regroupées selon quatre grands domaines de «services» (ou de «fonctions»):

— l'information proprement dite (consultation d'annuaires téléphoniques, d'horaires de transports, de listes de prix, de manchettes de journaux, de cotes de la Bourse, d'encyclopédies, etc.);

— les transactions: ici, en plus de lui fournir une information, le système permet à l'usager d'intervenir (pour retenir une place au théâtre, par exemple, ou faire une réservation d'avion);

— les nouveaux services de communication (on parle en ce sens en France de «messageries») qui permettent d'échanger des informations entre usagers et de conserver éventuellement des traces de cette circulation (au moyen de la télécopie, notamment);

— enfin, les fonctions (ou services) que l'on pourrait qualifier de ludiques ou sociétales (pour employer des termes sans doute plus commodes que rigoureux) dans lesquelles il y aurait lieu d'inclure les jeux électroniques, les réseaux de petites annonces, la «drague télématique» (telle qu'elle est pratiquée notamment sur une grande échelle par les usagers du Minitel français), etc.

Un second type de télématique, celle-là plus professionnelle (et commerciale), se développe notamment dans le secteur tertiaire (organismes gouvernementaux, banques, agences de voyages, etc.). Elle facilite évidemment au personnel de ces entreprises l'accès aux données nécessaires à leur travail. Elle permet en outre d'améliorer les services offerts aux clientèles — qui ont elles aussi accès, par exemple, à des terminaux télématiques situés dans des endroits publics. On pourrait également parler du «courrier électronique» comme d'un troisième type d'usage professionnel majeur de la télématique (qui tend notamment à remplacer dans plus d'une entreprise les procédures traditionnelles de circulation interne de l'information). Une quatrième fonction — et non la moindre bien qu'elle soit encore largement à l'état expérimental — serait celle qui permet et favorise le travail à distance ou, plus exactement peut-être, à domicile (cf., par exemple, C. Halary, *Ordinateurs, travail et domicile*). Certaines fonctions secrétariales, par exemple, peuvent ainsi déjà être exécutées par des personnes qui travaillent à la maison tout en étant télématiquement reliées à l'entreprise qui les emploie.

On pourrait enfin parler d'une télématique «du troisième type», plus «collective», «communautaire» ou «conviviale», selon les appellations préférées. C'est celle que semble avoir privilégiée le Canada, par exemple, ce pays ayant pour ainsi dire misé surtout sur le réseau des «groupes associatifs» et des organismes gouvernementaux comme meilleur «vecteur» du développement de la télématique. En France, la télématique collective a surtout pris la forme d'une implantation de terminaux dans des lieux publics (gares, maisons de jeunes, bars, supermarchés, etc.) destinés à favoriser la création de nouveaux liens sociaux au moyen de cette technique.

*

Mais, bien entendu, comme dans le cas des autres nouvelles technologies, les fruits rêvés de la télématique à venir semblent devoir vertigineusement dépasser la promesse des fleurs actuelles. Les extrapolations les plus audacieuses y rivalisent en effet avec les prévisions les plus enthousiastes. Ainsi, par exemple, grâce à la mobilisation de tous les autres moyens de communications (y compris les satellites géostationnaires qui ignorent les barrières géographiques et les frontières politiques), semble à la veille de se mettre en place ce que

323

l'audacieux roman de Thierry Breton, *Vatican III*, appelle un «nouvel ordre télématique». Ce nouvel ordre, comme l'avait déjà pressenti M. McLuhan, en arriverait rapidement à estomper les frontières nationales, entraînant une mondialisation des communications, une mutation de l'industrie de l'information et de son traitement, la réalisation, pour la première fois dans l'histoire, d'un monde de la simultanéité instantanée, sans distance. Bref, l'actualisation de ce «village global» des anticipations mcluhaniennes...

Comme le nuance toutefois Breton avec prudence, ce phénomène a cependant toutes les chances de se doubler d'un éclatement du monde en multiples réseaux au sein desquels se réorganiseront des communautés d'intérêt, d'identité, de solidarité; communautés désormais transnationales (et même transpolitiques, au sens où Jean Baudrillard [SF], par exemple, proposait ce terme). Et Breton d'imaginer ainsi déjà une carte du monde télématiquement redessinée — un Yalta télématique, en quelque sorte — rendant en bonne partie obsolètes les anciens «pays réels» au profit de «pays logiques» définis par les réseaux mêmes de la télématique, mobilisés à son appel. La fiction romanesque de Breton va en ce sens jusqu'à entrevoir la reconstitution télématique, par le Vatican, d'un nouvel «ordre invisible» tenant tête aux réseaux télématiques de l'Islam... Ne resterait alors qu'à poursuivre le pointillé: Prolétaires de tous les pays, rockers du monde entier, libres penseurs de la planète, homosexuels des quatre coins du monde — branchez-vous!...

Qu'il s'agisse du scénario globaliste de McLuhan ou de l'hypothèse éclatée de Breton, cet avènement télématique paraît dans un cas comme dans l'autre caractérisé par une semblable abolition des distances physiques, par la même jonction d'individus ou de communautés spatialement dispersés, et ce, grâce à une transparence et à une simultanéité quasi magiques.

Si les biotechnologies s'adonnent au remodelage de l'être et du corps humain, ces technologies de la télécommunication visent pour leur part à remodeler l'espace social de la communication, à en faire éclater les contraintes, à la redéfinir totalement en l'affranchissant de toute limitation. La possibilité de communiquer et, de plus en plus, d'interagir à distance les revêt ainsi, on ne s'en étonnera guère, d'une puissante et magique symbolique: on reconnaîtra en effet ici le vieux rêve chamanique de la distance abolie, de l'ubiquité quasi instantanée — rêve en partie concrétisé déjà par le téléphone, la télé et les autres moyens de communication modernes, rêve enfin réalisé... (On songe notamment, à cet égard, au remarquable ouvrage de F. Bornot et A. Cordesse, *Le téléphone dans tous ses états*, qui accentue cet aspect chamanique d'une communication téléphonique circulant magiquement le long des fils...)

La télématique exacerbe cette symbolique puisqu'elle permet la maîtrise du monde à distance à partir de son fauteuil, sans bouger de chez soi. Cette symbolique de la puissance et de la maîtrise du monde à distance permet de comprendre que ses rituels d'utilisation se caractérisent souvent moins par le contenu des informations sollicitées ou échangées que par le plaisir même de s'en servir. Des études ont en effet montré (notamment C. Miquel [AER]) que l'on consulte par exemple l'annuaire téléphonique électronique au moins autant pour «s'amuser» que par «besoin réel». De même, on a souvent noté le comportement erratique — ou, plus exactement peut-être, ludique — des usagers de la télématique qui tapent n'importe quoi sur leur clavier, passant — juste pour voir — d'un programme à l'autre... Quant aux «petites annonces» électroniques pour âmes ou corps esseulés, il n'est pas si sûr que leur résultat concret soit toujours à la hauteur des moyens techniques mis en œuvre. Il n'est même pas si sûr qu'elles assument d'abord un rôle banalement fonctionnel. Elles élargissent vertigineusement en revanche cette «scène érotique» moderne dont parlait déjà Michel Foucault à propos des «petites annonces» de la presse écrite, «où chacun s'inscrit et baguenaude, même si l'on ne cherche rien, même si l'on n'attend rien...».

*

Comme les autres nouvelles technologies retenues ici, la télématique — à partir de cette symbolique chamanique — distille ses propres mythes qui, pour une large part, s'articulent aux deux pôles qu'elles relient: le domicile et l'ouverture illimitée sur le monde extérieur. Lorsque l'accent est mis sur le «point de vue du domicile», on voit surgir nombre de mythologies positives qui, déclinant à leur manière le rêve du «village global» de McLuhan, décrivent le foyer comme nouveau centre du monde autour duquel se distribue l'univers, l'*axis mundi* grâce auquel on peut se relier à l'ensemble du monde. D'où, bien sûr, tant de descriptions anticipées et enthousiastes de la «révolution culturelle» à portée de main, d'une «nouvelle société de partage démocratique du savoir» que l'on verra bientôt poindre, de la «nouvelle convivialité» qui en résultera. On insiste alors sur le «fait» que chacun, selon ses capacités et ses besoins, au rythme de sa propre démarche, pourra se façonner à sa manière, dans la masse encyclopédique des informations accessibles, une culture personnalisée, sur mesure. «Scénario rose» de *La société digitale* de P.-A. Mercier, F. Plassard et V. Scardigli.

Lorsqu'en revanche le foyer se trouve décrit «du point de vue du monde extérieur», il apparaît alors comme l'un des innombrables points à partir desquels se tisse l'immense toile d'araignée du réseau télématique. La vision s'inverse, les mythologies s'assombrissent. Le domicile se voit pris dans un filet totalitaire qui l'enserre de ses mailles, asphyxiant dangereusement la sphère du privé. «Scénario gris», qui n'est évidemment pas sans évoquer Big Brother... Aux visions rayonnantes de la télématique libératrice d'un Pierre Sarda (*La cage et l'oiseau*), qui célèbre la télématique comme une libération de l'homme, un moyen pour l'être humain de se brancher à volonté sur le monde, s'opposent alors les descriptions apocalyptiques et concentrationnaires: le foyer grand ouvert sur le monde se transforme en prison, la nouvelle convivialité en solitude radicale. Comme dans les mythologies rapidement évoquées de la ville moderne, l'espace-cocon au sein duquel on devait se réenfanter en maître de l'univers — ici, le domicile — se transforme alors en espace de régression, en univers clos, étouffant. À la mythologie de la divinisation télématique fait ainsi pendant le mythe d'une condamnation à la chute et à l'immobilité, exactement l'inverse, donc, de l'ubiquité promise: l'être humain sera prisonnier de son foyer, rivé à son écran télématique, n'ayant plus besoin de sortir de chez lui, plus de contact direct avec ses semblables tout pouvant se faire désormais à distance (cf. C. Miquel [EHT]). Tout sauf peut-être l'amour... (Mais le *Parti* ne se proposait-il pas aussi d'abolir l'orgasme? On songerait volontiers ici à ce fascinant roman d'Asimov qui se déroule dans un monde où cette atomisation de la télécommunication a été accomplie de manière paroxystique: les gens ne communiquent plus qu'au moyen de télé-écrans; il est devenu proprement impensable de se trouver en présence *physique* d'une autre personne. On a bien entendu substitué des techniques de reproduction en laboratoire à la primitive — et dégoûtante! — obligation d'un accouplement des corps... Mais voici qu'un meurtre a été commis. C'est-à-dire — *horresco referens!* — que quelqu'un a dû, pour ce faire, transgresser le tabou absolu: se trouver dans le même espace physique que quelqu'un d'autre...)

*

Ainsi, tout comme les autres nouvelles technologies, la télématique réactualise un vaste projet symbolique — ici, celui d'une maîtrise magique et chamanique de la distance — et engendre des mythes qui se caractérisent toujours par une ambivalence extrême, c'est-à-dire qui oscillent constamment entre le remodelage positif de l'espace social et la crainte toujours menaçante d'un sombre châtiment lié à de telles transgressions.

Une ancienne «nouvelle technologie»: le nucléaire

On pourrait poursuivre pendant longtemps cette excursion dans l'univers symbolique des technologies modernes tant il est manifeste que toute technique, de nos jours, est immédiatement investie de fortes dimensions symboliques collectives. Évoquons, en dernier lieu, cette *énergie nucléaire* (un peu moins «nouvelle» peut-être mais toujours bien actuelle), issue d'une opération sur ce que l'on imagine volontiers être le cœur même de la matière, que l'on fractionne, que l'on bombarde. (Il apparaît d'ailleurs d'autant plus justifié d'évoquer brièvement cette technologie que celle-ci constitue l'une des nouvelles sources d'énergie à partir desquelles on a l'habitude de dater la «troisième phase» de l'ère industrielle, après celles du charbon et du pétrole.)

Le nucléaire, de par la représentation imaginaire qu'on lui associe, se trouve investi d'une double symbolique, plus dichotomique qu'ambivalente: il est bénéfique dans la mesure où on veut y voir l'extraction d'un potentiel énergétique utile et précieux pour la vie humaine; mais il devient radicalement maléfique dès lors qu'on est surtout sensible à la transgression qu'il implique et dont ne peut fatalement résulter que le déchaînement apocalyptique de puissances mortifères. Celles-ci sont d'autant plus terrifiantes qu'aux capacités spectaculairement dévastatrices de la Bombe s'ajoute, invisible et plus sournoisement létale encore, la contamination radioactive dont elle empoisonne la planète.

Dans la géographie imaginaire du monde moderne, la centrale nucléaire cristallise ces deux symboliques opposées. Si elle est acceptée — tout au moins tolérée — par la majorité de la population comme une «nécessité inévitable» (en période de «crise de l'énergie», réelle ou appréhendée, par exemple), elle apparaît néanmoins comme un véritable lieu totémique interdit qui catalyse autour de lui la quintessence d'une puissance sans mesure et ambivalente: c'est-à-dire aussi terriblement effrayante qu'elle peut être puissamment utile... On songerait volontiers à la saisissante image de l'Arche de Spielberg. Des études ont d'ailleurs montré que la crainte et le refus du nucléaire ont tendance à croître avec la proximité du totem. (C. Miquel, *L'énergie nucléaire*). Les ingénieurs et les techniciens qui y travaillent ne doivent-ils pas d'ailleurs, pour y accéder, respecter scrupuleusement d'infinies précautions, se soumettre à d'impérieux rituels? Vient ici à l'esprit la métaphore utilisée par F. Ferrarotti (*Une théologie pour athées*) de la religion comme cette «combinaison d'amiante» qui permet d'approcher du sacré sans se brûler. La métaphore, ici, ne serait-elle pas vertigineusement réversible? La contamination radioactive dont doivent débarrasser leurs survêtements ceux qui reviennent du cœur de la centrale ressemble bel et bien à cette *souillure* du contact avec le sacré si finement analysée par R. Caillois, par exemple (*L'homme et le sacré*; cf. également M. Douglas, *De la souillure*), et dont doivent absolument se purifier ceux qui viennent de l'approcher. («On ne fréquente pas sans s'infecter la couche du divin», écrivait ainsi Saint-John Perse...) Non pas d'abord ni essentiellement souillure morale, mais bien plutôt contamination due au contact avec une sur-puissance destructrice pour le commun des mortels, requérant d'infinies précautions de la part de ceux qui, tel le grand-prêtre du temple de Jérusalem, ont le redoutable devoir de s'approcher parfois jusqu'au Saint des Saints au nom de la communauté...

Mais arrêtons ici ce bref parcours des nouveaux domaines technologiques retenus aux fins de cet essai. Leur impact à notre époque justifie de les prendre comme «modèles exemplaires» dans l'interrogation de l'univers contemporain des techniques. Résumons rapidement les résultats de cette brève enquête.

*

Le discours global autour de ces nouvelles technologies est tout d'abord apparu comme un discours à forte saveur mythique, qui réactualise constamment la croyance en l'aube imminente d'une nouvelle ère, voire d'une parousie technicienne, et confie à ces technologies un rôle puissamment sotériologique: en témoignent avec éloquence à notre époque tous ces rituels collectifs de conjuration du futur, qui prennent la forme de vastes célébrations — scientifiques, universitaires, économiques, politiques, ultimement, médiatiques — où l'on salue avec un mélange de vénération, de crainte et d'espoir la venue de ces nouvelles technologies.

L'analyse individuelle de chacune d'elles a par ailleurs permis de constater à quel point toutes, à leur manière, déploient une symbolique extrêmement prégnante, toujours axée sur la *puissance* et la *régénération* qu'on en attend. L'informatique et l'intelligence artificielle renvoient ainsi à la quintessence d'une raison pure que l'on cherche à isoler de manière quasi alchimique, hors de toutes les contingences de la chair; la robotique réactualise pour sa part l'antique mythe du Golem et revivifie le désir de divinisation de l'homme qui engendre ses propres créatures, au risque de les voir faire ce qu'il a lui-même osé avec son propre créateur: se révolter contre lui; à travers les biotechnologies contemporaines, ce sont les vieux rêves d'une transfiguration immortelle et parfaite du corps et de la chair qui refont surface et s'étendent à la nature elle-même transfigurée, tandis que la télématique promet pour sa part de réaliser, en se glissant dans le réseau invisible des télécommunications modernes, l'antique prétention chamanique à l'ubiquité, au vol magique, au voyage astral. Elle aussi se déploie donc tout entière sur un axe de puissance: celle de la victoire magique sur la distance.

Immortalité, ubiquité, participation à une intelligence supérieure, divinisation, engendrement de créatures soumises et serviables: voilà bien l'ensemble symbolique qui tout à la fois nourrit et accompagne les technologies modernes en fécondant l'imaginaire de notre époque. Force est cependant de reconnaître que cet ensemble symbolique se manifeste à la fois comme très flou, extrêmement répétitif et instable.

Flou, il l'est en ceci que les mythologies qui y ont été aperçues ne sont plus aujourd'hui, comme au 19ᵉ siècle, le prétexte ou l'occasion d'hymnes grandioses à la célébration de ces rêves, à la gloire des techniques qui concrétisent un moment ces espoirs. Ces dimensions symboliques n'apparaissent en fait le plus souvent que de manière éclatée dans les discours proférés autour des technologies nouvelles. Tout semble à vrai dire se passer comme si l'esprit moderne — notre *Zeitgeist* — n'avait plus l'énergie, le désir ou le courage de se créer lui-même ses grands mythes technicistes, comme s'il se contentait de décliner des fragments épars d'anciennes mythologies, faisant par exemple resurgir les archaïques rêves chamaniques ou les anciennes quêtes alchimiques.

Rien, par ailleurs, n'est en un sens plus frustrant que l'analyse des mythes liés aux nouvelles technologies. Ceux-ci sont à la fois extrêmement présents, à fleur de discours, pourrait-on dire, tout en étant par ailleurs extrêmement pauvres, peu originaux, ressassant répétitivement les mêmes rêves d'une société d'abondance, les mêmes craintes d'un avenir concentrationnaire, promettant sans cesse le même vague Eden technologique à l'horizon du même inéluctable Progrès — à moins que quelque catastrophe ne vienne châtier notre trop prométhéenne planète... Toujours, on est renvoyé aux mêmes mythes fondateurs, à un désir de transformation de la condition ontologique de l'être humain grâce à une transgression technique, à une peur de la punition qui risque d'en résulter. En ce sens, les mythes sécrétés autour de l'électricité, du moteur à explosion, du nucléaire ou de l'informatique déclinent ultimement toujours les mêmes espoirs, les mêmes craintes, les mêmes enjeux.

Instable, enfin, l'ensemble symbolique des nouvelles technologies l'est dans la mesure où l'ensemble technico-scientifique évolue constamment, de telle sorte que ces mythes sont eux-mêmes condamnés à se répéter sans cesse sous des formes plus ou moins renouvelées, condamnés à ne pouvoir prendre qu'à peine le temps de s'ébaucher pour aussitôt disparaître et se voir remplacés par d'autres qui diront essentiellement la même chose d'une autre manière, avant d'être eux-mêmes détrônés par de nouveaux... Ainsi, par exemple, les mythes associés à la robotique ou à l'intelligence artificielle délogent à maints égards aujourd'hui, dans les préoccupations de l'imaginaire, ceux que les décennies passées ont pu tisser autour du nucléaire ou de l'audio-visuel — et seront eux-mêmes délogés par d'autres un jour, vraisemblablement plus prochain que lointain...

Mais il est temps de spécifier plus directement l'univers symbolique qui habite le système technique actuel, notamment à travers les différences qu'il manifeste par rapport à celui de la révolution industrielle du siècle dernier.

V

Puissance, nouveauté et dissacralité: l'univers symbolique de la technique actuelle

> Dans toute magistrature, il faut compenser la grandeur de la puissance par la brièveté de sa durée.
>
> Montesquieu, *L'Esprit des lois*

Plus que jamais, en notre siècle, la technique manifeste son étroite parenté avec la puissance, avec cette religion de la puissance à laquelle ces pages se sont longuement arrêtées. C'est bien au cœur de la volonté de puissance nietzschéenne que s'ancre le projet de la technique moderne. L'analyse même rapide de quelques mythologies techniques modernes confirme cette lecture. Toutes, en effet, gravitent bel et bien autour de la puissance. Permanence, donc, d'un univers symbolique formé à l'aube de l'âge industriel.

S'il leur arrive parfois d'être questionnées, remises en question, la *science* et la *technique* n'en demeurent pas moins, dans notre monde, des réalités sacrées. Si les discours autour de la technique se font plus sobres et si, en tout cas, on y sent moins qu'au 19ᵉ siècle le souffle d'un lyrisme épique, la science continue d'être lourdement célébrée pour le projet de salut collectif qu'elle semble toujours porter dans ses flancs. Pensons à I. Prigogine et I. Stengers, auteurs de *La Nouvelle Alliance*, à des penseurs comme M. Serres ou E. Morin qui, de nos jours encore, se font les enthousiastes prophètes de ce «nouveau paradigme scientifique» capable de réconcilier l'homme avec la nature. De telles réflexions représentent, pour D. Janicaud [PR, 214s], les ultimes résurgences, en notre 20ᵉ siècle finissant, de l'optimisme scientiste et techniciste du 19ᵉ siècle, entretenant, telles de fidèles vestales, pourrait-on dire, le feu sacré de mythologies dont la Science et la Technique semblent avoir besoin pour conserver leurs majuscules. En ce sens, notre civilisation paraît bien se contenter de répéter les mythes technicistes qui l'ont nourrie depuis le 18ᵉ siècle, qu'elle soit tentée de voir poindre l'aube d'une révolution fondamentale dans l'apparition de chaque découverte scientifique, de chaque «nouvelle technologie», ou qu'elle entonne à chaque fois les mêmes credos, suscitant toujours les mêmes débats incantatoires autour de ses «effets sociaux»...

Ce fait devrait servir de leçon d'humilité: notre fameuse «modernité» — entre-temps d'ailleurs devenue «post-moderne»! —, notre conviction de voisiner un tournant déterminant de l'histoire (même Heidegger ne semble pas avoir totalement évité le piège de cette «tentation eschatologisante» du «Tournant» décisif) ne fait à vrai dire que refléter le vieux fond eschatologique et messianique qui a permis à l'Occident d'imposer son corset, pour ne pas dire sa camisole de force, technique à l'ensemble de la planète. Au risque d'égratigner notre narcissisme collectif, force est de reconnaître que cette mythique *modernité* — bien entendue redéfinie par chaque génération en réaction contre la précédente — est toujours ancrée dans la civilisation industrielle née dans les officines scientifiques et les manufactures du 18ᵉ siècle tardif, quelque post-industriels ou post-modernes que se proclament les refrains qui la récitent de nos jours... Mais, on l'a vu, il est même possible de faire remonter encore plus loin dans le temps les origines de cette prétendue «modernité», jusqu'au cœur de l'âge des cathédrales et de l'Inquisition. Ici encore, Nietzsche (*La volonté de puissance*) avait vu juste en parlant de ses contemporains comme des «épigones d'une fort ancienne histoire» et non comme des produits d'une «génération spontanée» issue de la «Révolution industrielle»...

Spécificité de l'univers symbolique de la technique actuelle

Cela dit, une telle perspective ne doit cependant pas faire perdre de vue la spécificité du sens et de la forme que revêt aujourd'hui cet univers symbolique de la technique, les évolutions qu'il manifeste et les différences qu'il présente par rapport au début de la civilisation industrielle. On l'a déjà évoqué en notant le «flou» des valeurs symboliques de la technique à travers l'analyse des micro-symbolismes rattachés à des objets techniques très ponctuels, mais il faut s'y arrêter davantage.

Plus profondément, l'univers symbolique actuel de la puissance technicienne n'est plus tout à fait celui du siècle dernier. Il ne s'agit plus en effet de glorifier la puissance et l'avenir de ses conquêtes, de sa domination de la nature. Cette conquête, pour l'essentiel, a déjà eu lieu. Il ne s'agit plus vraiment, non plus, d'exercer la puissance fascinante de la raison réordonnatrice du monde, cela apparaissant là encore comme étant en bonne partie réalisé. Il s'agit dès lors plutôt, dans un univers de puissance en acte et encore en expansion, de participer à cette puissance sacrée désormais offerte par la technique, grâce à la médiation des objets techniques.

De ce point de vue, il faut comprendre que l'Occident moderne, malgré la «modernité» dont il se targue, se rapproche en fait assez vertigineusement de ses ancêtres «primitifs» animés, selon C. Lévi-Strauss, par un schème de participation à la puissance sacrée. La technique, en devenant le milieu ambiant, est en même temps devenue l'occasion privilégiée, pour l'Occidental contemporain, d'exercer sa «pensée sauvage», d'éprouver un sentiment d'intégration à un univers sacré de puissance. On comprend mieux dès lors que le projet symbolique qui accompagne l'essor continu des techniques favorise l'effectuation de la technique pour son effectuation même: ce qui est favorisé, c'est bel et bien, ultimement, un système de puissance auquel chacun, mythiquement, est en mesure de participer dès qu'il se sert d'un objet technique, dès qu'il s'inscrit dans son réseau sacré.

La figure symbolique actuelle de la puissance technicienne ne concerne donc plus qu'indirectement le projet de réorganisation rationnelle du monde et de conquête de la nature. Elle renvoie plutôt à la mise en place d'un «dispositif de puissance» technico-scientifique, pour parler comme M. Foucault, qui apparaît en soi comme sacré. Ce qui suppose un renversement capital: de la puissance de la rationalité organisatrice du monde à une rationalité réquisitionnée au service exclusif de la puissance autojustifiée comme fin en soi, ne visant plus que son propre accroissement.

Ce renversement paraît fondamental pour comprendre en quoi nous sommes et, en même temps, ne sommes plus dans le même monde que celui de la société industrielle de la fin du 18ᵉ et du début du 19ᵉ siècle: nous appartenons toujours au même univers technique et imaginaire dominé par la figure symbolique de la puissance et de son lien à une raison pratique sacralisée. Mais, à l'intérieur de ce *même*, il s'est opéré un renversement entre les deux pôles, la puissance technicienne auto-effectuée primant désormais sur la Raison victorieuse, et impliquant de ce fait une nouvelle vision — effectivement autre, différente, bien qu'elle se déploie toujours dans les mêmes cadres et les mêmes structures. C'est ce qui peut expliquer que, tout en demeurant prisonnier de mythes, de visions et de schèmes de pensée de l'ère industrielle, ce nouvel univers symbolique de la technique engendre des mythes et des rituels qui déclinent et articulent les croyances au progrès et à l'imminence d'une parousie technicienne de manière différente de celle qui caractérisait l'âge industriel naissant. Lorsqu'ils resurgissent, en effet, ces mythes jouent moins le rôle de credo affirmant la foi en une proximité du nouvel âge d'or. Ils assument plutôt une sorte de fonction régulatrice qui permet de mobiliser les énergies dans le but de justifier une nouvelle avancée du complexe technico-scientifique de puissance. La distance inévitable entre projets et résultats, remarque D. Janicaud [PR], est comblée en principe par la mythification (le techno-discours qui anticipe et stimule l'expansion technicienne).

*

Ces mythes du progrès et de la parousie technicienne (ils traduisaient, on s'en souviendra, le schème eschatologique médiéval de la ruse ontologique) prennent de nos jours une forme spécifique: mythe et culte de la *nouveauté*, que nous n'avons cessé de croiser. Le «nouveau», c'est bien ce qui semble capable de régénérer la puissance — sacrée — du corps technique; c'est ce qui permet de réactualiser sans cesse les mythes fondateurs de notre civilisation, de confirmer que nous nous trouvons toujours aspirés par un mouvement continu de perfectionnement, c'est-à-dire, bien sûr, de progrès; c'est ce qui actualise et concrétise ici et maintenant notre participation à la Puissance, alors que le 19ᵉ siècle devait encore largement se contenter d'espérer avec enthousiasme la promesse d'une telle participation.

Autres reformulations de ces mythes fondamentaux de l'Occident: le mythe de l'*inéluctabilité* de l'essor scientifique et le culte de l'*opérativité* générale de toutes choses. La technique, devenant système de puissance symbolique auquel tous et chacun participent, s'imposant comme une fin en soi, non soumise à d'autres valeurs, se trouve en quelque sorte justifiée par ce caractère d'inéluctabilité même: technique-destin, moderne *fatum*. Ses «bavures» ou ses «coûts sociaux» (le chômage et la récession, créateurs de... *nouveaux* pauvres, la «crise») deviennent autant de sacrifices que l'humanité doit consentir à son nouveau dieu, le tribut qu'elle doit verser à cet exigeant et insatiable Moloch. Cette saveur d'inéluctable destin traduit bien la spécificité du symbolisme de la puissance contemporaine qui se décline désormais non plus à partir du futur, mais comme étant en pleine actualisation déjà: «Il faut bien l'accepter, puisque c'est comme ça et qu'on ne peut faire autrement...» Comme le souligne avec justesse Janicaud, le corollaire de ce mythe apparaît dans la justification de la célèbre «règle de Gabor»: la technique peut tout; et tout ce qui peut être fait doit dès lors être fait... (D. Gabor, *Innovations: Scientific, Technological and Social; Inventing the Future*). Si elle apparaît à l'individu contemporain comme inéluctable, elle implique de ce fait un culte de l'opérativité générale de toutes choses, tout devant en effet se soumettre à son efficacité et à sa puissance.

Une nouvelle économie du sacré: émiettement et *dissacralité*

Une première conclusion paraît bien s'imposer: malgré ses prétentions a-religieuses et rationalistes, notre siècle, pour peu qu'on l'observe attentivement, s'avère au contraire profondément religieux, pétri d'une religion de la science et de la technique d'autant plus prégnante qu'elle est plus diffuse. («L'homme moderne, suggère ainsi A. Finkielkraut (*La sagesse de l'amour*, p. 119), n'est pas athée, mais habité (...) Si Dieu a cessé de lui donner des ordres, ce n'est pas, pour autant, l'indépendance humaine qui a succédé à l'autorité céleste, c'est le sacré: le fait pour les êtres de participer à un ordre où ils s'abîment...») Ni Église, ni catéchisme, ni clergé, sans doute, mais, bien plus efficacement encore peut-être, un culte omniprésent de la puissance auquel tout un chacun participe et communie le plus souvent même sans en prendre conscience. Rituels quotidiens auxquels les objets techniques nous amènent «tout naturellement» à nous plier, de bonne grâce, pour accéder à la puissance qu'ils médiatisent; culte presque unanime d'une science encore largement considérée comme la voie royale d'accès à la vérité du monde et, par là même, tout aussi sacralisée que les savoirs mythiques de nos lointains ancêtres...

De telles suggestions feront sans doute froncer bien des sourcils contemporains. Il pourrait être tentant de voir dans ces réticences la plus désarmante des confirmations. N'est-il pas en effet proprement sacrilège, aux yeux d'une époque qui y *croit* dur comme fer, de critiquer la «naturalité» du progrès et de ranger la science au panthéon des mythes? N'est-ce pas précisément la force du mythe de s'imposer comme «allant de soi»? Et l'homme moderne, persuadé que les ouvrages scientifiques «sérieux» lui apprennent quelque chose sur l'«essence» de la «réalité» du monde, ne rejoint-il pas foncièrement — au plan de sa croyance et de la naïveté première de sa foi — le «primitif» qui approfondit sa connaissance théorique et pratique du monde en méditant ses mythes?

*

Il faut plus précisément se demander ce que devient, sous l'égide de cette nouvelle figure symbolique, l'économie du sacré. Si la technique s'articule en effet toujours au pôle d'un sacré de respect qui la consacre, plus que jamais, comme symbole de l'ordre du monde et garant de sa puissance, cette symbolique sacrée s'enracine désormais directement dans le système technique lui-même, tout en s'émiettant par là même sur chacun des objets techniques qui la cristallisent ou la concrétisent un moment.

Pour comprendre et décrire la manière dont les techniques modernes désacralisent ainsi le monde tout en le resacralisant partiellement, il faut dégager le nouveau principe qui préside au destin du sacré, à l'époque contemporaine, et que cet essai propose d'appréhender à l'aide du concept de *dissacralisation*, emprunté à S. Acquaviva (*L'éclipse du sacré dans les civilisations industrielles*), qui eut le mérite de le proposer sans toutefois en apercevoir toute la richesse, en en faisant à toutes fins utiles un simple synonyme de *désacralisation*. Un tel concept apparaît pourtant extrêmement utile pour penser *en même temps* ces deux mouvements opposés que sont la désacralisation et la resacralisation, cela apparaissant nécessaire pour sortir de l'impasse à laquelle aboutit la stérilité de bien des débats actuels sur les rapports entre technique et sacré aujourd'hui.

Acquaviva a en partie raison de poser que, par rapport aux formes «traditionnelles» du sacré, la technique a bien l'effet de désacraliser le monde et de faire reculer la pensée symbolique. Il ne faut cependant pas être dupe d'une telle constatation. Car cette désacralisation du monde elle-même, c'est-à-dire son «explication», sa réduction à une pensée rationnelle et opérationnelle, devient, à son tour, la quête sacrée de l'humanité moderne. De ce point de vue, il faut reconnaître à Jacques Ellul l'immense mérite d'avoir vu mieux que quiconque peut-être à quel point la technique constitue bel et bien l'une des expressions privilégiées du «sacré moderne», comme il dit et, plus précisément encore, de ce qu'on pourrait appeler un «sacré désacralisateur». De même qu'un train, on le sait, peut souvent en cacher un autre, Ellul [NP] note avec à propos qu'une désacralisation peut dissimuler un processus concomitant de resacralisation... Mais qu'est-ce que cela signifie par rapport à l'économie du sacré?

À l'intérieur du champ technique lui-même, s'opère perpétuellement un double mouvement de dé-sacralisation et de re-sacralisation que tente précisément de rendre le concept de *dissacralisation*. Sans cesse, en effet, toute une partie du champ technique est pour ainsi dire rendue à la profanité, vidée de sa dimension sacrée, livrée à des attitudes purement instrumentales et fonctionnelles; au même moment, une autre région de ce champ, occupée par les «nouvelles technologies» ou les plus récents gadgets de l'heure, se voit en revanche puissamment resacralisée. Globalement, ce concept de *dissacralité* vise donc précisément à suggérer la simultanéité — plus que le simple parallélisme — de ce double mouvement.

Plus encore, un tel concept permet de dégager l'un des principes de fonctionnement du sacré à notre époque, bien au-delà même de la sphère strictement technique, dans laquelle il se manifeste cependant de manière privilégiée. Nous vivons en effet de plus en plus dans une culture où le sacré n'est plus géré et pris en charge par une institution, par un clergé dont la légitimité serait universellement, ou en tout cas très largement reconnue. Le sacré, par là même désancré, désinstitutionnalisé, au lieu de disparaître purement et simplement, se maintient plutôt comme une sorte d'arrière-monde flottant et flou, de ciel nébuleux, de brume qui, chargée des effluves des siècles passés, continuerait de flotter sur les choses tout en modelant la conscience collective...

Le terme de *dissacralité* traduit assez précisément cette persistance floue du sacré qui n'est plus aussi directement tangible mais demeure tout de même présent dans le paysage, tout comme il suggère bien ce morcellement, cet émiettement, cet éclatement qui amène le sacré à se cristalliser aujourd'hui sur de multiples objets, ponctuels, éphémères, évanescents. Comme dans nombre de mots dans lesquels elle s'insère, la racine *dis-*, ici, évoque bien la dis-jonction, la rupture à l'intérieur de la sphère même du sacré. Dis-jointe, celle-ci se dis-tribue sur nombre d'objets concrets ponctuels, gros de tous les espoirs: du réfrigérateur de nos grands-parents aux «transformers» de nos enfants, en passant par nos vidéos, nos ordinateurs et nos minitels, mais, aussi, nos partis politiques et nos maîtres spirituels, nos héros littéraires ou nos partenaires amoureux...

La simultanéité des deux mouvements — de désacralisation et de resacralisation — doit par ailleurs se penser dans les deux sens. C'est en effet grâce à une double désacralisation que s'opère la disjonction dans la sphère du sacré: désacralisation globale du monde par la raison pratique et profane; désacralisation partielle des autres objets (techniques, notamment) rapidement marqués par la désuétude; mais aussi grâce à une double re-sacralisation concomitante: resacralisation de l'objet particulier sur lequel le sacré se cristallise à nouveau un moment et, par là même, du monde ambiant, qui se trouve lui aussi étrangement resacralisé, comme en vertu d'une mystérieuse communication de privilège.

*

Si la dis-sacralité est ainsi devenue le mode d'être privilégié du sacré, dans tous les domaines, il ne faut pas oublier qu'elle a été imposée par l'univers technique lui-même. Si la technique est bien, en effet, comme le remarque G. Simondon [MEOT] avec pertinence, le monde du morcellement et de la pluralité des objets, par opposition au monde religieux de l'unité, on comprend que, dès lors que cet univers dominant de la technique devient lui-même la source de la symbolisation, cette dernière ne puisse désormais se faire que de manière éclatée et morcelée, le continuel renouvellement des techniques entraînant dans son sillage celui des symboles.

Dans la mesure où il invite à penser en même temps et à partir de la technique, la dé-sacralisation et la re-sacralisation, la dé-symbolisation et la re-symbolisation que provoque la technique moderne, le concept de dissacralisation rejoint plusieurs thèmes de la méditation heideggerienne. Celle-ci, en effet, met bien en relief la manière dont la technique à la fois désacralise toute chose en réquisitionnant la nature à son service (thème de l'«oubli de l'être») mais se resacralise elle-même au point de faire apparaître son «arraisonnement» de la nature comme une figure «historiale», c'est-à-dire un nouveau mode paradoxal de dévoilement de l'être.

VI

Le destin de la figure symbolique contemporaine de la technique

Être moderne, c'est bricoler dans l'Incurable...

Évolution: Prométhée, de nos jours, serait un député de l'opposition...

E.M. Cioran,
Syllogismes de l'amertume

À l'aide du concept — paradoxal et duel — de dissacralisation, les dernières pages de cet essai se proposent d'explorer les diverses dimensions de ce phénomène dans la culture contemporaine, en y voyant autant de facettes, divergentes mais peut-être complémentaires, déjà susceptibles de dessiner la figure à venir de la technique moderne et, donc, de préfigurer en quelque sorte son *destin* — un destin que nul ne saurait cependant prédire sans témérité.

L'implosion du symbolique

La première dimension repérable découle si l'on peut dire du constat auquel ces pages se sont longuement attardées: le système technique est devenu lui-même un système symbolique qui promet la participation à la puissance et justifie en retour l'essor technique et l'effectuation de la puissance. La boucle se referme parfaitement. Système technique et système symbolique se renvoient désormais l'un à l'autre, s'alimentent mutuellement. On comprend dès lors qu'au sein de cette nouvelle configuration l'univers symbolique, directement signifié par la technique, ne cesse de renvoyer à lui-même, se contentant de cet effet de miroir pour devenir un symbolisant symbolisé. Il n'est plus vraiment nécessaire d'élaborer — comme de l'extérieur, pourrait-on dire — de complexes constructions mythiques. Il suffit d'entretenir l'univers technique, d'en assurer le renouvellement continuel: c'est lui, désormais, qui a valeur de symbole.

S'étant constitué en univers symbolique, l'univers technique nous condamne par là même à consommer sans arrêt des symboles, à nous servir constamment des objets techniques pour réactualiser sans cesse nos mythologies techniciennes. J. Baudrillard l'a bien vu: notre société a comme seul «but» de consommer des signes, des symboles et des objets. D'où une implosion généralisée des signes qui, au bout du compte, en viennent tous à s'annuler — puisque ce à quoi nous nous trouvons constamment renvoyés, par tel objet ou par tel autre, c'est finalement la contemplation de notre propre puissance symbolique — et, pourrait-on ajouter, de notre impuissance narcissique face aux objets techniques.

On comprend mieux ainsi comment il se fait que l'univers symbolique moderne soit à la fois si pauvre et si encombré de mythes techniques répétitifs: ces mythes et ces symbolisations sont produits directement par l'objet technique lui-même; ils ne sont plus le produit d'une symbolisation extérieure qui viendrait donner sens à ce qui est «Autre». D'où, encore, le paradoxe dégagé par J. Ellul [NP]: si le système technique est ainsi devenu un système «auto-symbolisant», s'il se propose lui-même comme valeur symbolique de puissance offerte à la consommation perpétuelle, il empêche aussi, par là-même, toute opération extérieure de symbolisation qui pourrait porter sur lui, obligeant à répéter sans fin les anciens mythes, sans jamais en créer de nouveaux qui correspondraient davantage à notre époque, comme le souhaitait désespérément Artaud (notamment dans son *Théâtre de la cruauté*). Selon J. Ellul, l'impuissance du symbole moderne face à la technique provient de ce que le système technique intègre l'homme dans un ordre technique qui devient un nouveau «milieu naturel» auquel il doit s'adapter sans médiation et *sans distance* possible — lors même que la distance est précisément ce qui permet et ce qui appelle la symbolisation. (Heidegger, rappelons-le, définissait lui aussi notre monde comme le «sans distance», c'est-à-dire, à proprement parler, plus tout à fait comme un «monde», justement...)

Humain, trop humain? Le nouveau milieu dans lequel il évolue désormais renvoie perpétuellement l'homme à lui-même; à lui seul, et non plus à l'*autre* d'une nature mystérieuse, qui soulèverait la question de son sens. L'être humain n'a plus à symboliser, le système technique s'en charge lui-même; il n'a plus qu'à consommer du symbole...

Cette impossibilité d'une opération de symbolisation sur un monde érigé en système auto-symbolisant, Ellul l'illustre à travers l'exemple de la science-fiction et du cinéma moderne. Dans un cas comme dans l'autre, en effet, il semble bien que tous les symboles produits sur la technique renvoient à son inéluctabilité. À travers ces récits et ces spectacles, suggère-t-il, on ne fait que réactualiser les mythes techniques modernes. Tente-t-on même de décrire une société technique «négative» — orwellienne, par exemple —, on ne réussit au fond qu'à se rassurer, par contraste, sur la bénignité de celle dans laquelle nous vivons: somme toute, ce pourrait être tellement pis...

Mais Ellul va plus loin encore. En s'instituant comme système symbolique, estime-t-il, non seulement le système technique bloque-t-il toute opération (extérieure) de symbolisation sur lui-même, mais c'est la pensée symbolique elle-même qu'il enraie et qu'il rend désormais d'autant plus inutile en fait que la technique promet et propage à l'échelle planétaire une pensée calculante qui vise la seule efficacité et rend désuète toute autre forme de pensée. («Pourquoi des poètes en ce temps de détresse...» se demandait déjà gravement Hölderlin, au siècle dernier...) On voit, dans une telle perspective, le paradoxe s'amplifier: lors même qu'il s'assimile l'univers symbolique en devenant lui-même auto-symbolisant, le système technique paraît bloquer tout processus symbolique et condamner jusqu'à la pensée symbolique elle-même.

Tel est le premier destin possible de l'univers symbolique de la technique moderne: implosion — à la manière des analyses de J. Baudrillard — autodévoration et destruction de sa propre capacité à signifier en dehors des schèmes de la pensée calculante. Vision noire, pessimiste et entropique — sauf à y goûter l'amère grandeur d'une pensée enfin totalement désacralisée, irrémédiablement décapée de toutes les scories symboliques que les siècles y avaient entassées?

Le foie de Prométhée

L'univers symbolique des techniques modernes conserve pourtant à maints égards les structures et le caractère prométhéens du monde qui s'est mis en place avec l'émergence de la Révolution industrielle. Ce sont bien toujours les machines — et singulièrement celles qui permettent d'accroître la productivité et de rationaliser le monde — qui servent de «modèles exemplaires» à l'ensemble des techniques (bien qu'elles soient encore davantage centrées sur la puissance et qu'elles permettent désormais une utilisation généralisée, avec leurs derniers avatars informatiques). Le génie ordinateur a remplacé la fée électricité comme modèle technique; la rationalité de la puissance s'est substituée à la puissance du rationnel comme paradigme symbolique dominant. Le savant et le technicien y jouent toujours le rôle de figures emblématiques dominantes, éponymes, pourrait-on presque dire; le prestige symbolique accordé au premier ne réussit cependant pas toujours à masquer la prééminence du second dans la réalité. L'ingénieur anonyme, lui-même rouage d'un système dont il est le garant, tend à supplanter le savant comme personnage exemplaire et salvifique de l'époque. Les formes et les figures sont nouvelles — et pourtant, c'est bien toujours du même univers prométhéen qu'il s'agit.

Et cependant, même subtiles, les variations que connaissent ces modèles et ces figures symboliques, à notre époque, sont révélatrices d'un changement non négligeable: non pas d'un changement du paradigme symbolique lui-même, mais plutôt de sa signification et de sa visée, du centre de gravité du système, qui s'est déplacé. De tels changements, on l'imagine sans peine, risquent de faire subir à la figure symbolique de Prométhée un certain nombre de métamorphoses déterminantes.

Si Prométhée partageait avec Faust et les Titans le redoutable privilège d'emblématiser le monde de l'industrie en pleine genèse, de symboliser la démesure de son esprit de conquête, il se détache ici, pour occuper seul le devant de la scène. Ce n'est cependant plus tellement l'héroïsme de son vol du feu qui fournirait la clé symbolique de notre monde moderne, mais bien plutôt l'enchaînement à son destin tragique. Nous avons bien quitté en effet cette période enthousiaste de l'histoire où l'audace de Prométhée qui dérobait aux dieux le feu du ciel faisait surgir une civilisation nouvelle entre les cheminées des usines et celles des hauts fourneaux. Tel était le grand mythe du scientisme du 19ᵉ siècle, sa grande vision techniciste. Celle de notre époque est devenue beaucoup plus locale, partielle. Elle semble désormais s'interdire toute vaste vue d'ensemble — sinon pour la dénoncer comme pur délire de l'esprit. L'objet technique ne suscite plus de mythes collectifs mais tout au plus, quand une innovation surgit, quelque grand-messe ponctuelle, éphémère. Les mythologies techniciennes actuelles, on l'a vu, se sécrètent continuellement à partir d'une profusion mobile et changeante d'objets ponctuels. À peine ont-elles le temps de s'esquisser autour de l'un d'entre eux — la télévision, par exemple — qu'elles s'étiolent et se rabattent sur un nouvel objet — l'ordinateur ou la vidéo — un moment resacralisé, avant d'être laissé pour compte, abandonné au profit d'un nouveau venu...

La frénétique labilité de ces mythologies de la technique moderne a quelque chose du destin de Prométhée, condamné, on le sait, à expier éternellement sur son rocher l'audace de sa démesure conquérante; condamné à mort sans jamais tout à fait mourir: chaque jour, l'aigle vient lui dévorer le foie qui, chaque jour, se renouvelle... N'est-ce pas à bien des égards le destin actuel des mythologies de la technique qui, à peine esquissées, se voient déchiquetées par l'aigle insatiable de la Nouveauté?

L'univers symbolique de la technique moderne, s'il demeure bien prométhéen, a donc, en changeant de centre de gravité, fait basculer le mythe lui-même, en reléguant à l'arrière-scène son aspect conquérant, héroïque, et en accentuant son aspect tragique d'épuisement et de dévoration. («La bête de labeur, écrit Heidegger [EC, 83], est abandonnée au vertige de ses fabrications, afin qu'elle se déchire elle-même, qu'elle se détruise et tombe dans la nullité du Néant»...) Notre univers prométhéen voit désormais, derrière le feu volé des hauts fourneaux, poindre toujours plus dangereusement cette tragédie centrale du mythe: le foie de Prométhée éternellement dévoré par l'aigle... (Faudrait-il rappeler que, selon l'antique acupuncture chinoise, le foie est l'organe-contrôle des émotions et, en particulier, de la peur?)

Notre univers symbolique contemporain s'inscrit bien sous le signe du foie de Prométhée. Il ne cesse de sécréter des mythes qui s'avortent sans cesse. Mythes fragmentaires, éclatés, à partir des mêmes trames, du même tissu symbolique ancien. Boulimique consommation de symboles que le système technique, devenu la source même du symbole, s'est condamné à sécréter sans fin. Prométhée, donc, toujours. Mais Prométhée enchaîné, dont le supplice évoque bien celui de l'humanité moderne: apparemment débarrassée par la technique du monde désormais inutile du symbole, celle-ci n'en demeure pas moins, et plus que jamais, prisonnière des symboles que la technique ne cesse d'engendrer, de manière désespérément monotone et répétitive.

Autre destin possible de l'univers symbolique contemporain de la technique: il s'agirait moins, cette fois, d'un déclin inéluctable, de la vision catastrophiste d'une érosion irréversible de la dimension symbolique, mais plutôt, à l'inverse, d'une incapacité de la pensée technique de se débarrasser de sa dimension symbolique, qu'elle sécrèterait, détruirait et renouvellerait sans cesse. Auto-déchirement symbolique de Prométhée. La tragédie de ce dernier n'est-elle pas, ultimement, celle de son impuissance à oublier les dieux?

Les clins d'œil de Dionysos

Les deux destins possibles que tracent les figures qui précèdent semblent prendre comme un fait accompli — et, en tout cas, inéluctable — l'avènement d'un monde technico-scientifique et la prédominance d'un schème de pensée toujours plus rationnel. Pourtant, est-ce bien le cas? Sommes-nous vraiment, irrémédiablement passés sous le signe tragiquement lumineux de Prométhée?

Force est de reconnaître que, malgré l'apparent triomphe de la pensée rationnelle technicienne, notre monde est plus que jamais le théâtre sinon la proie de l'irrationnel. D. Janicaud rappelle ainsi les quarante millions de victimes de la Seconde Guerre mondiale, la course actuelle aux armements, la détérioration de l'environnement et les catastrophes écologiques aussi bien que l'exploitation effrénée d'un tiers-monde qui meurt encore largement de faim pour gaver une fraction de la planète détentrice du terrible privilège de commander les équations de la science et les leviers de la technique...

Sans verser dans les soupirs aussi faciles que stériles de la mauvaise conscience, on peut tout au moins se demander comment il se fait qu'un système symbolique tout entier voué au réagencement rationnel du monde grâce à la science et à la technique débouche ainsi aux antipodes du projet qu'il nourrit depuis des siècles, c'est-à-dire sur un monde qui, à tant d'égards, paraît rien moins que rationnel. D. Janicaud propose déjà une piste de réponse fort intéressante: la recherche de l'effectuation de la puissance pour la puissance, tout enracinée qu'elle soit dans un projet de réagencement rationnel du monde, n'en représente pas moins un renversement de la raison, au point que celle-ci, poussant son projet à la limite, en vient à se muer en son contraire, c'est-à-dire en irrationnel désir de puissance pour la puissance. Ainsi, loin d'être une «preuve de rationalité», l'essor de la techno-science actuelle serait bien plutôt le signe d'une démesure de la raison — d'une apothéose de l'*hubris*. La sur-rationalité, note Janicaud, n'est-elle pas, pour les psychiatres, un clair indice de paranoïa — et, comme le signale M. Maffesoli [CP; VT; OD], la source de tous les totalitarismes modernes?

Tout se passe en effet comme si l'essor de la science et de la technique, favorisées, on l'a vu, par une symbolique de ruse ontologique (qui les a investies de finalité eschatologique et de vocation sotériologique), en arrivait enfin à s'effectuer pleinement, à notre époque, et à dévoiler par là même la dimension mythique, irrationnelle dont elles étaient déjà grosses dès l'époque médiévale. Depuis lors, en effet, n'a cessé de se déployer un même projet de remodelage du monde, c'est-à-dire tout à la fois du microcosme et du macrocosme, grâce à la puissance d'une raison pratique sacralisée. Ayant structuré l'univers symbolique de la technique occidentale en lui assignant un but prométhéen, la ruse ontologique se réaliserait enfin; ce faisant, elle s'épuiserait en révélant toute l'irrationalité qu'elle portait dans ses flancs.

On peut certes se demander quelles risquent d'être les conséquences d'un tel renversement et, en particulier, quel *destin* attend, dans ces conditions, l'ensemble technique moderne et l'univers symbolique qui lui est lié. L'irrationalité où conduit finalement la sur-rationalité de la techno-science apparaît à Janicaud comme le signe d'une revanche de la vie qui excède toute tentative de rationalisation — l'irrationnel, à cet égard, resurgissant d'autant plus violemment que la rationalité du système tenterait de le contraindre, voire de l'extirper.

Outre cet aspect de démesure dionysiaque que revêt l'essor irraisonné de la technique moderne (et qu'Ellul [NP] enregistre en passant), un second motif dionysiaque peut être repéré dans la résurgence d'un irrationnel de plus en plus susceptible d'être perçu comme le nouveau «propre de l'homme». De telles résurgences, qui coïncident avec l'hégémonie d'une sur-rationalité technicienne elle-même bien peu rationnelle, se manifestent de nos jours de diverses manières: vogue de l'astrologie, de la parapsychologie, des sciences occultes, des «sectes» de tout acabit; popularité de tous ces phénomènes qui offrent une voie de communication autre que celle de la raison; actualité d'un néo-romantisme antirationnel qui a longtemps inspiré bien des mouvements de contestation («La raison est bourgeoise!», pouvait-on lire ainsi parmi les graffiti de Mai 68), le mouvement hippie, l'écologisme, mais également des phénomènes à première vue plus inquiétants où semble resurgir un irrationnel de type fasciste. (Le fascisme mussolinien comme le nazisme hitlérien, il faut s'en souvenir, firent aussi bon ménage avec un culte de la Technique et de l'Industrie qu'avec une célébration des valeurs irrationnelles de la communion à la Terre, au Sang, au Fer...)

Poussée à ses limites, cette troisième piste mène à la conclusion — paradoxale — que nous vivons en fait dans un monde bien plus irrationnel que rationnel, et ce aussi bien dans l'essor aveugle d'une technique sacralisée qu'à travers les expressions de révolte qui, d'une manière ou d'une autre, prônent et préconisent un retour de l'irrationnel. Serait-ce donc qu'en déplaçant son centre de gravité, en évinçant Prométhée conquérant au profit d'un Prométhée qui, tragiquement déchiré, n'en poursuit pas moins son entreprise, le système symbolique dans lequel nous vivons laisserait finalement resurgir avec plus de force encore la *part d'ombre* de Dionysos?

Le propre de la technique occidentale serait bien ainsi d'avoir été codée de manière foncièrement dionysiaque: sur le mode de la rétention (de l'*hypo*), chez les Grecs, puis, sur celui de l'excès (de l'*hyper*) à partir de l'âge industriel. Si, à l'origine de cette dernière période, l'aspect dionysiaque démesuré du projet de conquête du monde alimentait l'essor de la technique, il demeurait soumis à la froide détermination d'un Prométhée rationnel et calculateur, d'un Prométhée ingénieur qui savait où il allait et indiquait résolument le but à atteindre. La technique, aujourd'hui, demeure étrangement le symbole de l'ordre du monde, d'un sacré de respect sur lequel se bâtit notre monde. Elle semble pourtant avoir perdu son «guide charismatique» — tout comme, sur la scène politique, des gestionnaires de plus en plus ternes, semblables et interchangeables succèdent de nos jours aux anciens leaders portés au pouvoir par la force de leur charisme. Tout se passe comme si la technique, dépouillée de son inspirante superbe, se contentait désormais d'affronter son destin en laissant paradoxalement le champ libre au déferlement frénétique d'un dionysisme qui la portait depuis ses origines.

Dans une telle perspective, il est assurément tentant de relire les mythologies et les micro-rituels qui se fixent sur les objets techniques contemporains comme autant d'entreprises de réappropriation dionysiaque d'une technique qui, en soi, se contente d'être froide, impersonnelle. Prenons l'ordinateur: en lui-même, il est bien peu attirant, n'offre pas, si l'on peut dire, beaucoup de *sex appeal*... Mais imaginons-le au milieu de jeunes maniaques de l'informatique; regardons-le quand il devient partenaire de jeu (y compris d'ailleurs de ce «jeu» subtil, à moitié inconscient et un peu snob — notamment répandu chez les «professionnels» et les «spécialistes» de l'informatique — qui consiste à laisser aux «profanes» les Macintosh et autres «joujoux» du genre, et à ne «jouer» soi-même qu'avec les ordinateurs «sérieux»...); écoutons-le, cet ordinateur — sérieux ou non — quand des chercheurs, les yeux brillants, viennent de lui arracher un usage imprévu, ou quand il s'imisce dans la conversation terne d'un salon intellectuel: même les *Frustrés* blasés de Bretécher y retrouvent l'enthousiasme...; suivons-le — mais il faut s'accrocher! — lorsqu'il entrelace sur son écran télématique les désirs en mal de tendresse ou d'émotions fortes: tout ne se passe-t-il pas comme si le monde — «désenchanté» depuis Max Weber — se réenchantait «comme par magie»? Voilà le même outil austère et rébarbatif qui s'anime, cristallise en lui le désir, noue dans ses circuits la grâce de passions qui s'allument et, parfois, se rencontrent...

C'est bien à l'intérieur même de la sur-rationalité technicienne que semblent ainsi s'ouvrir, un peu partout, des espaces nouveaux, de «nouvelles frontières», pourrait-on dire. Si la technique *froide* en arrive à s'imposer, n'est-ce pas en bonne partie dans la mesure même où, détournée de la rationalité fonctionnelle qui l'a engendrée, elle se laisse traverser d'innombrables *lignes de fuite*, innerver de courants *chauds* qui en font, le plus souvent à l'insu de ses usagers, l'un des nouveaux lieux où se tisse désormais l'être-ensemble contemporain? Tous les micro-rituels évoqués plus haut, quand on y regarde de près, semblent bien avoir ce rôle de *détournement* de la technique de sa fonction purement utilitaire, de rassemblement des individus autour d'une activité commune, d'une passion partagée.

Il se pourrait dès lors que le destin de la technique moderne réside *aussi* dans son appropriation dionysiaque et, partant, dans une resacralisation, un réenchantement du monde. Dans la foulée du christianisme, la rationalité technicienne avait, depuis quelques siècles, fini par évincer les fées des forêts de l'Occident, vidé de leurs elfes et de leurs faunes les bosquets jadis *habités*. Mélusine — que Daudet avait déjà cru entrevoir parmi les «pétroleuses» de la Commune! — ne hanterait-elle pas désormais les écrans cathodiques? Serait-ce à la télématique que Merlin et Morgane confieraient désormais leurs clins d'œil et leurs secrets?... Écho du pressentiment de Hölderlin, repris par Heidegger: est-ce donc «en poète» que l'homme, «plein de mérite», pourrait désormais «habiter», «au-delà des déserts de la terre ravagée»?...

Il est étonnant de constater que les penseurs hier les plus inspirés par les «modèles machiniques du désir» ne semblent guère saisir tous les mouvements de transgression, toutes les déterritorialisations, toutes les lignes de fuite esquissées par les «nouvelles technologies» — eux qui en détectaient pourtant sans difficulté naguère dans des manifestations aussi encadrées, aussi «moléculaires» que les «Fêtes de l'*Humanité*»... Au silence d'un Gilles Deleuze paraît ainsi répondre la désillusion nostalgique d'un Félix Guattari, qui attribue les «années d'hiver» que nous traverserions présentement au «désenchantement» issu de l'essor des techniques... «Le retour réactionnaire auquel nous aurons eu droit ces dernières années, suggère-t-il ainsi [AH, 8], nous aura au moins apporté quelque chose: un désenchantement sans appel du socius comme naguère celui du cosmos, du fait des sciences et des techniques»... Du point de vue adopté ici, il s'agirait bien plutôt en fait d'être attentif au cœur même de la sur-rationalité techniciste qui, bien que tendant effectivement à s'imposer à l'échelle planétaire, n'en témoignerait pas moins d'un surgissement de nouveaux espaces transgressifs, lovés dans les interstices du système, et dans lesquels, tels de coriaces brins d'herbe dans le béton des villes, perdure l'irrationnel porteur de vie. Pour peu, bien sûr — comme le rappelait M. Maffesoli en citant la phrase aussi belle qu'inattendue de Marx — «que l'on sache écouter l'herbe pousser»...

Conclusion

RUSES DE LA TECHNIQUE,
RUSES DE LA PENSÉE?

Je sais, quand il le faut, quitter la peau du lion pour prendre celle du renard...

Napoléon I
(cité par Talleyrand dans ses *Mémoires*)

Implosion des symboles; resurgissement perpétuel de ceux-ci à partir de l'âme et du foie immortel de Prométhée qui n'arrive pas à mourir et qui, sans cesse, sécrète de nouveaux symboles; transgressions dionysiaques qui assouplissent et détournent les lignes de stratification dures de la technique, y entremêlent de nouvelles lignes de fuite menant à de nouvelles clairières de convivialité, à de nouveaux espaces de désir, de vouloir-vivre sociétal: tels semblent être les trois courants ou les trois dynamiques symboliques qui traversent aujourd'hui l'ensemble technique et son univers imaginaire. Il y a sans doute quelque paradoxe — au moins quelque audace — à tenter de penser en même temps ces trois dynamiques. Le fait est que la plupart des penseurs qui s'arrêtent à la question choisissent en général résolument leur camp et privilégient l'une ou l'autre. Cet essai, pour le meilleur et pour le pire, propose plutôt de tenir *ensemble* ces trois dimensions. Non seulement en effet s'agit-il vraisemblablement de trois avenues possibles du destin de la technique moderne et de son imaginaire — et, comme le suggérait encore M. Maffesoli [VT; OD], il est sans doute plus sage que les intellectuels se contentent de s'attribuer la modeste tâche de dire leur temps à leur manière plutôt que celle de dire ce qui *doit être* ou ce qui *doit advenir;* mais, en outre, le propre de notre monde paraît bien être de porter ces trois dynamiques *à la fois.* Nous appartenons en effet à une civilisation qui, c'est vrai, se révèle en pleine implosion, ne cessant de bégayer son histoire en présentant tous les signes de l'essoufflement et de la décadence. (Au moment d'écrire ces pages, les tendances de la mode annoncent un retour aux *sixties* après une vogue du *look* «années quarante», et une glorieuse parenthèse néo-*fifties*...) Nous vivons par ailleurs dans un monde qui répète et réactualise constamment, avec force, ses mythes fondateurs tout en nourrissant son rêve prométhéen et dément de conquête du monde (que ne semblent devoir arrêter ni les pluies acides, ni l'explosion des navettes spatiales, et qui explique probablement en bonne partie les persistances du racisme, les résurgences xénophobes et les sursauts des soi-disant «majorités morales»). Mais nous habitons également une civilisation qui, au sein de cet immense chaos culturel et technique, de cette profusion vertigineuse et incontrôlable de techniques, d'objets et de connaissances diverses, ne cesse malgré tout d'ouvrir à la vie de nouvelles brèches, d'inventer de nouveaux carrefours de socialité, de tenter des modes inédits d'être-ensemble.

La technique participe et contribue fortement à dresser cet «état des lieux» qui donne à notre siècle d'étranges allures de décadence romaine sur fond de bips informatiques. Ou, alors, de romantique Rome en «-*tique*»... Il y aurait par ailleurs lieu de rappeler que, dans la perspective de l'histoire symbolique et sacrée de la technique que cet ouvrage a voulu déployer, l'époque actuelle a justement semblé pouvoir être caractérisée par le mode de la *dissacralité*. Ce concept invite bien à penser que, si «malade» qu'il puisse être d'un imaginaire religieux dont il n'arrive pas à se défaire, notre monde, en même temps, ne cesse de désacraliser l'univers et de le resacraliser ponctuellement à travers des objets partiels, et en bonne partie techniques. En ce sens, l'implosion désacralisatrice, la resacralisation prométhéenne de symboles porteurs d'un ordre sacré du monde et la transgression dionysiaque constituent bien trois dimensions conjointes qui traversent de part en part l'univers symbolique contemporain régi par le principe de la dissacralité.

CONCLUSION

*

Par «ruse de la technique», rappelons-le une dernière fois, ces pages ont proposé d'entendre le fait que, tout au long de son histoire, la technique s'est présentée sous des traits différents, revêtue de multiples oripeaux grâce auxquels elle est parvenue à se faire «accepter» par les sociétés qui l'ont reçue en leur sein, et à s'y déployer de manière toujours différente. Très longtemps, ses vêtements se limitèrent à de modestes hardes qui ne lui donnaient guère le droit de cité; ou, alors — et l'on songerait ici à *The Prince and the Pauper* de Mark Twain, ou à la ruse du Dauphin d'Anouilh pour tester la Pucelle —, à de pauvres haillons grâce auxquels elle parvenait à dissimuler sa puissance, à n'en user qu'avec une prudente et discrète parcimonie. Au Moyen Âge, c'est apparemment dépouillée de tout vêtement qu'elle doit souvent faire face à l'Inquisiteur, offerte — nue — à sa *question*. Une puissante ruse ontologique allait néanmoins l'anoblir, la revêtir de la robe nuptiale, la couvrir de la pourpre eschatologique, de l'hermine messianique. Mais la ruse des ruses demeure peut-être celle qui, dès la fin du Moyen Âge occidental, allait laisser la technique se déployer de manière purement profane en apparence, lors même que, revêtue de l'invisible manteau du chaman, elle permettait à l'Occident de réaliser ses vieux rêves religieux d'eschatologie sociale et de transformation ontologique du monde. De *puissance...*

Pour en venir à déployer ainsi toute cette puissance, la technique a dû tour à tour revêtir l'armure des chevaliers, le sarrau des savants, la salopette des mécaniciens, la combinaison des ingénieurs, la robe des universitaires, l'habit des académiciens... Décontractée, aujourd'hui, dans le *jeans* des jeunes mordus de l'informatique, ou solennelle dans le costume sombre des «nouveaux entrepreneurs» — à moins que ce soit l'inverse? —, en T-shirt ou en tailleur, en bleu d'usine ou en robe du soir, la technique est désormais partout. Elle est devenue notre milieu, notre écosystème, notre environnement de tous les jours; on pourrait même dire — surtout si l'on songe à la manière dont il se fabrique de plus en plus — notre «pain quotidien»... Le rêve qui semblait la hanter, depuis l'éclat du premier silex, semble désormais réalisé. Mais serait-ce au prix d'un monde désormais épuisé, selon la suggestion de J. Baudrillard, à force d'avoir ainsi voulu concrétiser ses rêves?

*

Nous sommes aujourd'hui confrontés au destin de cette ruse de la technique. Celle-ci s'étant, au sens fort du terme, d'ores et déjà *effectuée*, ne fait-elle que nous acculer — désormais nue, comme le roi — à la fin d'un rêve grandiose et à l'épuisement des symboles qui le nommaient? Faut-il au contraire attendre le retour — proche ou lointain? — d'une technique puissamment recodée par de nouveaux systèmes axiologiques musclés qui viendraient de nouveau la «tenir en respect»? Ou, alors, la ruse de la technique n'aurait-elle donc qu'imité la ruse hégélienne de la Raison qui, feignant d'ignorer qu'elle est l'absolu à la recherche duquel elle se lance, parvient finalement, après le long et sinueux détour de la médiation dialectique, à s'apercevoir qu'elle ne faisait qu'un avec lui? La technique ne se serait-elle présentée, à travers l'histoire des civilisations humaines, comme le signe d'une instrumentalité de plus en plus purement profane que pour mieux découvrir et manifester, à l'issue d'un parcours plein de méandres, l'essence profondément religieuse de son origine, le caractère éminemment sacré de son destin?

BIBLIOGRAPHIE

Vieillesse triste de qui a lu tous les livres et s'est exercé à réécrire tous ceux qu'avait lu celui qui les avait sommés...
M. Serres,
Jouvences sur Jules Verne

ACQUAVIVA, S.

ES *L'éclipse du sacré dans les civilisations industrielles*, Tours, Mame, 1967

ANDERSON, A.R. (dir.)

MM *Minds and Machines*, Englewood Cliffs, N.J., Prentice Hall, 1964

ARON, R.

DSI *Dix-huit leçons sur la société industrielle*, Paris, Gallimard, 1962

ARTAUD, A.

TC *Théâtre de la cruauté*, in: *Œuvres complètes*, Paris, Gallimard, 1970

ATTALI, J.

HT *Histoires du temps*, Paris, Fayard, 1982
PO *La parole et l'outil*, Paris, P.U.F., 1976

AUZIAS, J.-M.

PT *La philosophie et les techniques*, Paris, P.U.F., 1971

AXELOS, K.

HM *Horizons du monde*, Paris, Minuit, 1974
JM *Les jeux du monde*, Paris, Minuit, 1969
MPT *Marx, penseur de la technique*, Paris, Minuit, 1961
PP *Vers la pensée planétaire*, Paris, Minuit, 1970
SO *Systématique ouverte*, Paris, Minuit, 1984

AYMARD, A.

ITG «L'idée de travail dans la Grèce archaïque», *Journal de psychologie*, 1948

BACHELARD, G.

FES *La formation de l'esprit scientifique*, Paris, Vrin, 1938
NES *Le nouvel esprit scientifique*, Paris, P.U.F., 1934

BACON, F.

IM «Instauratio Magna», in: *The Works of Francis Bacon*, von Spedding, reprod. Frommann, Stuttgart, 1963

361

BARTHES, R.
MY *Mythologies*, Paris, Seuil, 1957

BASTIDE, R.
SS *Le sacré sauvage et autres essais*, Paris, Payot, 1975

BATAILLE, G.
ER *L'érotisme*, Paris, Minuit, 1957
LNA *Lascaux ou la naissance de l'art*, Paris, Skira, 1955
ND «La notion de dépense», *in: La part maudite*, Paris, Minuit, 1967
PM *La part maudite,* Paris, Minuit, 1967
TR *Théorie de la religion*, Paris, Gallimard, 1973

BAUDRILLARD, J.
CEP *Pour une critique de l'économie politique du signe*, Paris, Gallimard, 1972
ESM *L'échange symbolique et la mort*, Paris, Gallimard, 1976
SF *Les stratégies fatales*, Paris, Grasset, 1983
SO *Le système des objets*, Paris, Gallimard, 1968

BEAUNE, J.-C.
ASM *L'automate et ses mobiles*, Paris, Flammarion, 1980

BECQUEMONT, D.
MM «La machine du monde et la machine à feu», *in: La machine dans l'imaginaire (1650-1800), Revue des sciences humaines*, (Lille, Université de Lille III) n° 186-187, 1982-1983

BERGER, P.
RCM *La religion dans la conscience moderne*, Paris, Centurion, 1971
RD *La rumeur de Dieu*, Paris, Centurion, 1972

BIARDEAU, M. et C. MALAMOUD
SIA *Le sacrifice dans l'Inde ancienne*, Paris, P.U.F., 1976

BORNOT, F. et A. CORDESSE
TTE *Le téléphone dans tous ses états*, Le Paradou, Actes-Sud, 1981

BOSSUET, J.
OF *Oraisons funèbres*, Paris, J. Tallandier, 1972
SM *Sermon sur la mort et autres sermons*, Paris, Garnier-Flammarion, 1970

BOURDIEU, P.
LD *La distinction*, Paris, Minuit, 1979

BOUTIN, M.
IA   «L'intelligence artificielle: un pari à gagner, mais à quel prix?»,
      Médium, 25, 1986

BREUIL, H.
QP   *Quatre cents siècles d'art pariétal*, Montignac, 1952

BRUN, J.
RD   *Le retour de Dionysos*, Les Bergers et les Mages, 1976

BUFFAT, M.
DCM   «Diderot, le corps et la machine», *in: La machine dans l'imaginaire
      (1650-1800), Revue des sciences humaines*, (Lille, Université de Lille
      III) n° 186-187, 1982-1983

CAILLOIS, R.
HS   *L'homme et le sacré*, Paris, Gallimard, 1950
MH   *Le mythe et l'homme*, Paris, Gallimard, 1938

CANGUILHEM, G.
CV   *La connaissance de la vie*, Paris, Vrin, 1965
EHPS *Études d'histoire et de philosophie des sciences*, Paris, Vrin, 1968

CARON, A.
NTF   «Les nouvelles technologies et le vécu des femmes d'aujourd'hui»,
      Médium, 25, 1986

CARROUGES, M.
MS   *La mystique du surhomme*, Paris, Gallimard, 1948

CAZENEUVE, J.
SR   *Sociologie du rite*, Paris, P.U.F., 1971

CHAPUIS, A. et E. DROZ
LA   *Les automates*, Neuchâtel, Griffon/Beauchesne, 1949 (rééd. Vrin,
      1979)

CHAUNU, P.
PS   «Pourquoi la science est née dans l'Occident chrétien», *in: Dieu et la
      science*, numéro spécial (42) de *Science et avenir*

CLAISSE, G.
TOT   *Transports ou télécommunications: les ambiguïtés de l'ubiquité*,
      Lyon, Presses de l'Université de Lyon, 1983

CLARK, R.
CM   «La cité mécanique: topologie de l'imaginaire utopique», *in: La
      machine dans l'imaginaire (1650-1800), Revue des sciences
      humaines*, (Lille, Université de Lille III) n° 186-187, 1982-1983

CLASTRES, P.
CIG *Chronique des Indiens Guayaki*, Paris, Plon, 1972
GP *Le grand parler*, Paris, Seuil, 1974
SCE *La société contre l'État*, Paris, Minuit, 1974

CLOSETS, F. de
EDP *En danger de progrès (Évaluer la technologie)*, Paris, Denoël, 1970

Collectif
IMT *L'informatisation: mutation technique, changement de société?*, *Sociologie et sociétés*, (Montréal, P.U.M.), XVI, 1, avril 1984

Collectif
ITVQ *Informatique, télématique et vie quotidienne*, Actes du colloque international Informatique et Société, *Documentation française*, 1980

Collectif
MI *La machine dans l'imaginaire (1650-1800)*, *Revue des sciences humaines*, (Lille, Université de Lille III) n° 186-187, 1982-1983

Collectif
RSTS *La révolution scientifique et technique et la société*, Moscou, Éd. du Progrès, 1979 (édition originale russe, 1973)

CORIAT, B.
STC *Science, technique et capital*, Paris, Seuil, 1976

DANIÉLOU, A.
SD *Shiva et Dionysos. La religion de la nature et de l'éros*, Paris, Fayard, 1979

DAUMAS, M.
MRT «Le mythe de la révolution technique», *Revue d'histoire des sciences*
OCT *Les origines de la civilisation technique*, Paris, P.U.F., 1962

DAUMAS, M. (dir.)
HGT *Histoire générale des techniques*, Paris, P.U.F., 1962-1979

DE ROCHAS, A.
SPAT *La science des philosophes et l'art des thaumaturges dans l'antiquité grecque*, Paris, 1882

DEKEN, J.
SS *Silico Sapiens. The Fundamentals and Future of Robots*, New York, Bantam, 1986

DELEURY, G.
MI *Le modèle indou*, Paris, Hachette, 1978

DELEUZE, G. et F. GUATTARI

AO *L'Anti-Œdipe — Capitalisme et schizophrénie*, Paris, Minuit, 1972

MP *Mille plateaux — Capitalisme et schizophrénie*, Paris, Minuit, 1980

DESCARTES, R.

DM *Discours de la méthode*, Paris, U.G.E.

DETIENNE, M. et J.-P. VERNANT

RI *Les ruses de l'intelligence. La mètis des Grecs*, Paris, Flammarion, 1974

DIDEROT, D.

OP *Œuvres philosophiques*, Éd. P. Vernière, Paris, Garnier, 1963

DIEL, P.

MG *Le symbolisme dans la mythologie grecque*, Paris, Payot, 1952

DIELS, H.

AT *Antike Technik*, Leipzig, Teubner, 1924

DOUGLAS, M.

DS *De la souillure*, Paris, F. Maspero, 1981

DRUET, P.-P., P. KEMP et G. THILL

TS *Technologies et sociétés*, Paris, Galilée, 1980

DUBY, G.

HSMA *Hommes et structures au Moyen Age*, Paris/La Haye, Mouton, 1973

RAM «La révolution agricole médiévale», *Revue de géographie de Lyon*, 1954, 351-366

TOI *Les trois ordres ou l'imaginaire du féodalisme*, Paris, Gallimard, 1978

DUMÉZIL, G.

TA *Tarpeia*, Paris, 1947

DUPRÉEL, E.

LS *Les sophistes*, Neuchâtel, Éd. du Griffon, 1948

SG *Sociologie générale*, Paris/Bruxelles, 1948

DURAND, G.

IS *L'imagination symbolique*, Paris, P.U.F., 1964

SAI *Les structures anthropologiques de l'imaginaire*, Paris, Bordas, 1969

DURKHEIM, É.

FE *Les formes élémentaires de la vie religieuse*, Paris, P.U.F. (6e éd., 1979)

ELIADE, M.

CT *Le chamanisme et les techniques archaïques de l'extase*, Paris, Payot, 1974 (1951)

FA *Forgerons et alchimistes*, Paris, Flammarion, 1956

HCIR *Histoire des croyances et des idées religieuses*, T. 1: *De l'âge de la pierre aux mystères d'Eleusis*, Paris, Payot, 1976

SP *Le sacré et le profane*, Paris, Gallimard, 1965

THR *Traité d'histoire des religions*, Paris, Payot, 1977 (1949)

YIL *Yoga, immortalité et liberté*, Paris, Payot, 1975 (1964)

ZGK *De Zalmoxis à Gengis-Khan*, Paris, Payot, 1970

ELLUL, J.

ST *Le système technicien*, Paris, Calmann-Lévy, 1977

NP *Les nouveaux possédés*, Paris, Fayard, 1973

TEJ *La technique ou l'enjeu du siècle*, Paris, Colin, 1964

ESPINAS, A.

OT *Les origines de la technologie*, Paris, Alcan, 1897

FAURE, P.

LR *La Renaissance*, Paris, P.U.F., 1962

FEIGENBAUM, E.A.

FG *The Fifth Generation: Artificial Intelligence*, Reading, MA, Addison-Wesley, 1984

FEIGENBAUM, E.A. et J. FELDMAN (dir.)

CT *Computers and Thought*, New York, McGraw-Hill, 1964

FERRAROTTI, F.

TA *Une théologie pour athées*, Paris, Méridiens, 1984

FEYERABEND, P.

CM *Contre la méthode*, Paris, Seuil, 1979

FINK, E.

JSM *Le jeu comme symbole du monde*, Paris, Minuit, 1965

FINKIELKRAUT, A.

SA *La sagesse de l'amour*, Paris, Gallimard, 1984

FONT, J.-M. et J.-C. QUINIOU

LO *Les ordinateurs. Mythes et réalités*, Paris, Gallimard, 1968

FOSSIER, R.

MA *Le Moyen Âge*, Paris, A. Colin, 1982

FOUCAULT, M.

VS *Histoire de la sexualité: La volonté de savoir*, 1976; *L'usage des plaisirs*, 1984; *Le souci de soi*, 1984; Paris, Gallimard

FRIEDMANN, G.

SM *Sept méditations sur l'homme et la technique*, Paris, Gonthier, 1966

TM *Le travail en miettes*, Paris, Gallimard, 1964

FULCANELLI, N.

MC *Le mystère des cathédrales*, Paris, J.-J. Pauvert, 1973

GABOR, D.

IF *Inventing the Future*, London, Penguin, 1964

IS *Innovations: Scientific, Technological and Social*, London, Oxford University Press, 1970

GILLE, B.

IR *Les ingénieurs de la Renaissance*, Paris, Seuil, 1978

MG *Les mécaniciens grecs*, Paris, Seuil, 1979

GILLE, B. (dir.)

HT *Histoire des techniques*, Paris, Gallimard (Pléiade), 1978

GILSON, É.

PMA *La philosophie au Moyen Âge*, Paris, Payot (PBP), s.d.

GIMPEL, J.

RI *La révolution industrielle du Moyen Âge*, Paris, Seuil, 1975

GINESTIER, P.

PM *Le poète et la machine*, Paris, Nizet, 1954

GIRARD, R.

CC *Des choses cachées depuis la fondation du monde*, Paris, Grasset, 1979

GLOWCZEWSKI, J.-F. *et al.*

CC *La cité des cataphiles*, Paris, Méridiens, 1983

GOUVERNEMENT DU QUEBEC

VT *Le virage technologique. Programme d'action économique*, Québec, Éditeur officiel, 1982

GUATTARI, F.

AH *Les années d'hiver*, Paris, B. Barrault, 1986

GUITTON, É.

MIPF «La machine dans l'imaginaire des poètes français de 1750 à 1770», *in: La machine dans l'imaginaire (1650-1800), Revue des sciences humaines*, (Lille, Université de Lille III) n° 186-187, 1982-1983

GURVITCH, G. (dir.)
IT *Industrialisation et technocratie*, Paris, A. Colin, 1949

GUSDORF, G.
MM *Mythe et métaphysique*, Paris, Flammarion, 1968

HABERMAS, J.
TSI *La technique et la science comme «idéologie»*, Paris, Denoël-Gonthier, 1978

HALARY, C.
OTD *Ordinateurs, travail et domicile*, Montréal, Saint-Martin, 1984
RMI «La robotique: un mythe industriel?», *Sociologie et sociétés* (Montréal, P.U.M.), XVI, 1, avril 1984

HALL, A.R.
SR *The Scientific Revolution. 1500-1800*, Boston, Beacon Press, 1954

HEGEL, G.W.F.
PE *La phénoménologie de l'esprit*, (Trad. Hyppolite) Paris, Aubier-Montaigne, 1939

HEIDEGGER, M.
CH *Chemins qui ne mènent nulle part (Holzwege)*, Paris, Gallimard, 1962
EC *Essais et conférences*, Paris, Gallimard, 1948
NI *Nietzsche I, II*, Paris, Gallimard
OOA «L'origine de l'œuvre d'art», *in: Chemins*, Paris, Gallimard, 1962
QM *Qu'est-ce que la métaphysique?*, Paris, Gallimard, 1951
QT «La question de la technique», *in: Essais et conférences*, Paris, Gallimard, 1948

HOCQUENGHEM, G.
AER *L'amour en relief*, Paris, Albin Michel, 1982

HOFFMANN, P.
MMA «Modèle mécaniste et modèle animiste», *in: La machine dans l'imaginaire (1650-1800), Revue des sciences humaines*, (Lille, Université de Lille III) n° 186-187, 1982-1983

HOLTON, G.
IS *L'imagination scientifique*, Paris, Gallimard, 1981

HOTTOIS, G.
ST *Le signe et la technique*, Paris, Aubier, 1984

JANICAUD, D.
FD «Face à la domination: Heidegger, le marxisme et l'écologie», *in: Martin Heidegger, Cahiers de l'Herne*, 45, 1983

BIBLIOGRAPHIE

PR *La puissance du rationnel*, Paris, Gallimard, 1985

JEANMAIRE, H.

DI *Dionysos. Histoire du culte de Bacchus*, Paris, Gallimard, 1951

JOUVENEL, B. de

CP *La civilisation de la puissance*, Paris, Fayard, 1976

KANT, E.

CRP *Critique de la raison pure*, Paris, Aubier, 1973

KIRCHNER, H.

EAB «Ein archäologischer Beitrag zur Urgeschischte des Schamanismus», *Anthropos*, 47, 1952

KOPPERS, W.

KZB «Künstlicher Zahnschift am Bären im Altpaläolit. u. bei d. Ainu auf Sachalin», *Quartär*, 1938

KOYRÉ, A.

MCUI *Du monde clos à l'univers infini*, Paris, P.U.F., 1962

KUHN, T.S.

SRS *La structure des révolutions scientifiques*, Paris, Flammarion, 1983

LA METTRIE, J.-O.

THM *Traité de l'homme-machine*, Paris, Pauvert, 1966

LABORIT, H.

SI *Société informationnelle*, Paris, Cerf, 1965

LADRIÈRE, J.

ER *Les enjeux de la rationalité*, Paris, Aubier/Unesco, 1977

TET «Technique et eschatologie terrestre», *in: Civilisation technique et humanisme*, Paris, Beauchesne, 1968

LAGADEC, P.

CR *La civilisation du risque*, Paris, Seuil, 1981

LE CŒUR, C.

RO *Le rite et l'outil*, Paris, P.U.F., 1969

LE GOFF, J.

COM *La civilisation de l'Occident médiéval*, Paris, Arthaud, 1964

PAM *Pour un autre Moyen Âge*, Paris, Gallimard, 1977

LEROI-GOURHAN, A.

GP *Le geste et la parole* (2 vol.), Paris, Albin Michel, 1964-1965

HM *L'homme et la matière*, Paris, Albin Michel, 1971 (1943)

MT   *Milieu et techniques*, Paris, Albin Michel, 1945

LÉVY-BRUHL, L.

MP   *La mentalité primitive*, Paris, P.U.F., 1963 (1922)

LIPOVETSKY, G.

EV   *L'ère du vide. Essais sur l'individualisme contemporain*, Paris, Gallimard, 1983

LUCAS, Y.

CM   *Codes et machines*, Paris, P.U.F., 1974

LUSSATO, B.

DI   *Le défi informatique*, Paris, Fayard, 1981

MAFFESOLI, M.

CO   *La connaissance ordinaire*, Paris, Méridiens, 1985

CP   *La conquête du présent*, Paris, P.U.F., 1979

LD   *Logique de la domination*, Paris, P.U.F., 1976

OD   *L'ombre de Dionysos*, Paris, Méridiens/Anthropos, 1982

VT   *La violence totalitaire*, Paris, P.U.F., 1979

MALAMOUD, C. et M. BIARDEAU

SIA   *Le sacrifice dans l'Inde ancienne*, Paris, P.U.F., 1976

MANTOUX, P.

RI   *La révolution industrielle au XVIIIe siècle*, Paris, Genin, 1959 (1905)

MARCUSE, H.

HU   *L'homme unidimensionnel*, Paris, Minuit, 1968

MARX, K.

LC   *Le Capital*, Paris, Gallimard (Pléiade)

MARX, R.

RIGB *La révolution industrielle en Grande-Bretagne*, Paris, A. Colin, 1970

MAX, L.

MG   *The Machine in the Garden*, London, Oxford University Press, 1964

MC LUHAN, M.

GG   *La Galaxie Gutenberg*, Montréal, Hurtubise HMH, 1967

PCM   *Pour comprendre les média: les prolongements technologiques de l'homme*, Montréal, Hurtubise HMH, 1968

MÉNARD, G.

CD   «Crépuscule des dieux, nouvelle aube du sacré?», *Cahiers Transmarge* (Montréal), 1, 1984

BIBLIOGRAPHIE

DE «Dionysos, Éole, Herpès et l'écureuil», *Sociétés* (Masson, Paris) 1, 4 (1985)

MT «Mythes de la technique», *Vice versa*, août 1987

SP «Le sacré et le profane, d'hier à demain», *in: Religion et culture au Québec: figures contemporaines du sacré*, sous la direction de Y. Desrosiers, Montréal, Fides, 1986

TES «Technique, éthique et service social», *Cahiers de recherche sur le travail social*, CRTS, Caen, 1987

MERCIER, P.-A., F. PLASSARD et V. SCARDIGLI

SD *La société digitale*, Paris, Seuil, 1983

MERTON, R.

STS «Science, Technology and Society», *in: Seventeenth Century England*, New York, Harper — Torch Books, 1970

MESLIN, M.

PSR *Pour une science des religions*, Paris, Seuil, 1973

MIQUEL, C.

AA *Les accessoires automobiles* (Rapport de recherche), Paris, Mouvements, 1980

AER *L'annuaire électronique de Rennes* (Rapport de recherche), Rennes, TMO-Ouest, 1981

EET «L'électronique à l'heure de la télématique», *LED (Loisirs électroniques d'aujourd'hui)*, 1, Paris, octobre 1982

EN *L'énergie nucléaire* (Étude de comportement), Paris, Différence, 1979

HS *Le monde de la hi-fi stéréo* (Étude), Paris, Ventillard, 1978

RN «Robots 9» (comptes-rendus, congrès international de robotique, Detroit, 1985) *Robots-Ingénierie Hebdo — La Lettre de la Robotique*, Paris, n°s 7, 8, 9, 1985

TS «Technique et sacré — la dissacralité de l'époque moderne», *in: Religion et culture au Québec: figures contemporaines du sacré*, sous la direction de Y. Desrosiers, Montréal, Fides, 1986

VC *La voiture pour célibataire* (Étude), Paris, TMO, 1979

MIQUEL, C. et N. LANG

MR *Les motos et les rituels des motards* (Rapport de recherche), Paris, 1980

MOLES, A.

AO *Art et ordinateurs*, Paris, Casterman, 1971

LES RUSES DE LA TECHNIQUE

MONOD, J.
HN *Le hasard et la nécessité*, Paris, Seuil, 1973

MORIN, E.
HM *L'homme et la mort*, Paris, Seuil, 1976

MUMFORD, L.
MM *Le mythe de la machine* (2 vol.), Paris, Fayard, 1973-1974
TC *Technique et civilisation*, Paris, Seuil, 1950

NEEDHAM, J.
SCO *La science chinoise et l'Occident*, Paris, Seuil, 1977

NIETZSCHE, F.
EH *Ecce Homo*, Paris, Gallimard, 1945
VDP *La volonté de puissance*, Paris, Gallimard, 1947

NORA, S. et A. MINC
IS *L'informatisation de la société*, Paris, *La Documentation française*, 1978

ORWELL, G.
MN *1984*, Paris, Livre de Poche, 1961

OTTO, R.
LS *Le sacré*, Paris, Payot (PBP), (1969)

PASCAL, B.
PP *Pensées*, (Éd. Lafuma) Paris, Seuil, 1962

POIVRE D'ARVOR, P.
DDJ *Les dieux du jour*, Paris, Denoël, 1985

PRIGOGINE, I., et I. STENGERS
NA *La nouvelle alliance. Métamorphose de la science*, Paris, Gallimard, 1979

RADKOWSKI, G.-H. de
JD *Les jeux du désir: de la technique à l'économie*, Paris, P.U.F., 1980

RASHED, R.
ISE «Islam et sciences exactes», *in: Dieu et la science*, numéro spécial (42) de *Science et avenir*

REICHLER, C.
MM «Machines et machinations», *in: La machine dans l'imaginaire (1650-1800), Revue des sciences humaines*, (Lille, Université de Lille III) n° 186-187, 1982-1983

372

RENAUD, G.

PP «Les progrès de la prévention», *Revue internationale d'action communautaire*, 11/51, printemps 1984

ROQUEPLO, P.

PT *Penser la technique*, Paris, Seuil, 1983

ROSNAY, J. de

CV *Les chemins de la vie*, Paris, Seuil, 1983

RUSSO, F.

AG «L'affaire Galilée», *in: Dieu et la science*, numéro spécial (42) de *Science et avenir*

SAHLINS, M.

AP *Âge de pierre, âge d'abondance. L'économie des sociétés primitives*, Paris, Gallimard, 1976

SALOMON, J.-J.

PE *Prométhée empêtré*, Paris, Pergamon, 1982

SARDA, P.

CO «La cage et l'oiseau», *in: Informatique, télématique et vie quotidienne*, Paris, *Documentation française*, 1980

SCARDIGLI, V.

TN «Technologies nouvelles et production du mode de vie», *Sociétés* (Paris, Masson) 1, 3, 1985

SCHUBART, W.

ER *Éros et religion*, Paris, Fayard, 1972

SCHUHL, P.-M.

EFPG *Essai sur la formation de la pensée grecque*, Paris, PUF, 1949
MP *Machinisme et philosophie*, Paris, PUF, 1969
TH *La technique et l'homme*, Paris, Fayard

SCHUMACHER, E.F.

SB *Small is Beautiful*, Paris, Seuil, 1978

SÉGUIN, P.

CF «Le complexe de Frankenstein (nouvelles technologies et cinéma)», *Médium*, 25, 1986

SERRES, M.

CS *Les cinq sens, Paris*, Grasset, 1985
HLT *Hermès III: La traduction*, Paris, Minuit, 1974
JJV *Jouvences sur Jules Verne*, Paris, Minuit, 1974

SERVAN-SCHREIBER, J.-J.

DM   *Le défi mondial*, Paris, Fayard, 1980

SILBURN, L.

IC   *Instant et cause: le discontinu dans la pensée philosophique de l'Inde*, Paris, Vrin, 1955

SIMON, G.

MDS «Les machines au dix-septième siècle», *in: La machine dans l'imaginaire (1650-1800), Revue des sciences humaines*, (Lille, Université de Lille III) n° 186-187, 1982-1983

SIMONDON, G.

MEOT *Du mode d'existence des objets techniques*, Paris, Aubier, 1979

SINGER, C.

MS   *From Magic to Science*, New York, Dover Publ., 1958

SPENGLER, O.

DO   *Le déclin de l'Occident*, Paris, Gallimard, 1976 (1948)

HT   *L'homme et la technique*, Paris, Gallimard, 1958

TATON, R.

DVB «Le dragon volant de Burattini», *in: La machine dans l'imaginaire (1650-1800), Revue des sciences humaines*, (Lille, Université de Lille III) n° 186-187, 1982-1983

THOMAS, L.-V.

FAQ *Fantasmes au quotidien*, Paris, Méridiens, 1984

THUILLIER, P.

AIM *L'aventure industrielle et ses mythes*, Bruxelles, Éd. Complexe, 1982

TODOROV, T.

TS   *Théories du symbole*, Paris, Seuil, 1977

TOFFLER, A.

TV   *La troisième vague*, Paris, Denoël, 1978

TOURAINE, A.

SPO *La société post-industrielle*, Paris, Denoël, 1969

TOURAINE, A. et al.

CMV «Un changement de mode de vie, pour quoi faire? — débat», *in: Informatique, télématique et vie quotidienne, Documentation française*, (Paris), 1980

TURKLE, S.

SS   *The Second Self: Computers and the Human Spirit*, New York, Simon & Schuster, 1984

BIBLIOGRAPHIE

VAN DER LEEUW, G.
REM *La religion dans son essence et ses manifestations*, Paris, Payot, 1970

VÉDRINE, H.
RR *Les ruses de la raison*, Paris, Payot, 1982

VERNANT, J.-P.
MPG *Mythe et pensée chez les Grecs* I, II, Paris, Maspero, 1965

VIDAL-NAQUET, P.
ESH *Economic and Social History of Ancient Greece*, London, B.T. Batsford, 1977 (*Économies et sociétés en Grèce ancienne*, Paris, A. Colin, 1977)

VOILQUIN, J.
PG *Les penseurs grecs avant Socrate*, Paris, Garnier-Flammarion, 1964

WEBER, M.
EPEC *L'éthique protestante et l'esprit du capitalisme*, Paris, Plon, 1964

WHITE, L.
TM *Technologie médiévale et transformations sociales*, Paris/La Haye, Mouton, 1969

WIENER, N
CS *Cybernétique et société*, Paris, U.G.E., 1962
CWF *Computers and the World of the Future*, Cambridge MA, Greenberger, 1962
GG *God and Golem*, Cambridge, MIT Press, 1964

WUNENBURGER, J.-J.
FJS *La fête, le jeu et le sacré*, Paris, Éditions universitaires, 1977
LS *Le sacré*, Paris, P.U.F., 1981
UCI *L'utopie ou la crise de l'imaginaire*, Paris, J.-P. Delarge, 1979

INDEX NOMINATIF

Le reproche de «compilation», qui est souvent fait lorsque l'on met en place un apparat critique, ne voit pas que celui-ci peut avoir pour effet de relativiser l'originalité à tout prix ou la pseudo-nouveauté. On ne découvre pas de «nouveaux mondes» en sciences de l'homme, on se contente de dévoiler tel ou tel aspect de l'être-ensemble, pour un temps oublié...

M. Maffesoli,
L'ombre de Dionysos.

TABLE DES MATIÈRES

TABLE DES MATIÈRES

Typographie et mise en page sur ordinateur:
MacGRAPH, Montréal

Achevé d'imprimer en février 1988,
par les travailleurs des Éditions Marquis,
à Montmagny, Québec